尾張・三河

Owari Mikawa

明治の商店

絵解き散歩

Etoki Sanpo

編著　森　靖雄

風媒社

はじめに

【本書の底本について】

明治時代は、日本が500年余り続いた封建制から資本制へ転換した激変の時代であった。この変化を「近代化」と呼ぶことが多い。日本の近代化は欧米文化をどん欲に取り入れる「洋風化」が主流であったが、「明治」の年号でくくられる約45年間に様相が一変した所が多い。とくに人口が集中する「まち」ほどその変化は顕著であった。

その「明治」の中ごろに、全国各地で、主要な街々を銅版画で紹介する「商工業図録」とでも呼ぶべき紹介本が発刊され、当時の景観や生活ぶりを今に伝えている。愛知県の「尾張部」の主要な商工業地域を紹介した『尾陽商工便覧』や、同じ時期に「東・西三河部」の商工業地域を紹介した『参陽商工便覧』はその代表的な書籍である。いずれも大阪の堺で出版された。

この二冊については、かつて1988年に『愛知商売繁昌図絵』（ブックショップマイタウン）という本で紹介されているが、今ではそれも入手しにくくなっている。同じ原図（復刻版を使用）ながら、今回は図版から当時の「暮らし」を読み取る視点で見直し、産業史的な視点から背景を読み解くことにした。併せて、明治中期の愛知県の主要な産業や商業・サービス業が、どのような状況であったのかを紹介する。

【二書の特徴と絵図の採用方針】

『尾陽商工便覧』も『参陽商工便覧』もたくさんの商店や工房を紹介しているが、代表的な事業所が網羅されているわけではない。例えば名古屋で見ると、1700年代から木曽山林の木材を取り扱ってきた「材惣」という日本有数の材木商があり、明治末期には愛知の時計組合の理事長もつとめられたが、材木商の方は『尾陽商工便覧』に収録されていない。卸商人が集まる堀川端で最大規模と目された、通称「川伊藤（かわいとう）」も見当たらない。「両口屋」などの和菓子店や、のちに名古屋の伝統産業に指定される「仏壇」や「七宝焼」を扱う店も、陶器店も登場しない。

一方で、この二書はその「図（絵）」に注目されることが多いが、それぞれの地域の末尾などには「事業所名」だけを列挙した個所（本書48ページ参照）もある。これらのことから推察すると、この二書は掲載料を支払った事業所を紹介している便覧であって、幅広く収録されてはいるが、当時の代表的事業所が網羅されているわけではないようである。

そうした事情もあって、本書では、この二書から名古屋の当時の代表的な商店や工房を抽出するよりは、本書の目的である当時の世相や暮らしぶり、地域の特徴や産業のありようなどがよく描き出されている絵図に注目して採用することにした。

【明治中期という時代】

簡単にこの二書（共に1888年＝明治21年発行）が発刊された前後の時代背景を見ておくと、佐幕派最後の抵抗であった西南戦争（1877年）から11年目で、明治政府の治世は安定していた。発刊5年前の1882年には東京に「欧化主義」の象徴とも言える鹿鳴館が完成し、いわゆる上流社会では欧風社交術に汲々としていた。他方では、議会の開設や憲法を求める政治的要求も活発化し、両書発刊の翌年1889年には「大日本帝国憲法」が発布され、1890年には第1回「帝国議会」を開会するに至った。民意の反映という面では、両書発刊の翌年には「東京朝日新聞」、その翌年には「大阪朝日新聞」と「大阪毎日新聞」が改題・創刊されている。愛知では1889年2月に『愛知絵入新聞』、同年7月に『新愛知』、翌年11月に『扶桑新聞』が創刊された。

他方、両書発刊の翌1889年には名古屋電灯会社が創業し、2年後には伏見に発電所を設けて電気を売り始めた。「愛知石炭商会」も両書発刊の翌年に創業された。のちに愛知県が「ものづくり愛知」と呼ばれるようになる基礎となった愛知時計や日本車輌、豊田織機、大隈鉄工などが出現するよりも数年から10年前の時期でもあった。この本は、そうした時代に人々の暮らしはどのように変化しつつあったのか、それを愛知県内の主要都市を歩きながら観察してみようとする本である。

【特筆すべき「図録」の長所】

両書の原本（もとほん）は、各ページの最上段に載せたようなエッチング（銅版画）である。全部収録しきれなかったので、業種や取り扱い品が異なる3分の1ほどを採用し、原画を少し縮小して掲載した。コラム①「詳細な絵画記録」で紹介するような、精密な情景が描かれている。虫眼鏡で拡大して見ながら読んでいただくと、得られる情報が一挙に増えると思われる。

本書発刊の頃を境に「写真集」が発刊されるようになり、写真の珍しさもあって、この種の図録は急速に写真集へと移行した。その意味で、本書は手書き図録発刊のほぼ最後期の作品であったと言える。写真には、見えたものがそのまま記録される利点はあるが、例えば店の前の風景と店内の詳細な様子を同時に写し撮ることは現在でもほぼ不可能である。それが「絵」であればいとも簡単に実現できる。奥行きのある屋敷全体を俯瞰するように描く手法も絵画ならではである。

他方では、港の図などでこんなに大きな船（喫水線が深い船）はこんなに近寄れなかったはずだと思われる描画など、厳密に正しく描かれているとは思えない箇所もあるが、こうして必要な情報を無理をしてでも描き込めるのは図録ならではの効能である。

本書の発案は、風媒社の林桂吾氏である。読者の皆さんに、明治中期の名古屋をはじめ、尾張・三河のおもな町まちの様子を楽しんでいただければ幸いである。

森 靖雄

2019年10月31日

尾張三河　明治の商店　絵解き散歩【目次】

◉知多・尾西の部 森 靖雄……61

◉三河の部　増山真一郎／堀江登志実／湯谷翔悟／神尾愛子／豆田誠路……111

【コラム】

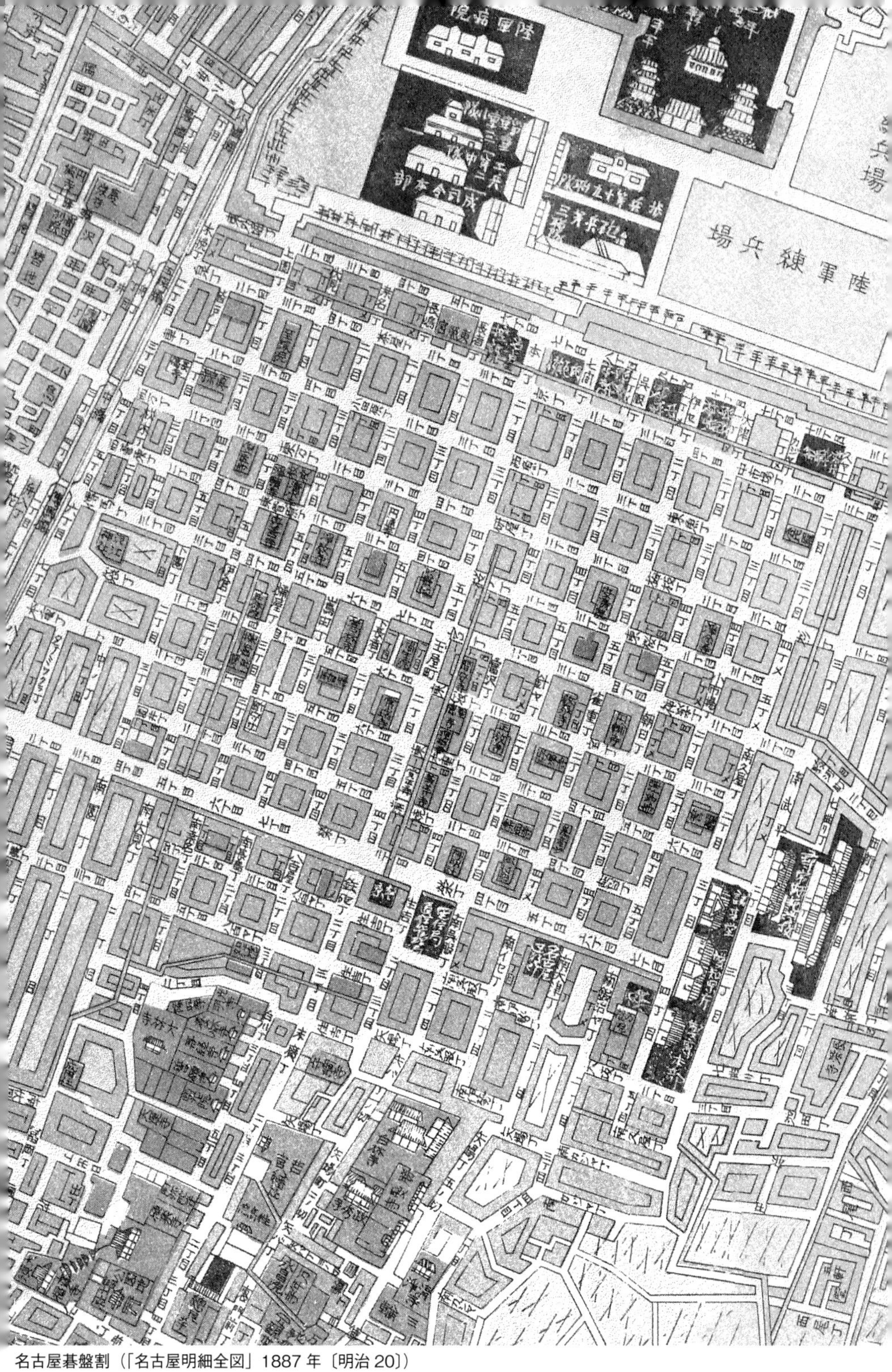

名古屋碁盤割（「名古屋明細全図」1887 年〔明治 20〕）

名古屋・熱田の部

森 靖雄

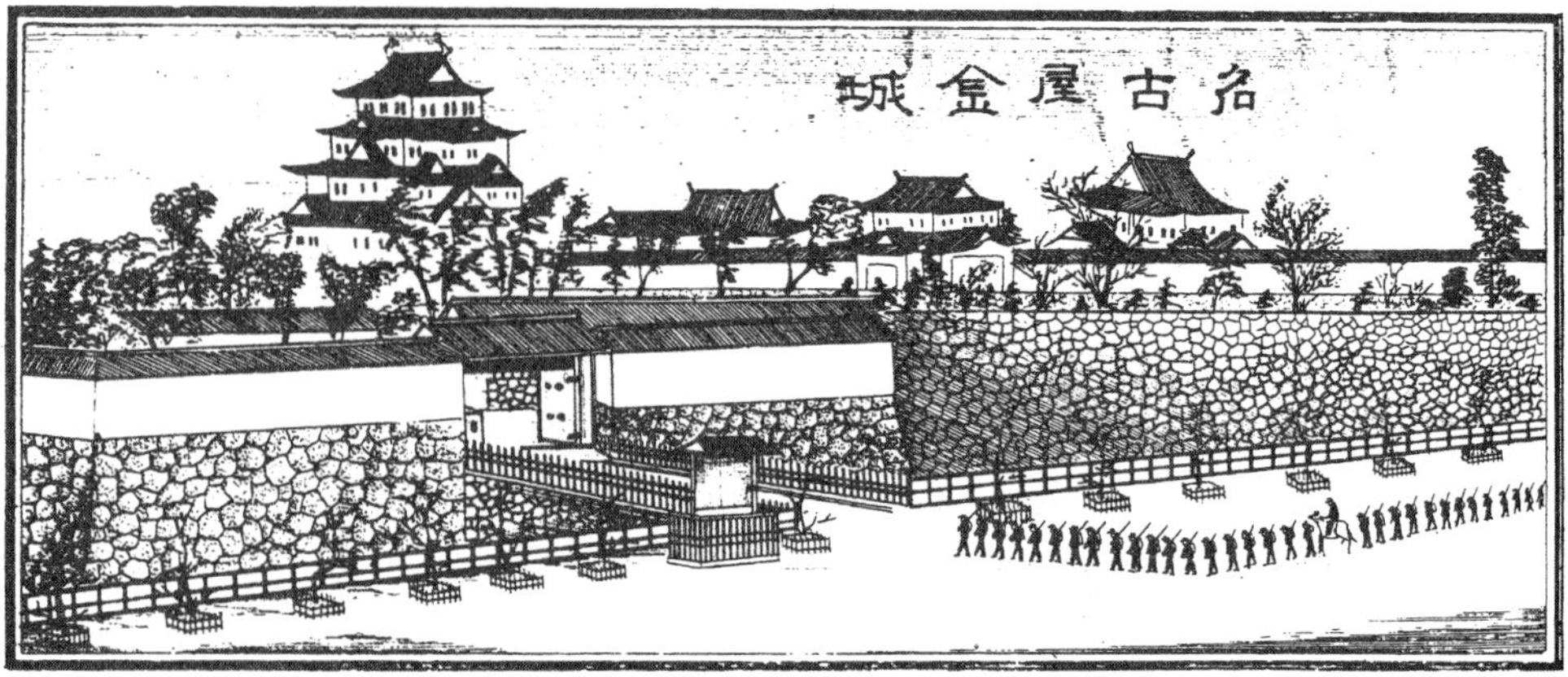

名古屋金城

『尾陽商工便覧』（以後『便覧』）は大半が商工業店舗図であるが、地域の区切りに「名所」が紹介されている。冒頭は名古屋城。「金鯱城（きんこじょう）」「金城」の異名でも呼ばれた。維新後の取り壊しはまぬがれたが、1954年に空襲で大半が焼失し、天守閣は1959年にコンクリート造で再建。現在、木造による再々建が検討されている。

上図「名古屋区廼部（の）」の中扉には、近世末期から明治初期の尾張（美濃の一部も含んでいた）の名産品が紹介されている。左上から時計回りに見ると、薬品、漬物、たまりと思われる醸造品、菓子、*和傘、マッチ、帽子、反物（織物）、うどん、団扇（うちわ）、扇子（せんす）、簪（かんざし）（髪飾り）、リキュール、大根、書籍、清酒、元結（もっとい）（紙縒（こよ）り紐）、餝（かざり）細工品、焼き物（陶磁器）、提灯（ちょうちん）、七宝（しっぽう）、人力車、行燈（あんどん）、鉄器（鋳造品）が描かれている。名古屋は軽工業を主とする、日本を代表する工業地域であった。

*左上に描かれた「甕（かめ）」が何を示すか不明。知多郡大野の「一香口」や津島の「あかだ」の保存・移送容器に似ているので菓子か。

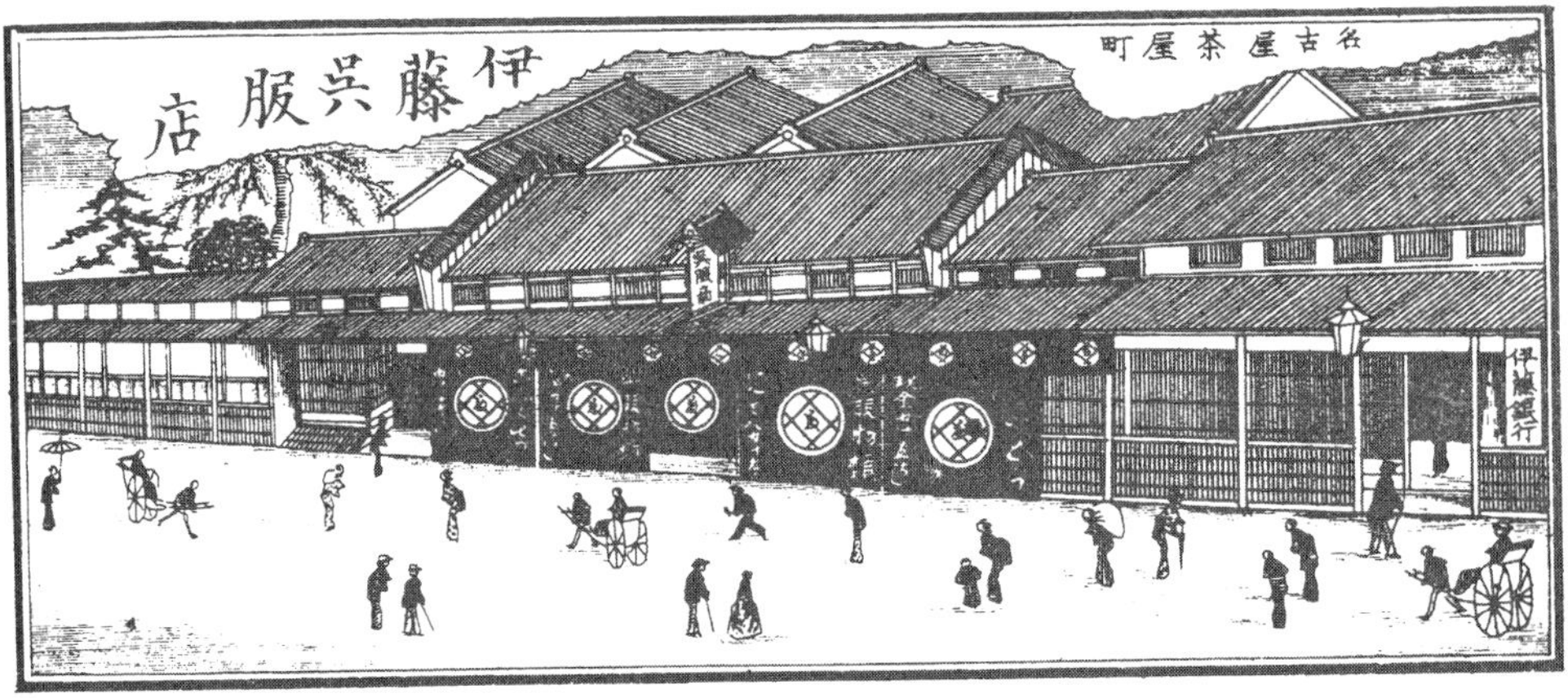

伊藤呉服店

【茶屋町】

【絵解き】

『便覧』商店紹介の冒頭は「伊藤呉服店」、のちの松坂屋、現「大丸松坂屋」。画面右端の看板「伊藤銀行」は現三菱ＵＦＪ銀行。屋根には「呉服商」の看板を掲げ、道路に面して下げられた大暖簾（のれん）には井桁に藤で「いとう」と読ませる屋号や、「現金かけねなし」などの営業方針が染め抜かれている。

【今昔を訪ねて】

この店は織田信長の家臣伊藤蘭丸祐広の子祐道（すけみち）が、退職後本町（南北の通り）で創業した。１６１５年廃業後、１６５９年その子祐基（すけもと）（次郎左衛門）が名古屋茶屋町（本町近くの東西の通り）で再興した。「盆・暮れ払い、値段交渉次第」が常識だった時代に、「現金売り、掛け値無し」で安く売る商法で評判をとった。１７６８年江戸上野の「松坂屋」を買収し、１９２５年に本店ぐるみ「松坂屋」と改称した。

１９１０年、栄交差点南西角の旧名古屋市役所跡に、名古屋初の４階建て百貨店を開業。４階の食堂も人気であった。第２次大戦後、南大津通り東側に本館を挟んで南館・北館、各地に中型店を展開したが、２０１０年「大丸松坂屋百貨店」になった。「伊藤銀行」は１８８１年に設立され、茶屋町の「いとう呉服店」の一角で開業した。１９４１年愛知銀行・名古屋銀行と合併し東海銀行、２００２年三和銀行と合併しＵＦＪ銀行、２００６年東京三菱銀行と合併し三菱東京ＵＦＪ銀行、２０１８年三菱ＵＦＪ銀行と改称した。

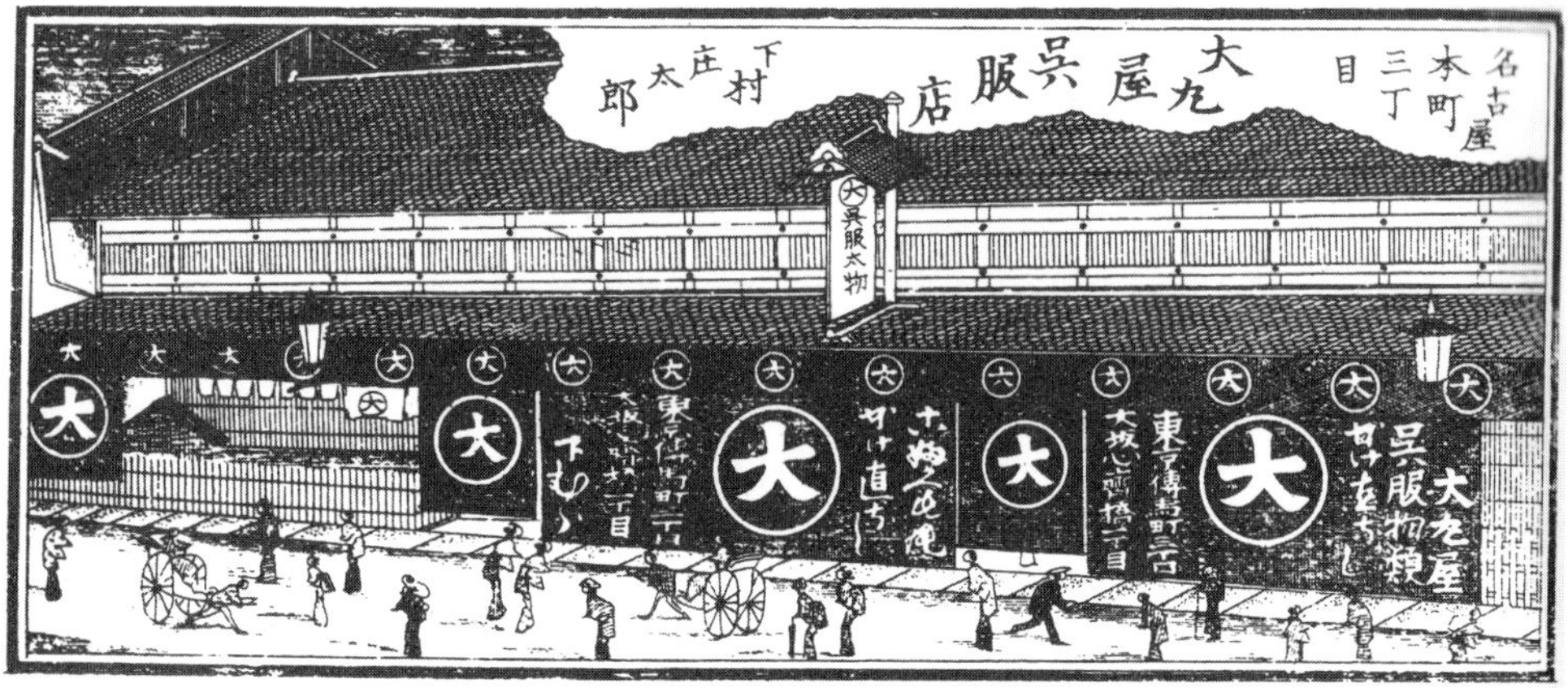

大丸屋呉服店　下村庄太郎

【本町三丁目】

【絵解き】

次は、奇しくも後に松坂屋と合併する「大丸」。当時名古屋の中心商店街であった本町（現中区本町）でも目立つ大店(おおだな)であった。屋根看板には「呉服太物(ふともの)」とあり、太物は木綿や麻製品を示す。看板下ののれんには「ご婦人もの」が強調してあり、この店も「かけ直(ね)なし」とある。「東京伝馬町三丁目　大坂(ママ)心斎橋一丁目」と分店を紹介しているが、京都の本店は不記載である。

【今昔を訪ねて】

下村庄太郎は下村正太郎と書かれることも多く、下村家十代目。初代は三河出身の下村正右衛門。1717年京都伏見で古手(ふるて)（古着）と呉服の卸売店「大文字屋」を創業、「正札付き、現金売り」をモットーに江戸、大坂に続いて1728年名古屋に進出した。成立間もない明治政府に献金したり、三井組や小野組と組んで東京為替会社を設立した政商でもあった。

屋号は「〇に大」で通称「大丸」。のちに正式店名にした。1743年木綿問屋として江戸に進出した折には、にわか雨で困った客や通行人に唐傘(からかさ)（竹骨・紙製の傘）を無料で貸し出し、「大丸借傘」と呼ばれて好評を得た。傘には屋号が大書してあり、大文字屋の名は一挙に江戸中に知れわたった。こうした、商売の相手や周りの人まで気分良くさせながら自分も儲ける、近江商人流の商売のうまさも発揮しながら、各地の進出先で成功した。

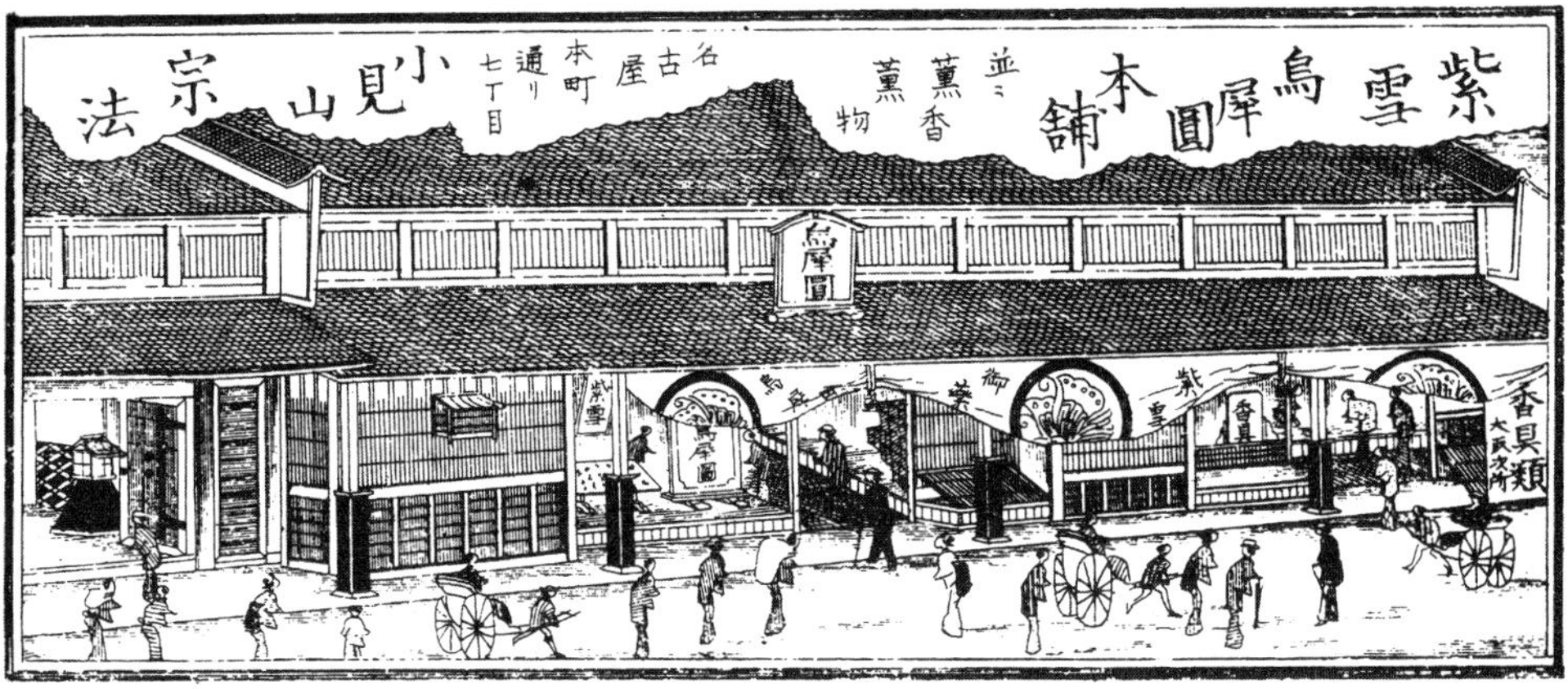

紫雪烏犀圓本舗　小見山宗法

【本町通り七丁目】

【絵解き】

「紫雪烏犀圓本舗」は、後述するように名古屋でも特別格式が高い売薬店であった。「紫雪」は石川県伝承の内服用練り薬で、解熱、腹痛、脚気、毒消しなどに服用。「烏犀圓」は佐賀の薬で、中国伝来の名薬とされ、不老長寿・若返り薬であったが、日本では主に「中風」薬として飲用された。屋根には「烏犀圓」。図の右端に「香具類大取次所」とあるので、香道のお香やその器具類も扱っていたようである。二階の大屋根には、火災の延焼を防ぐ「うだつ」も設けられている。

店内据え置き看板を見ると、店舗の向かって右半分は香道関係、左半分は薬種関係と事実上2店舗を合わせた営業形態であった。

【今昔を訪ねて】

図上部左端に「小見山宗法」と記載されているが、小見山家は近世には尾張藩の薬吟味役で、宗法の検査を受けない薬は売ることができなかった。もちろん藩主への薬も扱っていたので、薬商を開いてからは、そうした広い薬品知識をもとに各地の「秘伝薬」を選んで扱っていた。なお、この店は『尾張名所図会』にも登場するが、そちらには「本町六丁目」と記載されている。

紀州藩主も参勤交代の時にはここで宿泊されたと言われるので、そうした必要もあってか、図左端の通用口内部には立派な据え置き灯台も用意されている。

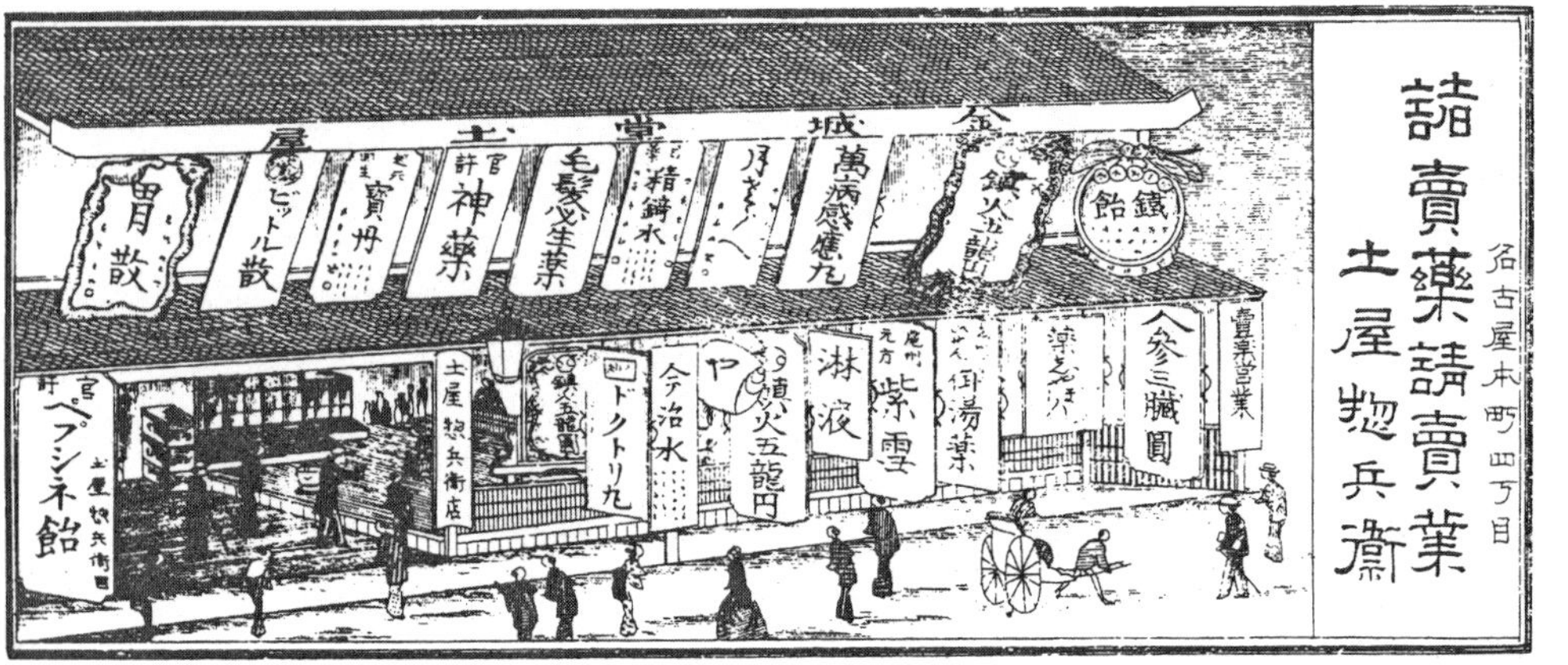

諸賣薬請賣業　土屋惣兵衛

【本町四丁目】

【絵解き】

各種売薬販売業「金城堂」の店頭である。各地の著名な効能薬を取り寄せて販売する店なので、薬メーカーから看板やポスターが届けられ、それを店頭にところ狭しと並べている。

右上から見ていくと「鐵飴」は貧血の薬。「鎮火五龍円」は女性に多い顔のほてりの鎮静薬。「萬病感應丸」は子どもの病気に幅広く効く薬。「月さらえ」は鳴海町の阪野済生堂の引き札には「通経丸月さらゑ」とあり女性専用薬。「精錡水」は目薬。煙で目を患う人が多く、点眼薬として広く用いられた。「毛髪必生薬」は毛生え薬。「神薬」は「不思議な効能がある薬」を指すが、ここには「官許」とあるので怪しげな薬ではなく、何らかの薬効が認められた薬である。「寶丹」は粉末の気付け薬。「ビットル散」は大阪の白尾谷薬舗が売り出した胃散薬。「胃酸」はそのものずばり。

下段右から、「人参三臓圓」は福岡藩で栽培された朝鮮人参。三臓は心臓・脾臓・腎臓をさし、強壮薬として飲用された。「薬しゃぼん」は薬用せっけん。「□湯薬」は一部かすれて読めないが湯薬は煎じ薬である。「紫雪」は前に説明。「琳液」は性感染症淋病の治療薬。「今治水」は歯痛の鎮痛薬。「ドクトリ丸」は大阪の丁子堂本店が売り出していた性病薬。左端の「ペプシネ飴」は東京の資生堂が売り出していた胃を丈夫にする薬である。

コラム①……………詳細な絵画記録

『尾陽商工便覧』や『参陽商工便覧』が発刊された 1888 年前後は、本書 42, 45 ページでも紹介しているように、すでに「写真館」が営業していた時期であった。それに対抗するかのように、あえて絵で景観を描写した本書は、必要に応じて驚くほど微細な部分まで描写されている。

そこで筆者（森）は、縞見（しまみ）ルーペ（インチルーペ）」と呼ばれる 7 倍の拡大境で細部を見ながら執筆したが、ぜひ皆さんにも虫眼鏡（3 ～ 4 倍拡大鏡が多い）片手に閲覧されるよう、お勧めしたい。

すると、こんな情景が見えてくる。（森靖雄）

50 ページの洋服仕立て場（ガラス越しの仕事場が描かれている）

59 ページの小間物展示棚（商品のデザインまで描き分けられている）

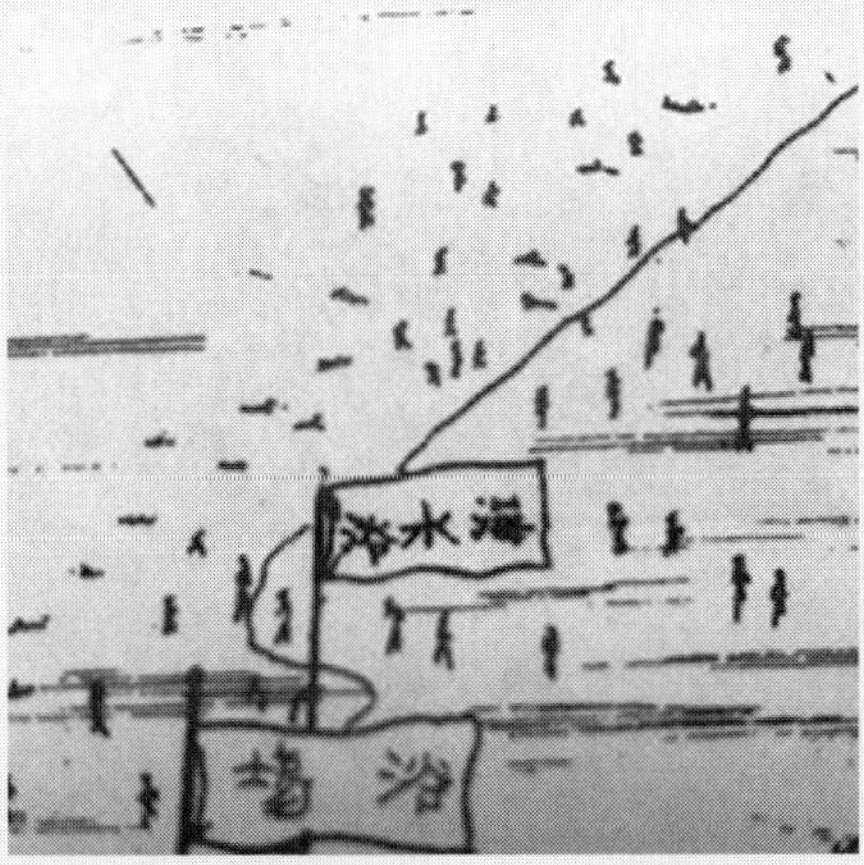

92 ページの潮湯治風景（一人一人が描き分けられている）

109 ページの鍛冶屋作業場（火花が飛び散る様子まで描かれている）

時計商　林市兵衛

【本町四丁目角】

【絵解き】

名古屋を代表する時計商林市兵衛の本店と、大須門前町3丁目の支店である。本店の屋根では大きな時計が時を刻み、遠くからも見えた。図右端の大のれんには「各国時辰儀（じしんぎ）」とあり。当時、設置型の時計は「時辰儀」と呼んでいたようだ。入口の奥には大型の櫓（やぐら）時計、周囲には掛け時計が並ぶ。屋根の大時計下二駒目の格子奥には修理中らしい人が描かれている。

店の前を人力車が行きかい。和服の男女に交じって骨入りスカートの女性や郵便夫も通っている。

次ページの門前町支店も店内は本店と同じくたくさんの掛け時計が並び、大型置時計の下で客は椅子にかけ、店員は畳に座って対談している。

本店も支店も軒先には「ガス灯」（63ページコラム参照）が設置され、夕方以後も営業していたらしいことがうかがえる。

【今昔を訪ねて】

明治期後半から愛知県は掛時計を主として日本最大の時計産地であった。季節によって「一時（いっとき）（2時間）」の長さが異なる不定時法時代には、ヨーロッパにない複雑な仕掛けの「和時計（わどけい）」が開発された。複雑で高価な時計がいっそう複雑になり、金持ちや大名家などの「お宝」「珍品」として発展した。

尾張藩は日本の機械時計の祖と目される津田助左衛門を抱えて、大型の置時計（大名時計）などを造らせ、近世には全国でも突出して時計やからくり技術が発展した。

明治政府は、1872年に暦を太陽暦（新暦）に変えるとともに、欧米に合わせて1日を均等に24分割する定時法を採用した。役人や教師など新しい需要層も生まれ、さまざまな時計が輸入されるようになった。各地の下級武士の内職であった錺職人の中に、輸入時計を模倣して機械時計を試作する人が現れ、1875年には東京麻布で「ボンボン時計」（柱時計）が売り出された。

輸入時計の動力は、おもりが下がる力を冠形脱進機で規則的な刻み運動に変える掛時計や、振り子で時を刻ませる掛時計、ゼンマイが戻る力を利用した置時計や懐中時計（ウォッチ）などが代表的な方式であるが、懐中時計のような小さい時計は製造が難しく、当時国内で造られたのは掛時計（クロック）類が多かった。

大型の時計の多くは装飾を兼ねた木箱で覆われ、木工品づくりも重要であったが、その点で近世以来木工業も盛んであった名古屋は条件がよく、1893年には愛知時計合資会社が熱田で時計を量産し始めた。

右ページの時計店は林市兵衛の父親の林市老が創業した店で、近世には櫓時計などを商っていたが、1871年に横浜のクロック商館の中部地方販売権を得て商った。

跡を継いだ市兵衛は、その製造機械から国産化を思い立ち、錺職人らの協力を得てアメリカ製時計をモデルに、精密歯車製造機械を開発した。1887年に時計製造「時盛社」を創業した。1891年には工場を拡張・移転し、「林時計製造所」と改称した。1894年には清国（現中国）への輸出も始めた。

こうした経過から推定すると、『便覧』が作られた時期には、輸入時計に加えて「時盛社」（自社）製の時計を販売していたかどうか、微妙である。

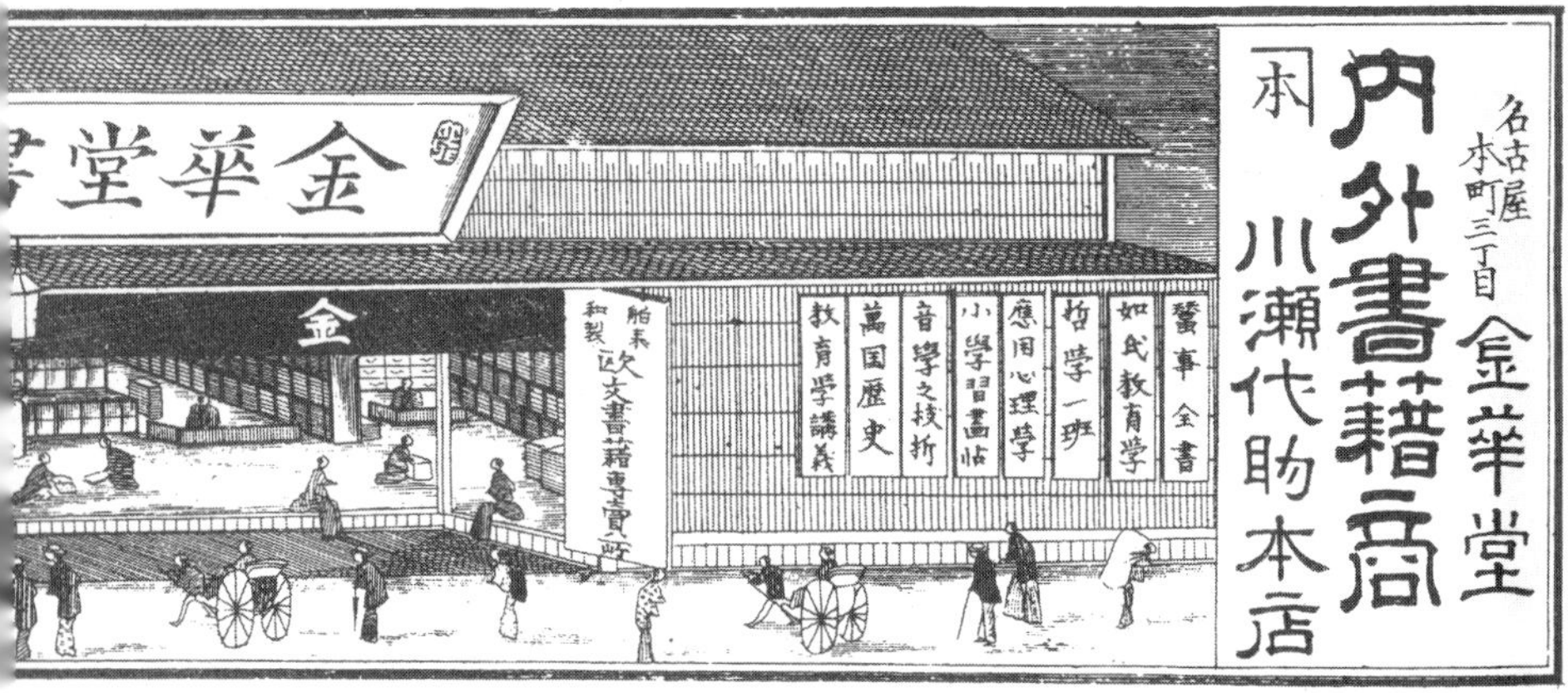

内外書籍商　金華堂　川瀬代助本店

【本町三丁目】

【絵解き】

近世以来名古屋は書店が栄えた町であった。「金華堂」も大型書店の1軒で、本店のほか、玉屋町に支店も開く小売中心の書籍専門店。支店では「古書」も扱った。当時の名古屋を代表する書店で、教育関係の書籍に力を入れ、国内書籍のほか輸入書籍も扱っていた。

道路に面したポスターは、右から『蚕事全書』『如氏教育学』『哲学一班』『応用心理学』『小学習画帖』『音楽之枝折(しおり)』『万国歴史』『教育学講義』。その左の大判ポスターは「舶来　和製　欧文書籍専売所」。この専売所は「にも力を入れている」程度の意味であろう。総じて、教員向けの書籍である。店内の棚に並ぶ在庫書籍は多くが平積みで、和本時代のおもかげを色濃く残している。

次ページの支店のポスターは、右から、「内外書籍□□□」、中央に『社会進化論』。左に『心理□』『応用心理学』『儒氏論理学』『如氏教育論』とある。

【今昔を訪ねて】

本店の外壁に掲示された書籍を簡単に補足すると、『如氏教育学』は、スコットランドの地理学者アレクサンダー・キース・ジョンストン著の中等学校向け教育書で、同じ著者の書籍には『如氏地理教科書』もあった。玉屋町の支店のポスターにある『如氏教育論』は、『如氏教育学』と同一書かもしれない。

『哲学一班』は「哲学概論」に当たる表題。この頃はまだ近代哲学の黎明期であった。日本で言えば明治中

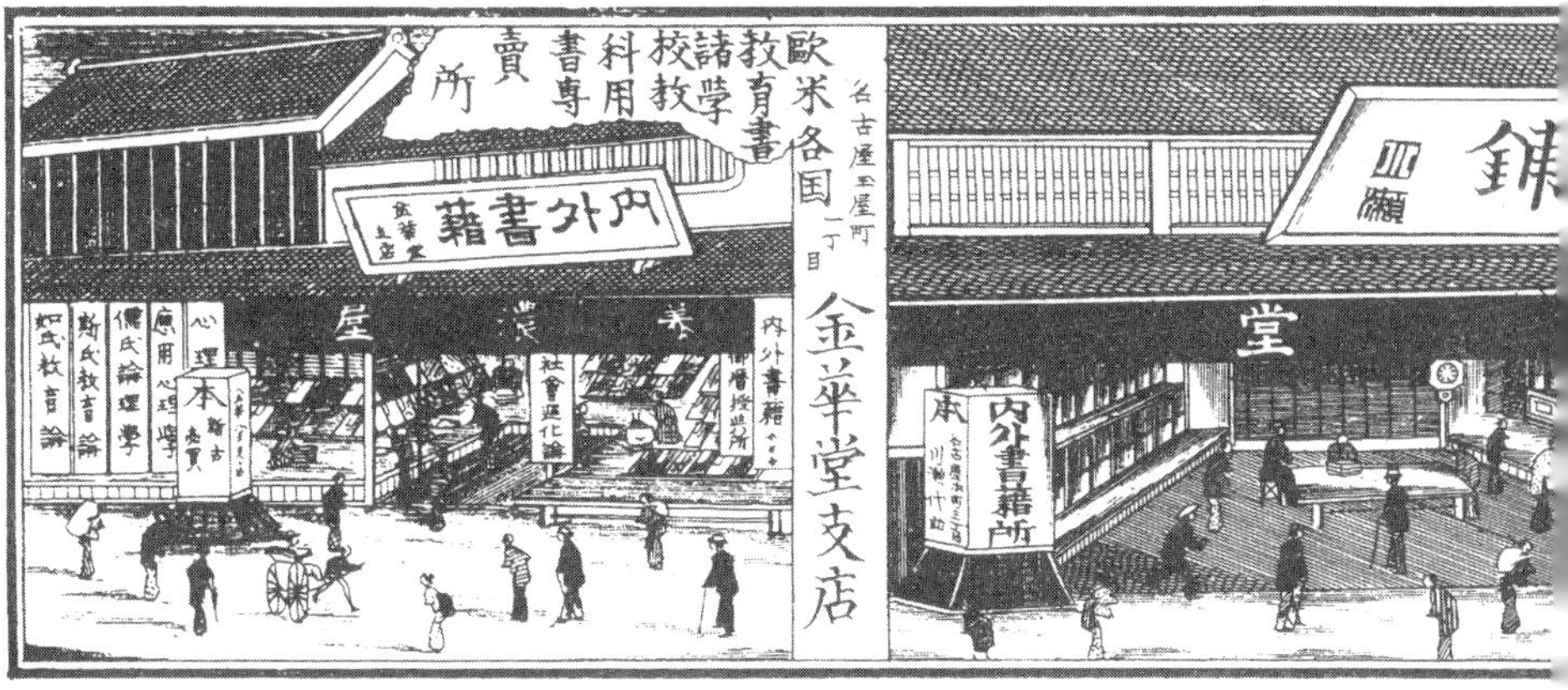

期はヨーロッパ哲学の受容期で、奈良時代以来の伝統的な仏教哲学と決別する人が出始めた時期であった。日本人哲学者としては、間もなく西周（にしあまね）らが登場する前夜である。

『社会進化論』は、ダーウインの生物進化論（1859年『種の起源』）を社会的関係に当てはめようとした、当時（19世紀）の最先端学説。『儒氏論理学』は、国立国会図書館にも収蔵されており、フランス人のジェールダン氏の著作である。1887年8月に東京・牧野書店から発行された。

『小学習画帖』は、「小学校師範学校教科用書」のサブタイトルがついた、文部省編集局編集、1885年発行のスケッチの教科指導書。当時は1886年の教科書国定化以前であったが、すでに文部省編集の教科指導書が出回っていたことがわかる。

金華堂では、本店・支店とも「内外書籍」の看板を掲げ、支店の図の上部には「欧米各国教育書諸学校教科用書専売所」を強調しているように、輸入書籍にも力を入れていた。

金華堂・川瀬代助は出版もおこない、日本画家谷文晁の絵を編集した『文晁画譜』（1893年）、日本民法（家族法）制定と同じ年に出版された『日本民法』（1898年）、名古屋出身の日本画家で和泉流の狂言師でもあった伊勢門水（もんすい）の『名古屋祭』（1910年）と、同じ著者の『狂言画』（1919年）などが知られている。そのほか、東京や京都、大阪などの書店と組んで各書店名で発刊したと思われる金田耕平編『近世英傑略伝』（1878年・黄雲山房蔵版）などもある。

また、『便覧』には登場しないが、洋書輸入分野で日本の代表的な書店であった「丸善」（美濃・武儀郡出身・丸屋善七。横浜）も、1874年から名古屋支店（丸屋善八店。書籍・薬品販売）を開設していた。

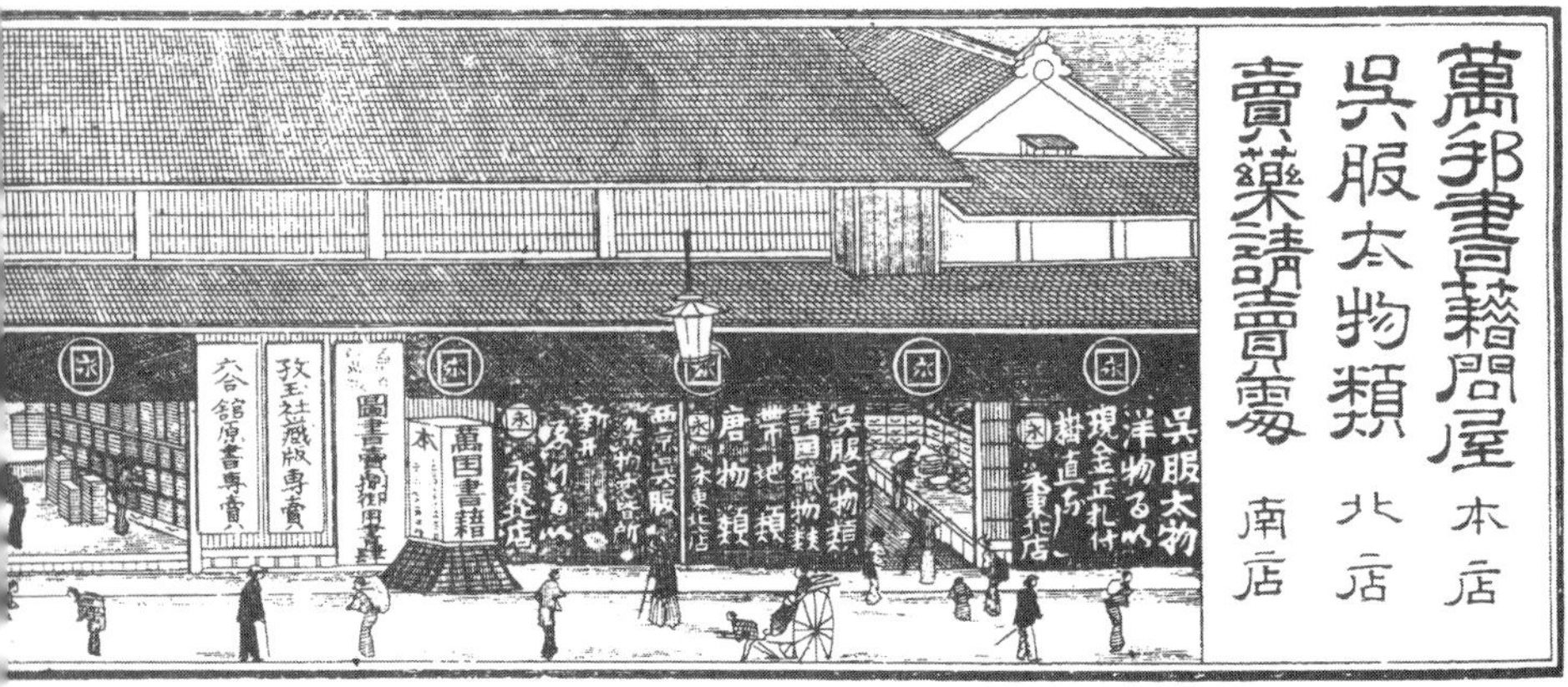

萬邦書籍問屋 東壁堂 永楽屋 片野東四郎

【玉屋町三丁目】

【絵解き】

片野東四郎の店は大きな間口を右から北店・本店・南店と3分し、北店では呉服太物つまり各種和装生地を販売し、中央では書籍、南店では薬種商を営んでいた。同店の本業は書籍店で、近世には尾張藩校明倫堂（初代督学は細井平洲＝現東海市出身）の御用達（指定業者）を務めた納入業者。「永楽堂」は近世の代表的な在名出版元の一軒で、葛飾北斎の『北斎漫画』や本居宣長の『古事記伝』も出版した。江戸や大垣にも支店を置いていたほか、「東壁堂」の名称でも出版していた。

店の道路際には「萬国書籍」の大型置き看板も出しており、輸入書籍も取り扱っていたことがわかる。

なお、この店には珍しく「店名看板」がないが、北店ののれんに「永東北店」とあり、永楽堂・東壁堂を略して「永東」と呼んでいた。

北店ののれんには「呉服太物類」「諸国織物類」「帯地類」「唐物類」とあり、国産品から輸入品まで幅広い反物が売られていた。ことに「帯地類」をわざわざ独立させて表示したのは、近世末期ごろから「名古屋帯」が代表的産物であったことを反映している。

薬種商の南店には「寶丹」「精錡水」「紫雪」「即治膏」の看板が掛けられている。寶丹は粉末状の気つけ薬、精錡水は目薬、紫雪は発熱・しもやけなどに使われた家庭薬、即治膏は四日市の薬で「万能即治膏」という広告も残っており、幅広く使われた塗り薬であった。「官許」とあ

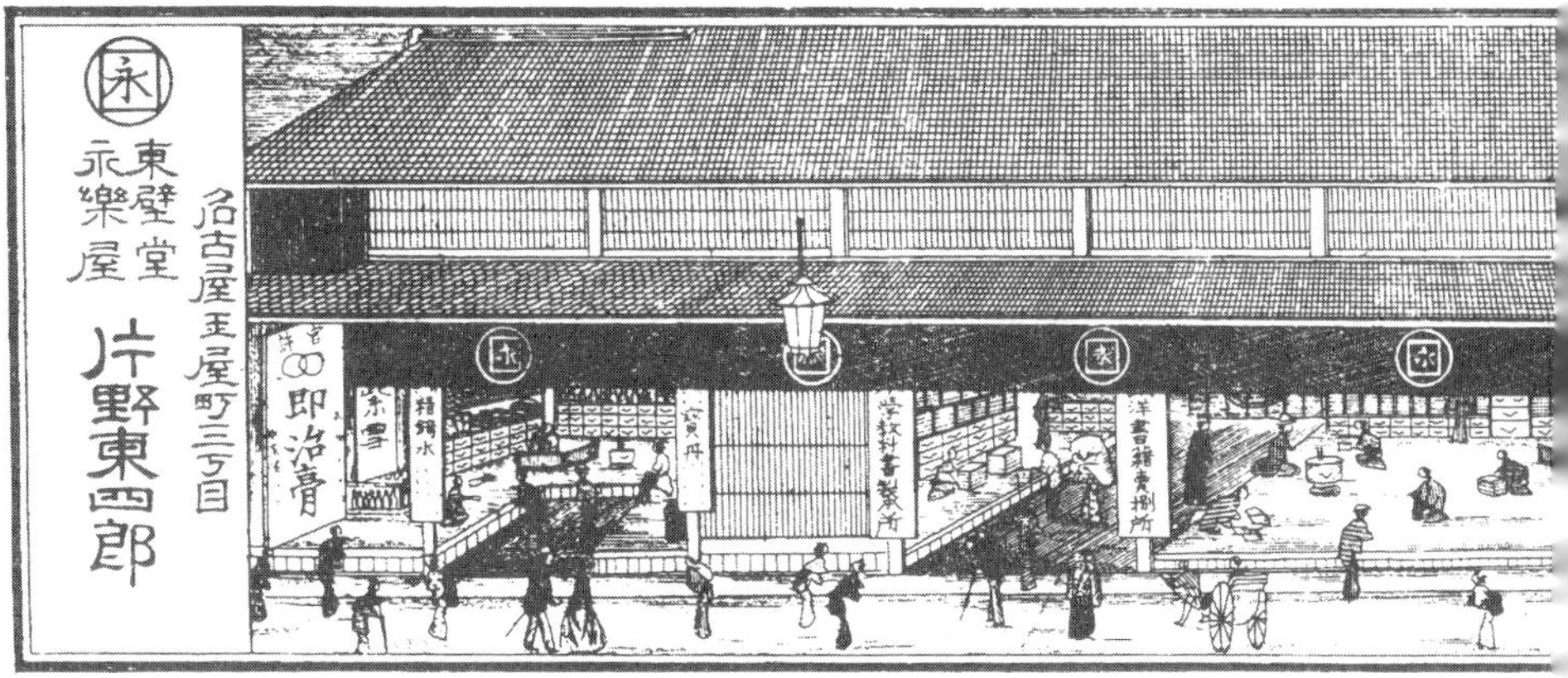

るのは、国の検査を受けた治験薬であることを示す。

【今昔を訪ねて】

近世中期以後の名古屋は、京都・江戸・大坂と並んで出版が盛んな町であった。中でも代表的な版元の一つが1775年（安永4）に名古屋で開業した「永楽屋東四郎*」であった。初代は片野直郷、東壁（璧）堂と号した。名古屋藩校明倫堂の御用達を務め、玉屋町で営業、「東四郎」を襲名した。尾張藩領であった大垣にも店を出した。

初代の直郷は尾張藩主の学問振興策に応じて岡田新川など藩儒（儒学者）や藩士の著書を出版し、藩の御用商人も務めた。1794年には尾州書林仲間の公認をえて、江戸の大手出版元蔦屋とも提携し、江戸にも出店した。江戸店は江戸書物問屋仲間にも加入した。本居宣長自身やその一門の国学書、横井也有（やゆう）の『鶉衣（うずらごろも）』、1878年には葛飾北斎の絵手本『北斎漫画』など、幅広い出版を手掛けた。永楽堂は、第二次大戦後まで存続したが1951年に廃業した。

なお、『便覧』には登場しないが、近世後期以後の名古屋では日本最大の蔵書を有する貸本屋「尾州大野屋惣八」が、現在の有料図書館の役割を果たしていた。通称「大惣（だいそう）」と呼ばれたこの店は、1728年に創業し、1905年まで長島町（現中区長島町通り）で営業した。「大野屋」の由来は出身地である大野町（現常滑市大野町、90〜93ページ参照）から取ったと言われる。

廃業の際、蔵書は帝国図書館や東京大学に譲られたが、東大の分は多くが関東大震災で失われた。現在は、京都大学、筑波大学、早稲田大学の各図書館などに収蔵されている。

＊永楽屋東四郎に関しては、小松史生子編著『東海の異才・奇人列伝』（風媒社）にもやや詳しく紹介されている。

小間物袋物卸小賣商　伊藤庄八

西洋小間物卸商　石部鐵三郎

【本町五丁目】【本町六丁目】

【絵解き】

この見開きの2軒は、本町で営業していた小間物屋である。小間物は「小形の装身具など」の総称で、女性向けの商品が多い。このページの和装小間物店では、屋根看板には店名ではなく中央の亀の甲羅を挟んで「櫛・笄」と大書されている。「鼈甲製の櫛や笄」が売りの高級店で、現在の感覚で言えば宝石店に近い。店前に下げたのれんにも、右から「鼈甲櫛笄簪・珊瑚珠玉類・銀かんざし・仕入所」「東京小間物・嚢物所・現金・かけ直なし」とある。

この店の代表的商品「べっこう」は、海亀の一種である「タイマイ」の甲羅を素材とした加工品で、日本では東京（浅草）、大阪（生野）、長崎が主生産地であった。

嚢（袋）物は手提げ袋や煙草入れ、筥迫のような小物入れの総称で、こちらには男客もいる。店づくりも和風である。

次ページは西洋小間物屋。図の右の説明によると「毛織洋服地類付属品」も扱っていた。西洋小間物は、欧米系装身具の意味で、リボンや襟飾り、店によっては輸入化粧品なども扱っていた。毛織洋服地はまだ輸入品。「付属品」はボタンやカフス、ハンカチーフ、帽子などである。

石部店は左半分に板ガラスがはめ込まれている。板ガラスも高価な輸

入品で、珍しがられたはず。店内右には大型のショーケースが置かれ、その上に斜めに鏡を取り付けて、外の通路からも展示品が見えるように工夫されている。注目されるのは店内の構造で、左半分は伝統的な畳敷で対座しているが、右半分は土足のまま店内を歩くことができ、応対も立ってしている。

【今昔を訪ねて】

小間物商いは、近世には都市で栄え、農山村には行商人が訪問して、主に和風小間物を売り歩いた。

西洋小間物は、近世の鎖国中も上海やボンベイ（インド）経由で輸入され、「唐物」とか「舶来品」と呼ばれて珍重され、それを商う店は「唐物屋」と呼ばれた。

開国後はおもに横浜経由で大量に輸入され、都会には新しいタイプの小間物屋が増えて、呼び名も「西洋小間物屋」に変わった。それとともに取扱品も広がり、開港と共に輸入が増えた石油ランプなどを扱う店も増えた。石油ランプについては別に紹介するように、専門店もできはじめる（26ページ、51ページ参照）。

同じ名古屋の玉屋町には、山中保治郎の西洋小間物店「梅屋」もあったが、この店では今日でいうガラスの「ショーケース」を置いて、人形を飾っていた。人形はもちろん売り物である。

なお、帽子は、小間物屋でも扱われたが、名古屋では本町通り六丁目に村瀬實三郎の「帽子所」という専門店があり、輸入品や和製の帽子を商っていた。フェルト製などのほか、ストローハット（麦藁帽子）を扱う店もあった。当時は男性には山高帽やハンチング、女性にはつばの広い帽子が流行していた。東京（おもに銀座）などには、ネクタイを売る店もあったと言われている。

次に紹介する「洋鏡」も、西洋小間物屋の扱い商品の一つであった。

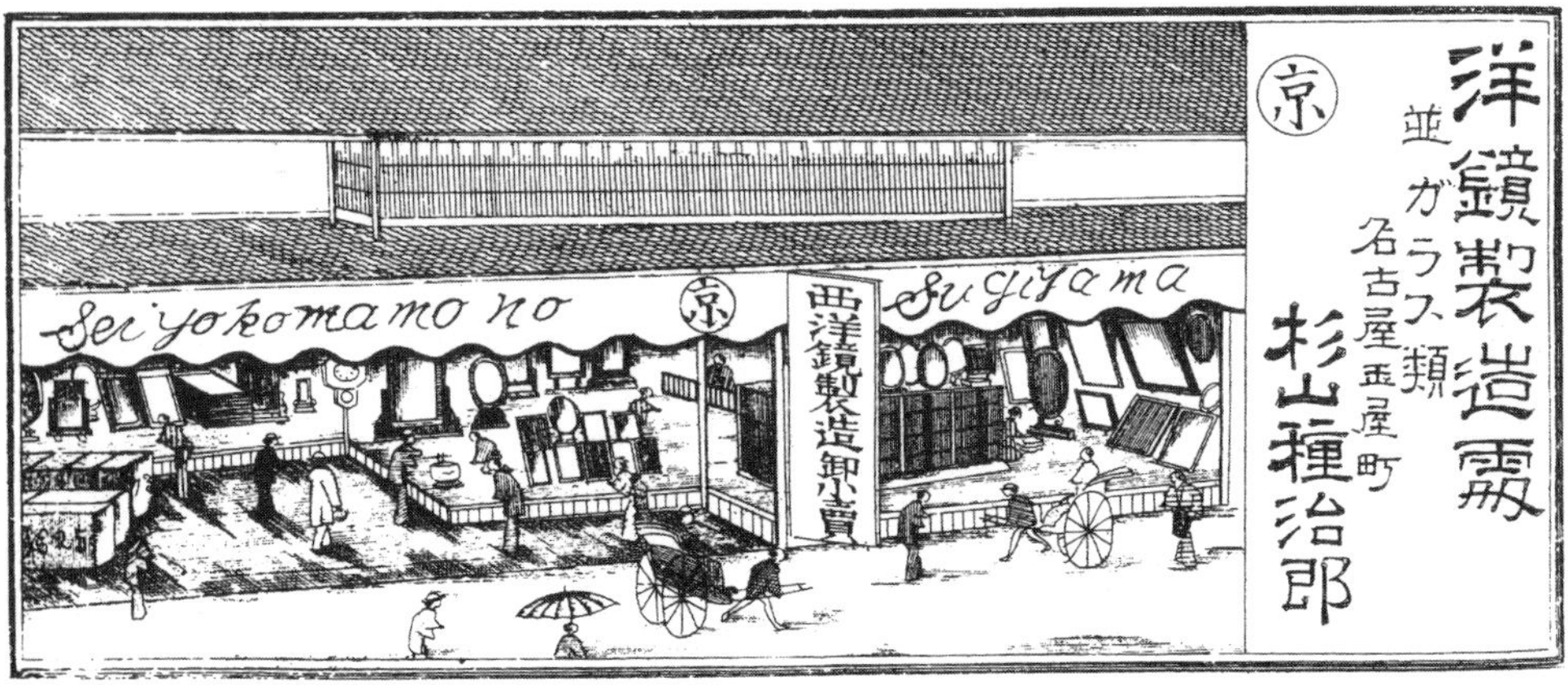

【玉屋町】

洋鏡製造処　杉山種治郎

【絵解き】

玉屋町の杉山種治郎店は、店頭の大看板に見るように「西洋鏡製造卸小売」店である。当時高級品を意味した「輸入品」の表示がないので、自家製品を売っていたかもしれない名古屋ではまだ珍しいローマ字書きの日よけを下げているが、これには「西洋小間物」とあり、鏡も西洋小間物の一種であった。「鏡屋」が独立していく過渡期である。

店内左端に並べられた箱は、材料の板ガラスであろう。しかし、この図には「製造」場所がないので、別の場所で加工したか、職人の工房に発注していたとみられる。

【今昔を訪ねて】

ガラス鏡は開国後急速に普及した。それまではおもに銅鏡（33ページ参照）で、日本でも「天の岩戸」神話に登場するほど古くから製造されていた。作り方は、溶解させた青銅などを鋳型で成形し、鏡面側（鋳込み面の反対側）を平滑になるように研磨し、錫メッキする。

近世になるとヨーロッパの硝子鏡（西洋鏡）の製法が伝わり、銅鏡に比べると格段に明るく見えることから「自惚れ鏡」などとも呼ばれた。製法は、適当なサイズや形に切った板硝子の裏に水銀を塗り、はげないように保護塗装したもので、杉山店の展示品に見られるように、形もサイズも飛躍的に自由度を増した。当時は板ガラスの製法上の制約から、広い面積を均一の厚みに作ることは難しく、鏡には「磨きガラス」と呼ばれる高価な輸入材料が使われた。

御菓子 欧州菓子 練羊羹製造所 駿河屋

【本町通九丁目】

【絵解き】

今も「羊羹の駿河屋」で知られる駿河屋和菓子店の名古屋店である。店頭右端ののれんに見られるように、本家は「城州（山城国）伏見京橋」で開業し、おもに関西に出店を分けた。左端の看板には「五色練り羊羹所」とあり、やはり羊羹がメインであるが、店名の肩書きには「欧州菓子」とあり、洋菓子にも品揃えを拡げていた。

店内は、一部畳敷きの場所もあるが大半は板張りで、来客は履物のまま入店できた。右端には当時最先端の店舗什器であった売台、左にはショーケースが配置されている。最新鋭の店づくりであった。

【今昔を訪ねて】

駿河屋の歴史は古く、1461年（室町時代中期）に現在の京都伏見で「鶴屋」という饅頭屋を開いたのが始まりだとされている。その後、1586年（天正17）に豊臣秀吉の居城桃山城正門前に移転し、聚楽第大茶会の引き出物に練り羊羹が配られたのが、看板商品誕生の逸話である。

羊羹の主材料は小豆と砂糖を煮込んだあんこであるが、それを固める方法として、外郎や丁稚羊羹のような小麦粉を凝固剤とする蒸し羊羹と、寒天で固める練り羊羹がある。日持ちは練り羊羹の方がはるかに長い。そのため、駿河屋の羊羹は旅の土産にも適して、各地で作られるようになった。実際には、最初から寒天が使われたかどうか不確かであるが、近世中期頃からは寒天が定着した。

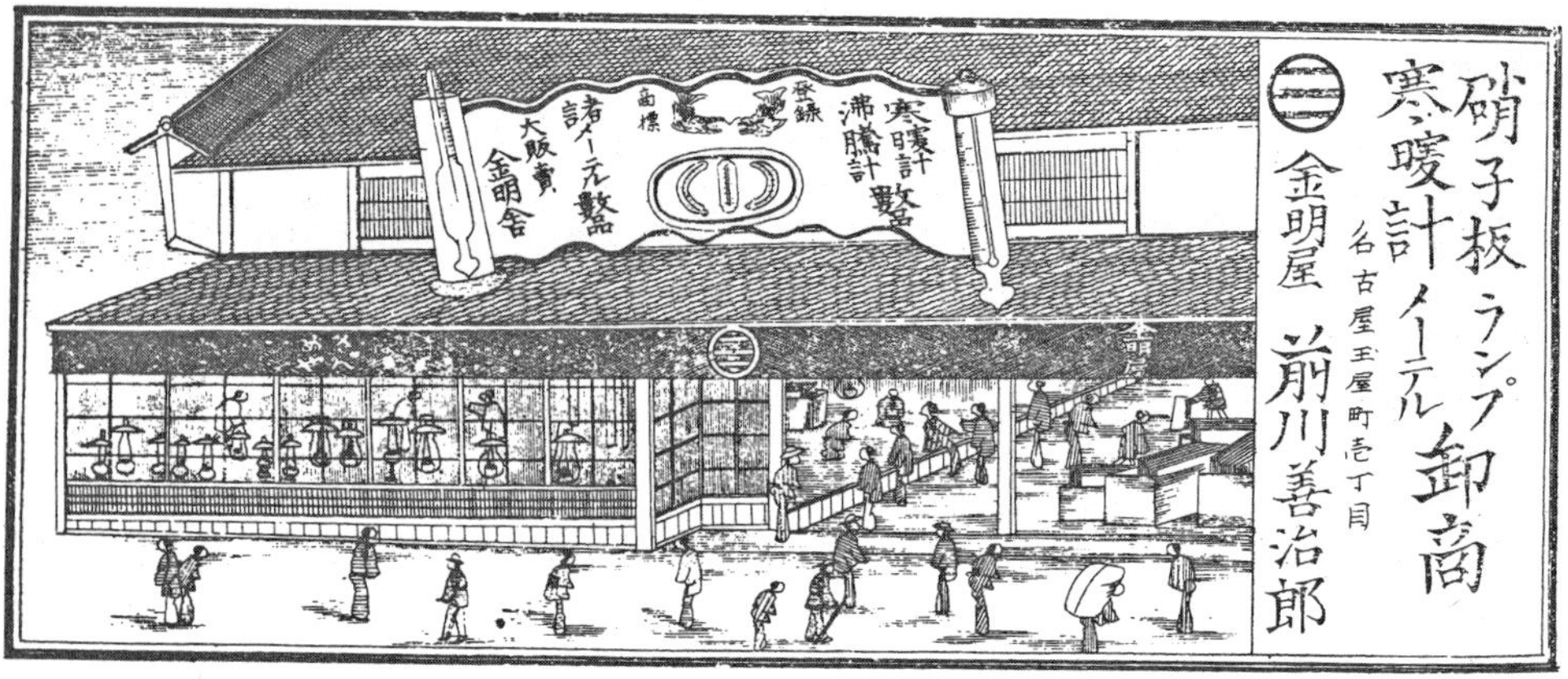

硝子板ランプ　寒暖計　メーテル卸商　金明屋　前川善治郎

【玉屋町一丁目】

【絵解き】

1階屋根上の、巻物を拡げたような形の大看板。右端は寒暖計、左端は沸騰（湯温）計である。自店の登録商標を挟んで、右には「寒暖計・沸騰計・数品（あまた）」、左には「諸メーテル数品」とある。

店舗の右半分ではガラス板の販売、左半分に寒暖計や「メーテル（英語のメーター）」とランプが展示されている。ランプの展示場所は客から遠いが、店舗の左半分には透明ガラスがはめ込まれ、ランプ展示場は外からよく見える工夫がしてある。板硝子は高価なものだったが、店で商っているので実物展示の役割もあったのであろう。

ランプについては本書の「コラム」（51ページ）でも取り上げる。

【今昔を訪ねて】

取扱い品のうち「メーテル」は、普通は気圧計のことであるが、この店では屋根看板に「諸メーテル」とあり、気圧計以外の計器も販売されていた。寒暖計や温度計は「タルモメーテル」または「テルモメートル」、液体比重計は「オクトメーテル」と呼ばれていたので、そうした関係の計器類を販売する店であった。

店頭の様子を見ると小売りもしていたと思われるが、頭書には「硝子板・ランプ・寒暖計・メーテル・卸商」となっており、卸売りが本業だったようである。

いずれの「メーテル」も当時は高価であり、こうした専門店が成り立っていた様子である。

煙草商 就産処支店

【玉屋町廣小路角】

【絵解き】

「愛知就産所煙草(たばこ)支店」の煙草売り場である。白壁造りの店舗の屋根には大きな登録商標を挟んで、右「やにぬき紙巻煙草」、左「やにぬき細切煙草」の看板。愛知就産所は旧尾張藩士の就業施設。煙草は、当時はまだ専売ではなかった。

紙巻煙草は今も売られている巻煙草だが、当時はフィルターはついていなかった。そのまま点火して吸う人もあったが、専用の吸い口「パイプ」に刺して吸うのがおしゃれであった。細切煙草は煙草の葉を刻んだままのもので、「きざみたばこ」と呼ばれていた。一つまみずつ「きせる」に詰めて点火して吸う。面倒だが、価格は紙巻きに比べて格段に安かった。

店内に入った両側の棚には各地の煙草葉が分類され、加工した煙草は奥の引き出しで整理されている。代表的な商品は店内左手のショーケースに展示され、右手には喫煙小物らしいものが展示されている。

【今昔を訪ねて】

タバコは、大量の「ヤニ」が出て煙の味を落とす。紙巻煙草は口元に近い部分でヤニを吸着し、最後数センチは捨てるが、きざみタバコは煙草を詰める皿部と吸い口の間の煙管「ラオ」内部にヤニが溜まり、絶えずヤニ掃除をしないと味が落ちる。そこで、加工方法は不明ながら、この店ではヤニを減らす加工をしていた様子である。

タバコは、1898年から専売制になった。

警察署・逓信管理局・愛知県庁

【絵解き】

名古屋の主要官庁が並んだ景観は、右から「警察署」「逓信管理局」「愛知県庁」と記載されている。警察署はのちの「新栄警察署」。現在の「オアシス21」から「中日ビル」へかけての場所にあった。

中央に大きく描かれた逓信管理局は、1885年に新設された逓信省の、愛知、岐阜、三重3県管理局である。正式名称は「名古屋逓信管理局」であった。逓信省は農商務省管轄下の駅逓局と工部省の電信局を合わせて新設されたので、郵便と電報業務を受け持ち、灯台も管理した。『便覧』発刊後間もない1891年には電気事業、92年には鉄道、93年には水運事業も所管する大きな役所になった。なお、本図では警察署や県庁と並んで描かれているが、『便覧』発刊前年の1887年発行の名古屋地図によると、「逓信管理局」は本図の場所ではなく、のちに「丸善ビル」などが建った、当時の「栄町二丁目」に建っていた。

愛知県庁舎は、1869年に名古屋城内から堀を隔てた尾張藩付家老竹腰邸（現愛知県警察本部庁舎辺り）に移り、その後、東本願寺別院、南久屋町（現、中区役所辺り）を経て、1877年に国費を受けて広小路の東端に新築された。建物は、木造2階建てであった。同庁舎の左（西）隣には議事堂が建てられた。

名古屋市庁舎は1928年に計画決定され、1933年、屋上に和風の屋根を載せた「帝冠様式」の建物が完成・移転した。

西洋御料理牛肉商　喜楽亭　谷澤幾太郎

【廣小路栄町】

【絵解き】

明治中期には名古屋でも「西洋料理屋」が増え、広小路栄町には「喜楽亭」があった。屋根の大看板には「西洋御料理 Kirakutei」と店名はローマ字で表記している。当時の洋食の代表は「牛肉料理」で、「牛鍋」が好まれた。大看板の右の突き出し看板にも、正面に「牛肉」とある。側面には「かしわ」とあり、鶏肉料理も出していたようだ。

この店は道路から直接二階へ上がる構造で、土足のまま二階まで行ける斬新な店づくりであった。二階は通常の座卓である。路上の通行人には、骨入りのスカートをはいた洋装の女性。その左には普通の洋装の女性、中央辺りには洋服の男性も見られるが、多くの人は和装である。

【今昔を訪ねて】

近世末期には長崎に外国人向けの西洋料理店が営業し、明治になると横浜に外国人経営レストランや商館の調理場に日本人が雇われ、調理法が習得された。軍隊が仏・英の野戦料理を採用したほか、海軍がカレーを採用した。カレーの原形はスープであるが、米飯に馴染みやすく小麦粉を加えてとろみを付けたことで、日本独自のタイプとして発展し、1880年代には和風洋食として定着した。90年代には豚カツやコロッケなどが手軽に買えるようになった。

1872年には、西洋料理のレシピ集『西洋料理指南』や仮名垣魯文の『西洋料理通』が出版され、1897年東京には洋食店が1500店あったと言われる。

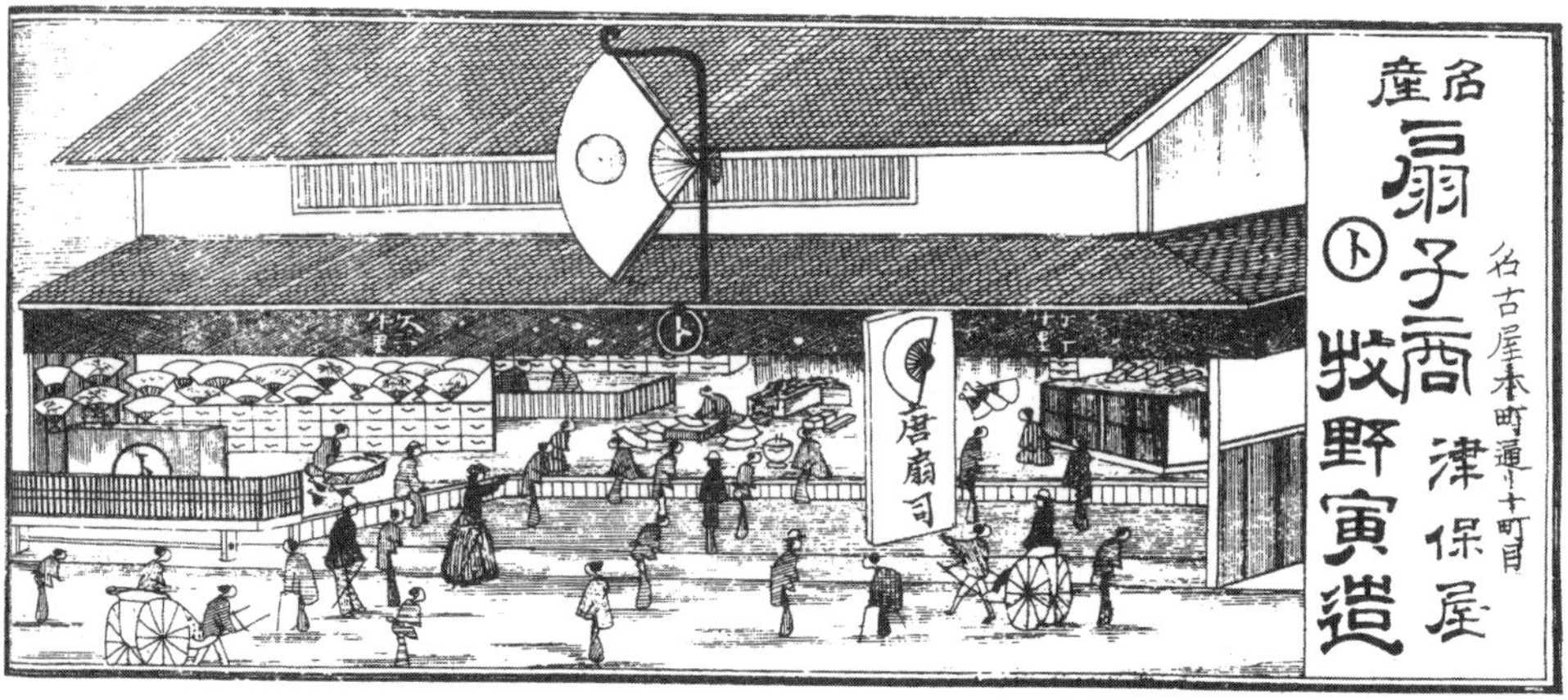

扇子商 津保屋 牧野寅造

【本町通り十丁目】

【絵解き】

近世後期から大正期へかけて、名古屋は京都と並ぶ「扇子」の特産地であった。名古屋は西川流など日本舞踊も盛んな芸どころで需要も多く、扇の製造・販売店も多かった。

図はそのうちの1軒「津保屋」。屋根には大きな日の丸扇の看板、道路際には大開きにした扇子と「唐扇司」の突き出し看板が目立つ。店の左手には扇子が展示され、中央では扇子が作られ、右手では商談中の様子である。

【今昔を訪ねて】

扇子は、8世紀ごろに日本で「檜扇(ひおうぎ)」が考案されたのが始まりとされる。奈良時代には男性には備忘録を兼ねた携帯品として、女性用にはお洒落な小物として、絵扇が貴族の間に広がった。その後、14世紀に紙張りの「唐扇(からおうぎ)」が伝来し、さまざまな絵や文字が描かれるようになった。種類も用途も拡大し、近世には庶民の間にも普及した。主産地は需要が多い京都であった。

名古屋での扇生産は1700年代中頃から始まった。地元での需要に加えて、開港と共に輸出品としても人気を呼び、名古屋は輸出用扇子の大半を担う産地として発展した。輸出組合も組織されて、1900年の第5回パリ万国博覧会にも出品されるなど、名古屋扇は日本を代表する商品でもあった。『愛知県史』通史編6によると、1899年には欧米など11カ国へ515・5万本、78・7万円が輸出された。絹布を貼った高級品「絹扇(きぬせん)」なども作られた。

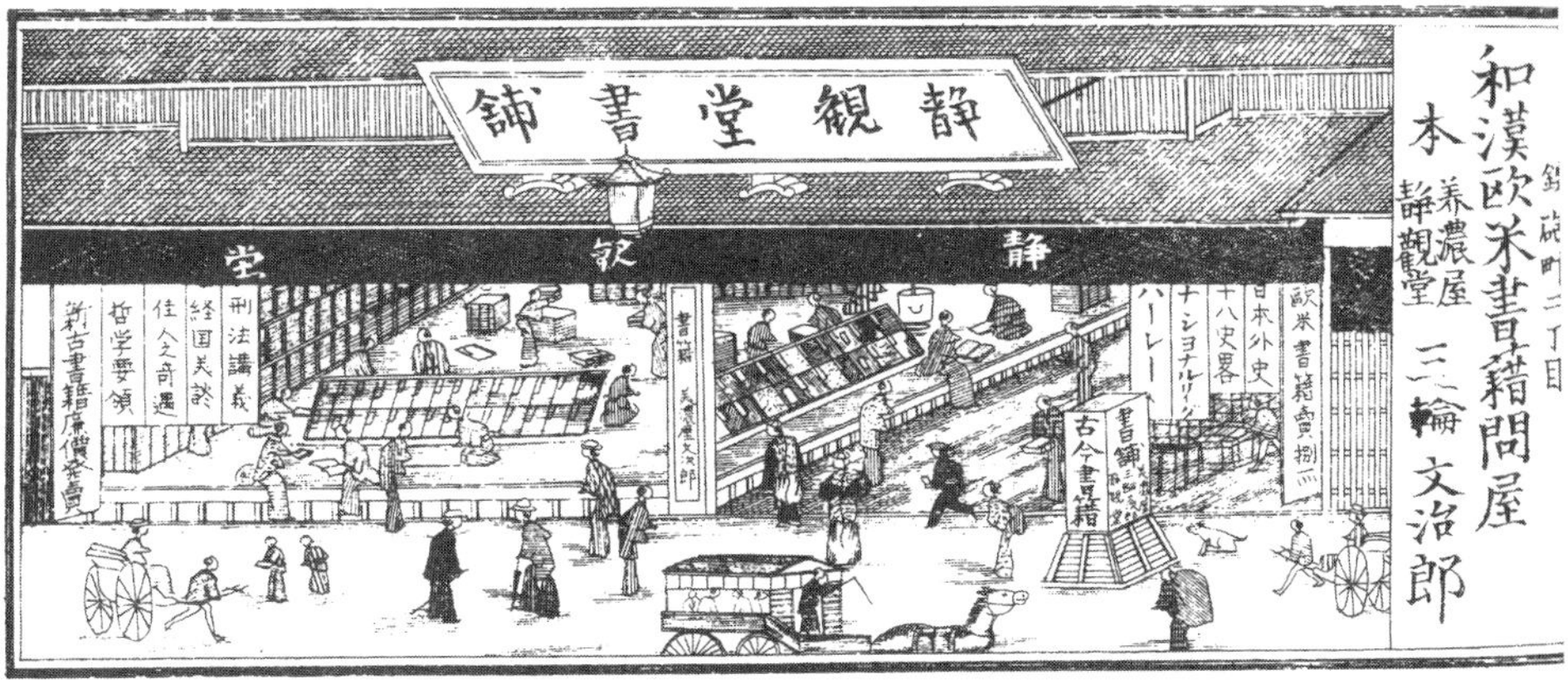

和漢欧米書籍問屋 美濃屋 静観堂 三輪文治郎

【鉄砲町二丁目】

【絵解き】

　近世の名古屋で出版もしていた書店「静観堂書舗」の店頭。道路の置き看板は、正面に「古今書籍」、側面に「書籍・美濃屋・三輪文次（ママ）郎・静観堂」。道路面や店内通路に面しては新着書や人気本と思われる本の表紙を見せ、在庫は壁面の棚に収納している。店の前の道路には、中央あたりを被り笠・洋服姿の郵便夫が急ぎ、両端付近には人力車、中央手前には乗合馬車が通り、賑わいが表わされている。

　静観堂からは、『尾張名所図会』の著作で知られる絵師小田切春江著『善光寺道名所図会』、『便覧』の数年後には佐藤牧山著『木曽紀行・東海紀行』などが出版された。右端には「欧米書籍売捌所」の突き出し看板、左端には「新古書籍廉価発売」の看板が出ており、輸入書籍、翻訳本、新作著書、古書と幅広く扱っていたとわかる。

【今昔を訪ねて】

　店の軒先の下げ札には、右から「日本外史」（頼山陽著）、「十八史略」（曽先之編）、「ナショナルリーダ」（英語教科書）、「ハーレー□」。左に「刑法講義」（亀山貞義述）、「経国美談」（矢野龍渓の政治小説）、「佳人之奇遇」（東海散士＝柴四朗の政治小説）、「哲学要領」（井上円了著）等の新着書を下げ札で紹介している。

　これだけ幅広く扱っているが、小学校用の教科書や草紙本は見当たらず、大人向けの「硬い本」を専門に扱っていた書店であった。

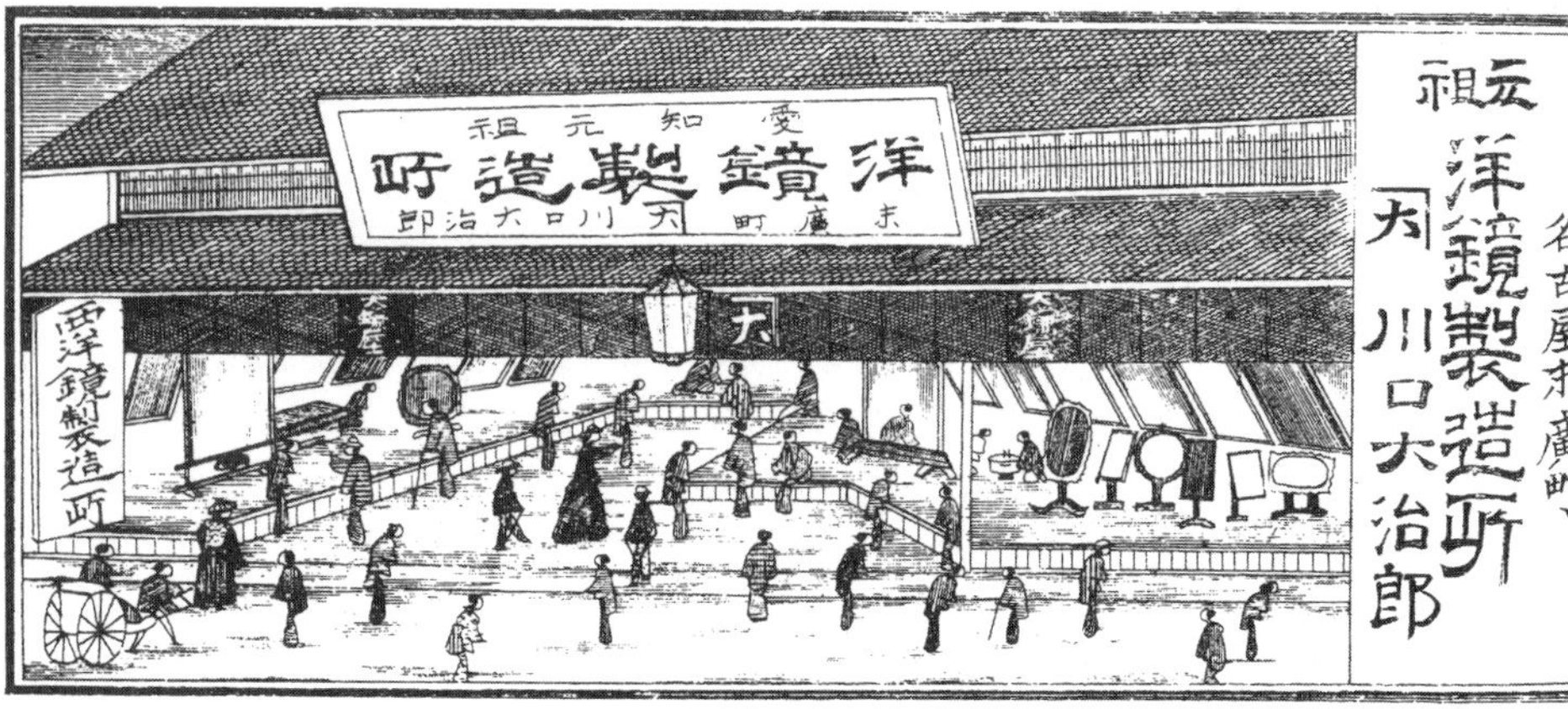

洋鏡製造所　川口大治郎
西洋鏡製造所　成田屋金次郎

【末廣町】【鉄砲町三丁目】

【絵解き】

上図は、屋根看板で「愛知元祖・洋鏡製造所」をうたう、川口大治郎の店である。屋号は「カネダイ」で、軒端ののれんには「大鎌屋」と染め抜かれている。看板には製造所とあるが、店頭では製造も加工も見当たらず、比較的大型の洋鏡が展示されている。とくに左右の壁面に斜(なな)めに掛けられた鏡は、現在でも「大鏡」と呼べるようなサイズで、置き鏡だけではなく、はめ込み鏡も扱っていたことをうかがわせる。

来店者も、多くは和装であるが、店内には洋装の女性、左から3人目の店に入りかけている人は当時の清(しん)国（現、中国）の服装で、さまざまな人たちが来店していた様子である。

左のページは、「西洋鏡製造所・成田屋」である。屋根看板には「なりたや」と思われるローマ字も添えられた、「洋風」を強調した店である。店内中央に帳場、右に姿見や額鏡などやや大型の鏡、左に置き鏡などを展示している。

【今昔を訪ねて】

洋鏡の素材は板硝子である。1880年代ごろにはヨーロッパでも板硝子は「手吹き円筒法」で作られていた。これはまず口吹きで瓶を作り、その円筒部分を切り開いて板状に成型する方法であった。そのため、大判のガラス板を得ることはきわめて難しかった。しかも鏡は板硝子を通

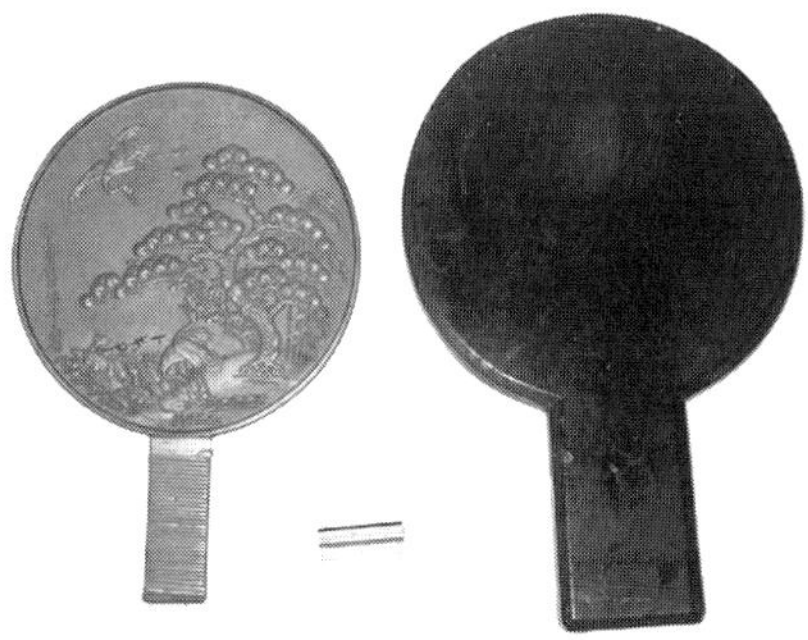

左が和鏡（手鏡）で、鏡面は裏側。右は収納ケース（岡崎市美術博物館所蔵）

して映像を反射させるため、板厚のムラで映像がゆがんでしまう。

日本でも国産が試みられたが、体形の小さい日本人では肺活量不足で大きい瓶を吹くことが難しかった。そのため、大判の板ガラスは、輸入に頼らざるを得ず、当然高価であった。そうした観点で見ると、カネダイの店に展示された大判の鏡はきわめて高価であったと推定される。

板硝子の国産は、近世に藩や民間で試みられた後、1876年に工部省が品川硝子製造所（東京）を経営するが成功せず。1909年に岩崎（三菱）がベルギーの手吹き円筒法技術を導入して「旭硝子」を創設、同社尼崎工場（兵庫）で板ガラスの工業生産に着手した。それ以前の輸入ガラスは、名古屋では日泰寺横の「揚輝荘」などで見ることができる。

三菱の工場は大赤字であったが、アメリカで機械吹き円筒技術が開発されると、すぐにその技術を導入して戸畑（北九州）に新工場を建設した。それでも赤字であったが、1914年に第一次世界大戦が勃発して板ガラス輸入が途絶し、価格が暴騰した。一方で、旭硝子では生産が軌道に乗り始め、板硝子需要に応えることができて危機を脱し、1914年には機械吹き円筒法の牧山工場（北九州）を新設して、経営を軌道に乗せた。

書写盤 カバン ゴム引人力車ホロ 魚住吉太郎

【末廣町一丁目】

【絵解き】

この店は、屋根看板に「専売特許・塗製書写盤」、軒のれんに「製盤㊉商店」とあり、書写盤が看板商品であるが、店内や左壁面の棚はいずれもカバン。「ゴム引人力車ホロ」は、本書31ページの「静観堂書舗」図左端の、人力車の後ろに横線が3本描かれているのがそれで、雨天用の幌が蛇腹式に折り畳まれている。厚手の布にゴム塗装して作られ、立て起こすと客席は前が空いた小部屋に早変わりする。防水材には以前は柿渋や桐油が使われたが、ゴム塗装の技術と資材が入り、防水性・耐久性が飛躍的に向上した。

【今昔を訪ねて】

看板の「塗製書写盤」は、「コンニャク版」と呼ばれた印刷法だと推察される。この図が描かれた1888年前後は、筆・墨による手書きから、木版によらなくても文面が複製できる「印刷」に移る直前の時期であった。間もなくエジソンの「ミメオグラフ」や堀井新治郎の「謄写印刷機」通称「ガリ版」が登場する。

1887年開催「東京府工芸品共進会」に丸善書店が簡易印刷機「筆搨版」を出品して褒章を受けたが、これもコンニャク版の一種であった。コンニャク版は1870年代にヨーロッパで開発された「平版印刷（ヘクトグラフ）」の一種で、インクで手書きした紙を版面に転写し、それを別の白紙に再転写する印刷法である。印刷枚数が増えると次第に不鮮明になるが20～30枚は複製できた。版材は水中で洗えば反復使用できた。

漬物製造処　山田才吉

【本町通り若宮前】

【絵解き】

漬物製造処「喜多福」の頭書きには、「各種食料品・洋酒卸・諸国名産取次所・毛糸あみもの製造所」とある。屋根看板には、中央におたふくの面に「きた」で屋号の喜多福、右左に「新鮮鯛味噌」「漬物製造」とあり、「大根・蕪（かぶら）・このわた」の旗が立つ。

店内は基本的に座売であるが、入り口の左手には円卓に瓶類が並び、腰かけて品選びすることもできた。入口左右の透かし窓から覗うと、右も左も棚が組まれて整然と商品が並ぶ。前の通りは、通行人や人力車、樽を運ぶ大八車が通り、賑やかである。

ごく日常的な食品を扱いながら賑々しく新鮮な印象を与えるのは、経営者の人柄の反映であろう。

【今昔を訪ねて】

この店の経営者は太っ腹な商売人で知られた山田才吉である。山田才吉は本書と同じ風媒社から出版された『東海の異才・奇人列伝』の「山田才吉」の項に詳しいが、名古屋名物「守口漬（守口大根の味醂粕（みりんかす）漬け）」を代表商品とした「漬物製造」を営んでいた。少し後になると「中京新報」を創刊、日清戦争・日ロ戦争期には軍隊向けの缶詰で大儲けし、名古屋市議会議員になるとともに、レジャーランド的料亭「東陽館」「南陽館と名古屋教育水族館」「北陽館」を建設する。名古屋瓦斯（現東邦ガス）、熱田電気軌道、中央市場創業に関わり、名鉄常滑線「聚楽園（しゅうらくえん）」駅の東の丘上に建つ像高18・79ｍの阿弥陀如来座像を造立した。

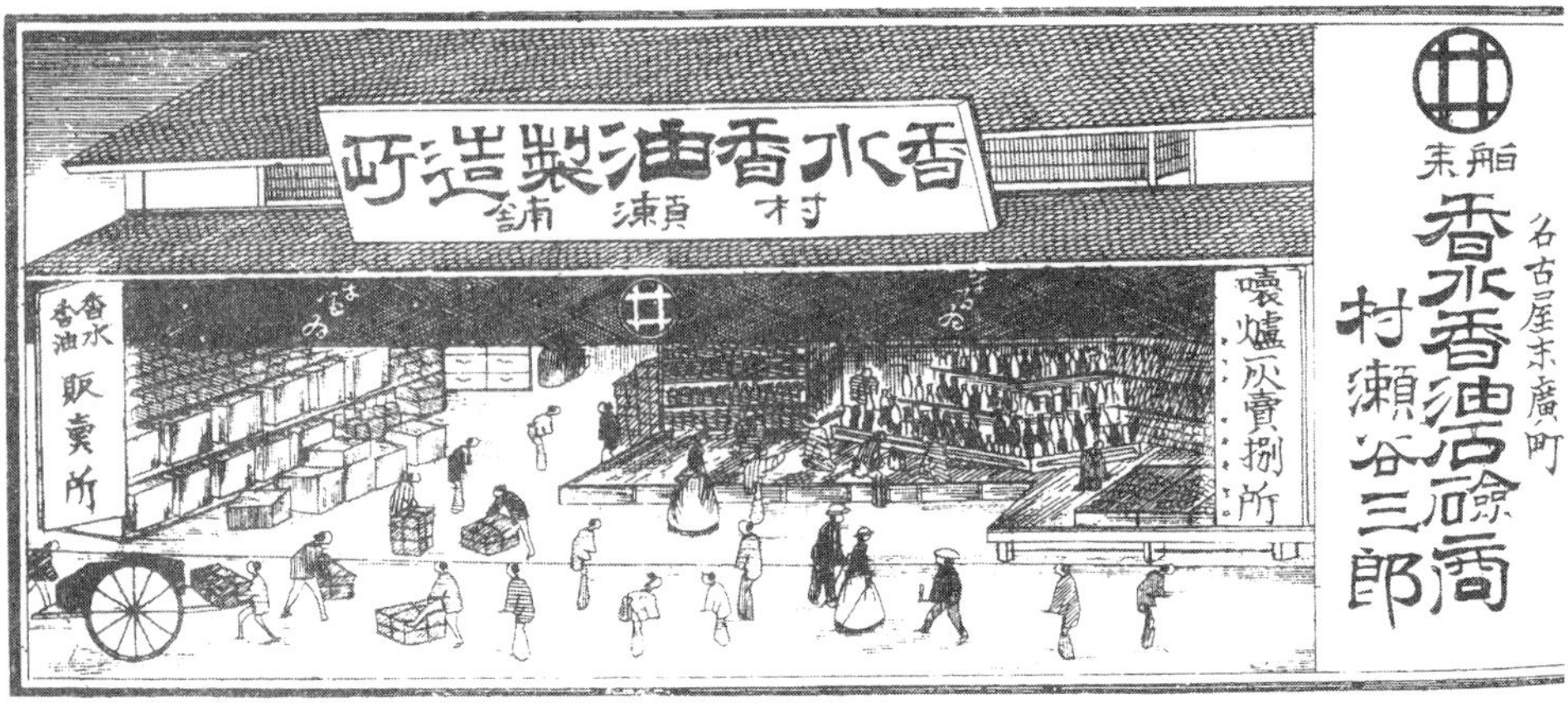

【末廣町】

香水 香油 石鹸商 村瀬谷三郎

【絵解き】

末広町の村瀬店は、屋根看板に「香水香油製造所」とあるので調合もしていた「アロマ店」である。当時「シャボン」と呼ばれた石鹸なども販売していた。店内右手にはたくさんの香水の原液や香油瓶が並ぶ。店内左手は荷捌き場兼在庫品置き場らしい。今なら倉庫などでする在庫や荷捌きを店頭でしているが、店内に〝動き〟を生む効果があった。

日本では、奈良時代以来貴族を中心に「薫香(くんこう)（お香）」、仏教界では「抹香」や「線香」が普及した。椿油や鬢(びん)付け油のような油性の香料もあった。開国前後から、新しいタイプの香料として「香水」や「香油」が入ってきた。

【今昔を訪ねて】

両方とも芳香性の水や油。香水は体臭消しと芳香剤であり、香油は疲れ取りなどの薬効と皮膚保全のために使われる油液やクリームである。共にヨーロッパでは数千年の歴史があり、とくに香油（アロマオイル）は、沐浴後に一種の治療として使われた。日本では、そういう用法は広まらなかったが、今日では基礎化粧用クリームの形で引き継がれている。

石鹸は、明治期に輸入されたものは固形の化粧石鹸であったが、今は液状のものが増え、香油と兼ねたような使い方が増えている。明治期頃は、まだ洗濯は水だけで揉み洗いするのが主流で、洗濯用石鹸が普及したのは大正頃以降であった。

精肉販売所並ニしぐれ　屠牛商　精肉舎

【冨澤町一丁目】

【絵解き】

屠牛商「精肉舎」である。道路ぎわの看板通り、店内右手は「屠牛所」で、首を落とした牛が肋骨もあらわに下げてあり、中央は「牛肉販売所」で、大きな肉塊が並べてある。「屠牛所」には屠殺施設がないし、残酷でもあるので、実際の屠殺と粗処理は別の場所でしたあと、店頭に運ばれたと推定される。

本書39ページ「愛知繍箔組」の右の図の「屠牛商むめや」では、頭もついたままである。

当店の頭書きには「精肉販売所並ニしぐれ」とあり、生姜と煮込んだ佃煮の牛肉も売っていた。

【今昔を訪ねて】

よく知られているように維新以前の日本では、山岳地帯を除いて四足獣を食べる習慣はほぼなかった。近世末期になると、蘭方医などが滋養食（「薬喰い」と呼んだ）として勧めることがあったし、彦根藩から将軍家へ「味噌漬け牛肉」を贈っていた記録もあるが、高価で、販売ルートも確立しておらず、庶民が簡単に入手できるものではなかった。

開国前後から欧米系の来訪者や長期滞在者が増えるにつれて、食肉の提供が求められるようになり、1867年に江戸に初めて近代的屠場ができた。明治期に入ると急速に「屠場」が増えて、1900年代初めには全国に1500カ所ぐらいあったと言われるが、その多くは空き地のような場所であった。政府は1906年に「屠場法」を制定して、衛生管理を強化した。

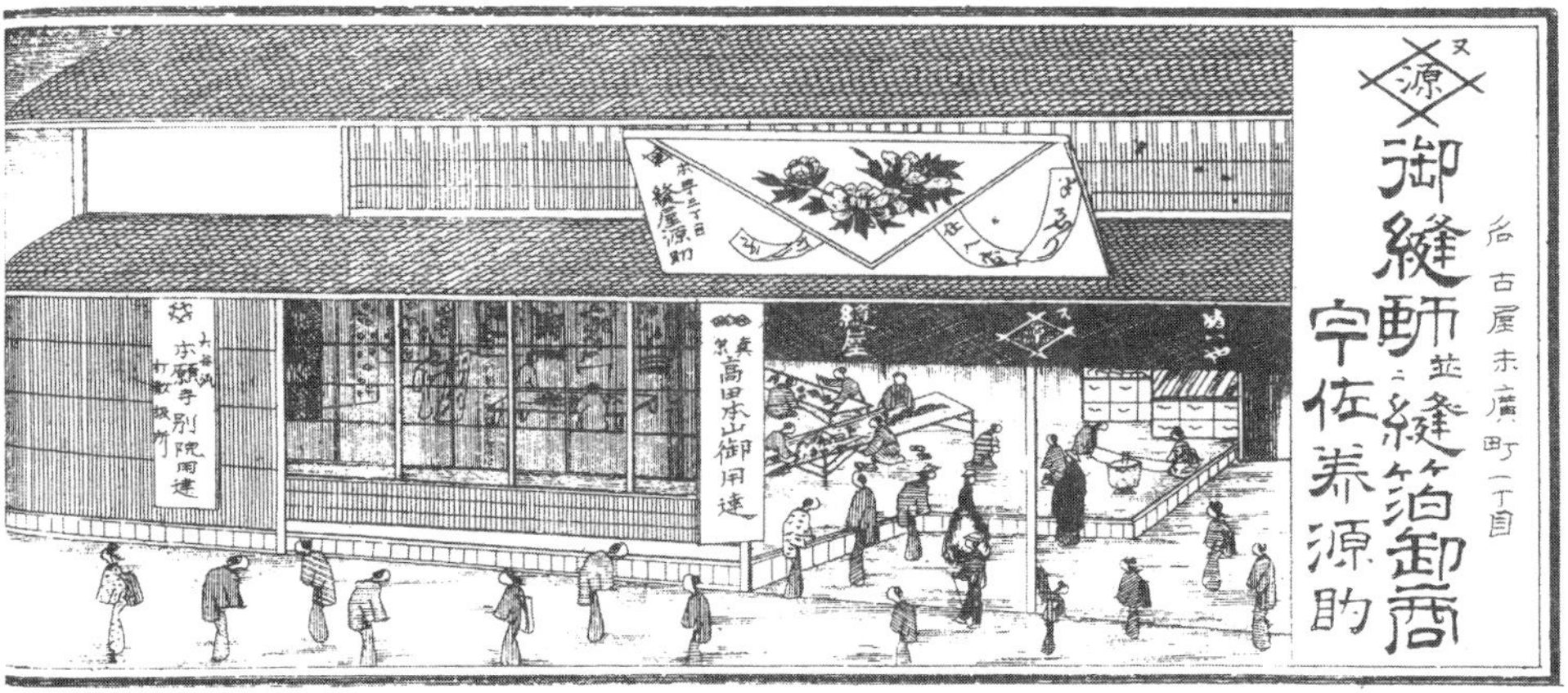

御縫師並ニ縫箔卸商　宇佐美源助

縫箔品製造販賣所　愛知繍箔組

【末廣町一丁目】【本町三丁目】

【絵解き】

宇佐美源助のこの店は「縫箔屋」である。「縫箔」は刺繍の一種で、金銀の摺箔を使うことから普通の刺繍とは区別してこう呼ばれる。主な用途は、豪華な結婚衣装や能衣装など和装外衣用と、仏壇の正面に飾られる打敷である。

屋根の看板に描かれている逆三角形の絵が打敷である。

看板の打敷の左右に描かれているリボンのようなものは打敷とは別で、右のリボンには「半えり仕入店」左のリボンには「打しき」とあり、主要商品を示している。軒のれんには「ぬいや」「縫屋」と染め抜かれており、基本的には手刺し刺繍屋である。

入口の左の軒看板には「真宗高田本山御用達」左端には「大谷派本願寺別院用達・打敷扱い所」とあり、要するに真宗専門の打敷屋である。

店内の右手では女性客と男性店員が反物を拡げて商談中の様子。その左では手刺し作業がおこなわれている。さらに左のガラス戸を透かした奥には、たくさんの製品が展示されており、その手前では店員らしい女性が反物を掲げて見せている。

一方、次ページの図左半分は「愛知繍箔組」。現在の協同組合に似た共同組織による経営とみられる。屋根看板は「縫箔貿易商」、屋号は「ヤマぬ」とあり、縫箔の輸出もしていた店であった。

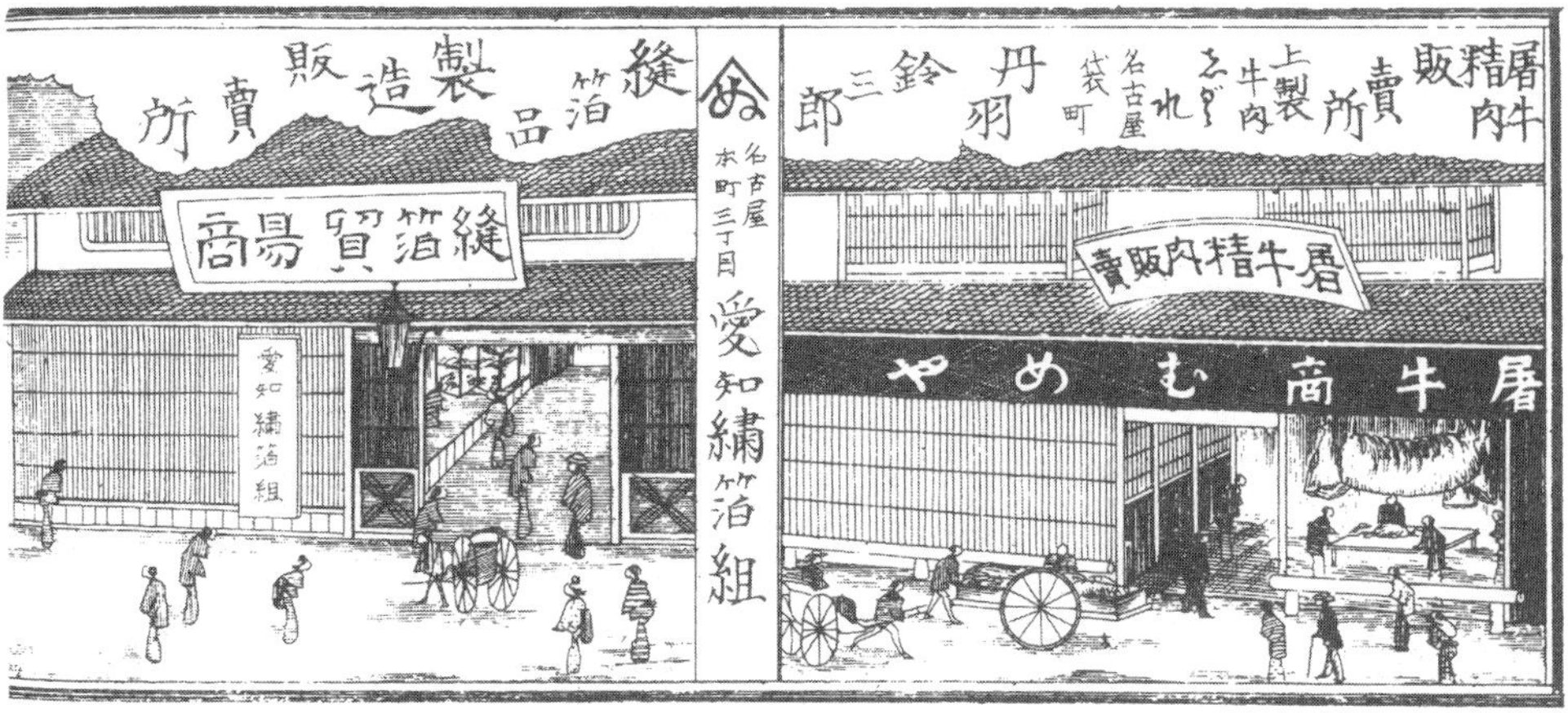

【今昔を訪ねて】

縫箔は摺箔を併用する刺繍を指す。摺箔というのは、「印金（いんきん）」とも呼ばれる中国伝来の衣装などの装飾技法で、皮革や絹布などに、漆など接着剤で下絵を描き、上に金箔を置いて綿で押さえ、乾いたらそっとこすって余分の金箔をはがす方法で模様を描く。日本では針と糸で描く手差し刺繍と併用して使われるようになった。

正倉院の収蔵品にも使われているので、奈良時代にはすでに伝わっていたことがわかる。国内では、鎌倉・桃山時代ごろから、能衣装に多く見られるようになったとされる。

同じ技法が仏壇の打敷にも採用されて庶民にも普及した。とくに名古屋地方では、近世後期ごろから、真宗系の仏壇を中心に、「名古屋仏壇」と総称される仏壇づくりが盛んになり、仏壇に付随して独特の発展を遂げた。開国後は、こうした小物が仏壇とは関係なく外国へ売れるようになり、縫箔製品も輸出された。

当時、日本政府は欧米から新しい技術やそのための設備類の輸入に努めていた時期で、その見返り輸出品として、外国人が買ってくれそうな伝統的製品の輸出を奨励していた。

名古屋では、七宝製品や扇子、縫箔が、おもに横浜経由で欧米や清国（しん）（現、中国）向けに輸出された。明治末期になると、陶磁製洋食器などが盛んに輸出されるようになった。

ただ、この技法は非常に手間がかかるため、もともと公家や上級武士など限られた分野で流行した。近世初期に隆盛期を迎えた後は、友禅染に代替されるようになり、実用分野での摺箔はすたれた。

そうした中で仏壇の荘厳具としての打敷は、庶民層まで普及した。北陸・東海地方に信者が多い浄土真宗で使われる、屋根看板のような打敷は「三角打敷」と呼ばれている。

糸物卸商　村上清兵衛

【末廣町二丁目】

【絵解き】

屋号「マル治（や）」の糸卸商である。道路に面した大のれんには「糸類仕入所」とあり、近在の農家などで作られた糸も買い取っていた。

店内右手壁面の棚にはさまざまな綛糸（かせいと）が並び、畳の上には大きな綛糸や糸を巻いた糸枠が置かれている。客は板敷きの床に立って品定めし、希望する色や太さの綛を取ってもらっては、選んでいる。店内の左手や土間には、箱や筵（むしろ）で梱包して積まれている。

1970年代後半頃からは、すでに「唐糸（とうし）」とか「洋糸」と呼ばれた輸入糸が大量に出回っていたが、この店ではとくに輸入糸に触れていないので、おもに国内産の糸類を取り扱っていたと判断される。

【今昔を訪ねて】

濃尾平野では、近世中期から綿作が盛んになり、綿糸や綿布生産も発展した。どちらも初期には農家の副業的形態であったが、次第に「手工業的工場」に発展し、近世末期には地形的条件が許せば水車による動力も使われるようになった。

こうして工業らしく発展しても、小規模の製糸や機織りは途絶えず、むしろ参入者が増えたし、「工場」経営者も「出職（でしょく）」「出機（でばた）」などと呼ぶ外注を増やしたので、女性の多い家などでは農業収入を上回るのも珍しくなかった。

そうした大小規模の原料糸需要に応じたのが比較的小規模な糸問屋で、太さや品質の異なる多様な糸を揃えて、織物業の需要に応えていた。

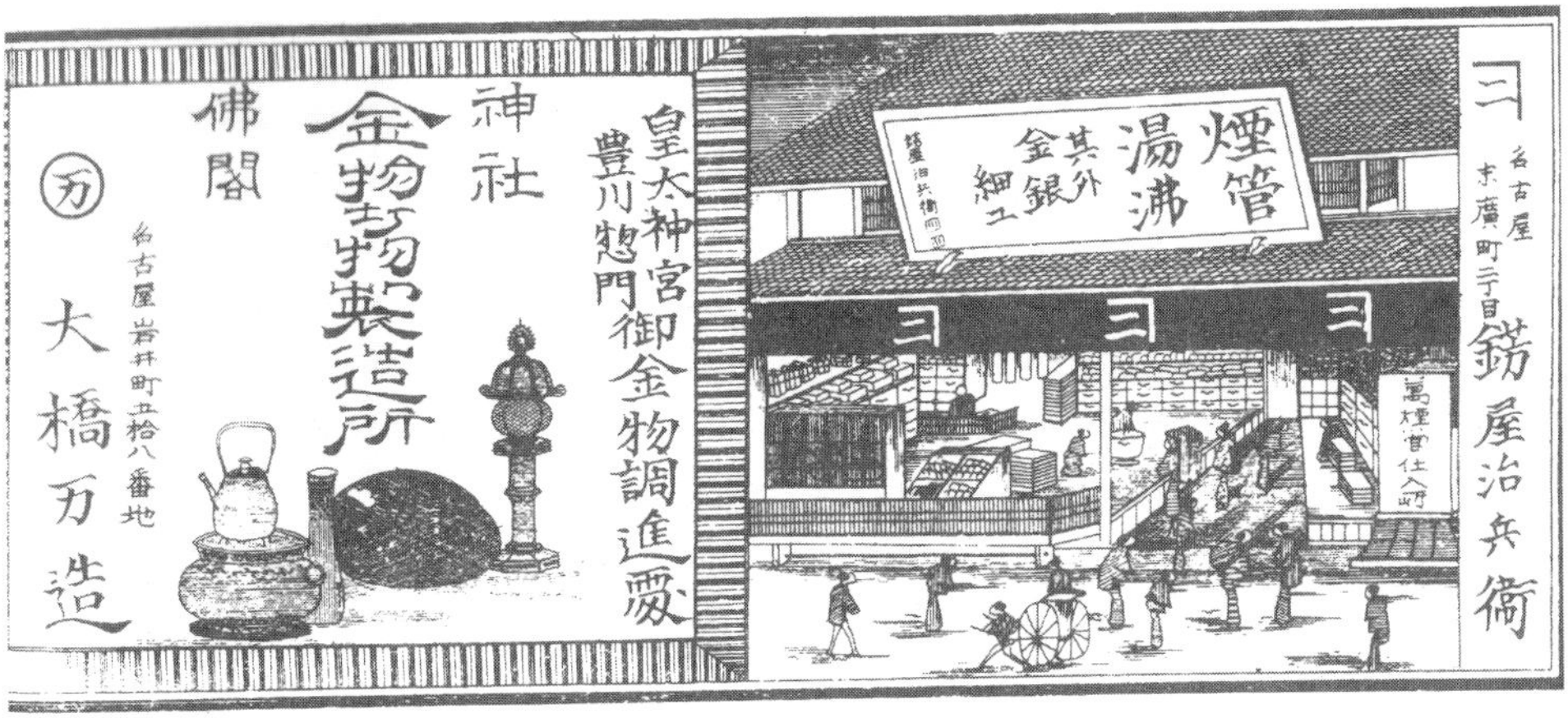

錺屋治兵衛

【末廣町二丁目】

【絵解き】

上図の右側は「煙管・湯沸・其外金銀細工」を製作する「錺屋治兵衛」の店、左側は「皇太神宮・豊川惣門・御金物調進処」を承る大橋万造の「金物打物製造所」。どちらも業界では「錺職」と呼ぶ金属細工の工房で、43ページの㊧も同業である。

錺屋治兵衛の店は、屋根看板の「細工」の文字の下、店の奥にパイプが立ててあるのが見える。これが看板にある「煙管」である。店の前には「萬煙管仕入所」の置看板も出しているので、規格寸法の金属パイプを仕入れて販売もしていたことがわかる。

大橋万造の方は、製品の絵が出ているが、平らな金属板を叩いてこうしたものを造形する商売である。

金物打物製造所 大橋万造

【岩井町】

【今昔を訪ねて】

「錺職」には、こうしたやや大形のものを作る職人のほか、簪や帯止めなどの装身具を作る分野や、名古屋で盛んに作られた仏壇の飾り金具や襖の引手、屏風金具のような小形の金属加工を得意とする職人もいる。今も屋根の雨樋、ストーブの煙管、工場の送風管などの設備分野で欠かせない役割を担っている。小形製品の分野ではブローチの台や装身具の留め具、バッジ類の製造など、それぞれ生産の第一線を担っている。競技優勝者などに贈られるトロフィーなども錺職人さんが造っている。

加工される素材は、大型品は鉄板やトタン板、ブリキ板などが多く、小型品は金・銀・銅板・アンチモンなどが使われることが多い。

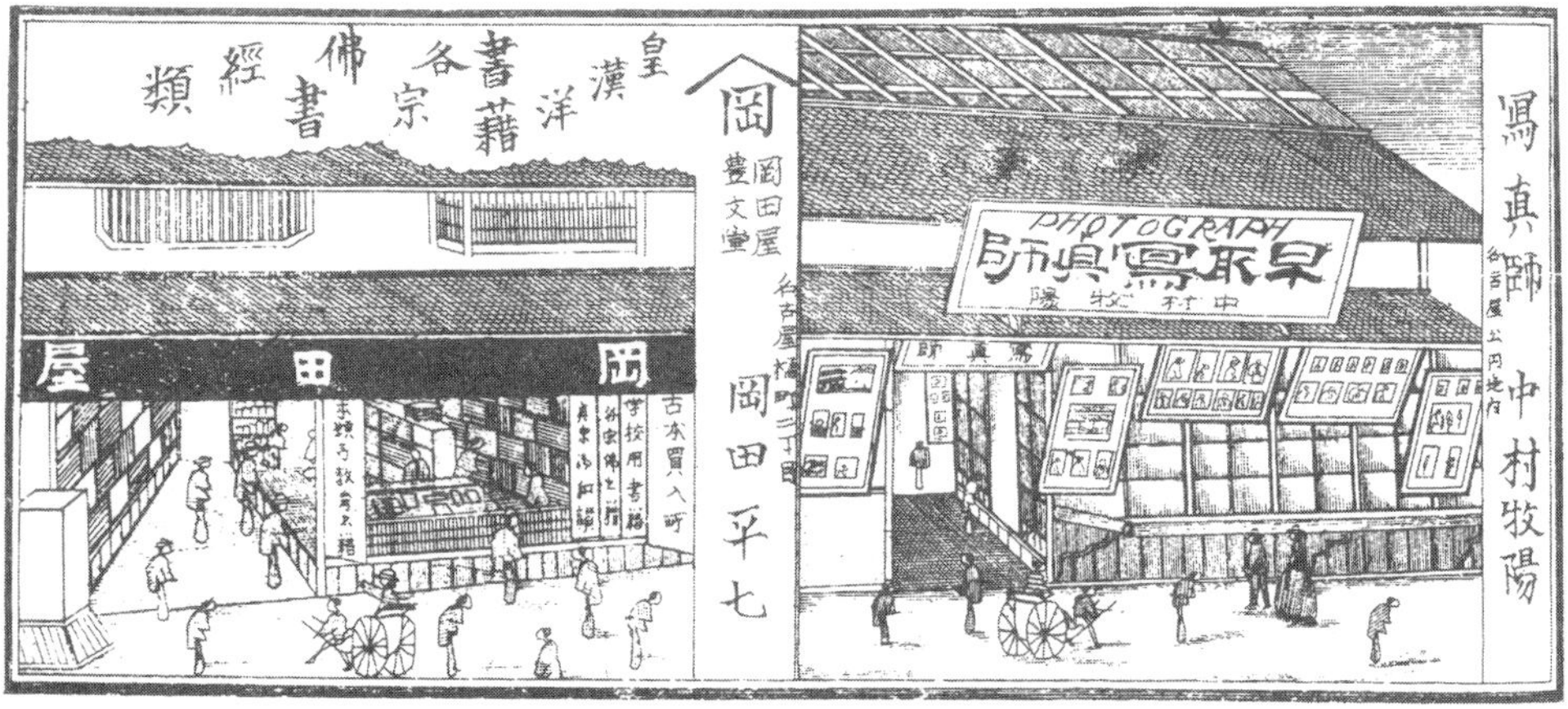

写真師 中村牧陽

【公園地内】

【絵解き】

このページの右の図は、1884年頃に開園された名古屋最初の「公園」、浪越（なみこし）公園内で写真スタジオを開業していた中村牧陽の写真館（45ページ写真）で、屋根看板には「PHTOGRAPH・早取写真師・中村牧陽」とある。公園は現在の大須演芸場とコメ兵西館の場所。同公園内には、名古屋写真界の老舗「宮本本店」や、関東大震災の写真集を残した青山三郎なども写真館を構えていた（45ページコラム参照）。

当時、写真は、祝いごとや集まりがある時などに出張して撮影してもらうか、写真スタジオへ出向いて撮影してもらうのが普通で、写真館の店頭には、そこで撮影した個人写真などが掲示されていた。

【今昔を訪ねて】

1870年代にイギリスで感光剤塗布済みの硝子板を遮光袋に入れた「乾板」が開発され、1880年代にはわが国でも使われるようになった。撮影現場での事前作業が不要になったほか、感光時間が飛躍的に短縮できた。そのため、乾板を採用した写真師たちはこれを「早取り（撮り）」と呼ぶようになった。その後間もなく写真フィルムが開発された。

中村牧陽がここで写真館を開業したのは1884年頃で、1903年に海部幸之進（海部俊樹元首相の祖父）に譲った（『名古屋写真師会小史』）。中村牧陽自身はその後も「中村写真館」として営業を続け、1910年には『名古屋知名人肖像一覧』という写真集も出版した。

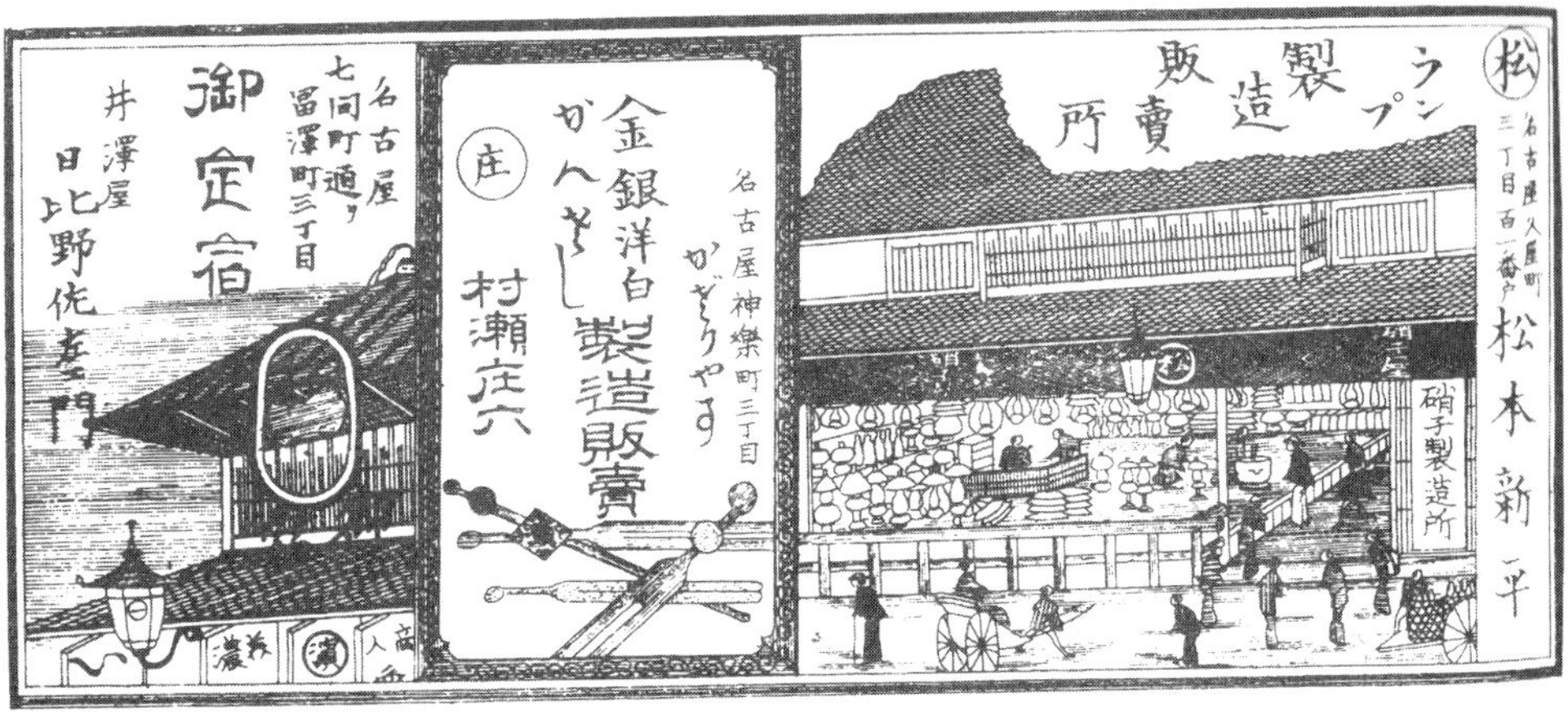

ランプ製造販売所　松本新平

【久屋町三丁目】

【絵解き】

このページ右は「ランプ屋」である。看板やのれんの染め抜きから判断すると、この店はランプの燃焼部を覆うホヤを製造し、輸入された燃焼器具とセットにして販売していたと推定される。当時のランプの燃料は石油（灯油）で、点火すると油煙が多く、防風装置であるホヤの内側に煤が付着して明度が落ちる。そのため、1～数日ごとにホヤの内側に溜まる煤を拭いとる「ホヤ磨き」が欠かせなかった。

店内には吊り下げ型のランプと机上などに据え置くタイプのランプが並んでいるが、現物は写真のようなものである。

明治期から昭和初期まで使われた灯油ランプ
（岡崎市美術博物館所蔵）

【今昔を訪ねて】

明治前半期には、農・山村部では皿に入れた菜種油を灯芯に浸して燃やす「行燈」が主流で、ランプはまず都市部で使われ始め、日露戦争後の1905年頃から急速に普及した。行燈に較べるとランプは格段に明るいが、器具自体が高価なうえ、灯油もホヤも補充が必要で、気やすく買えるものではなかった。なお、当時の「あかり」事情については、51ページのコラムも参照されたい。

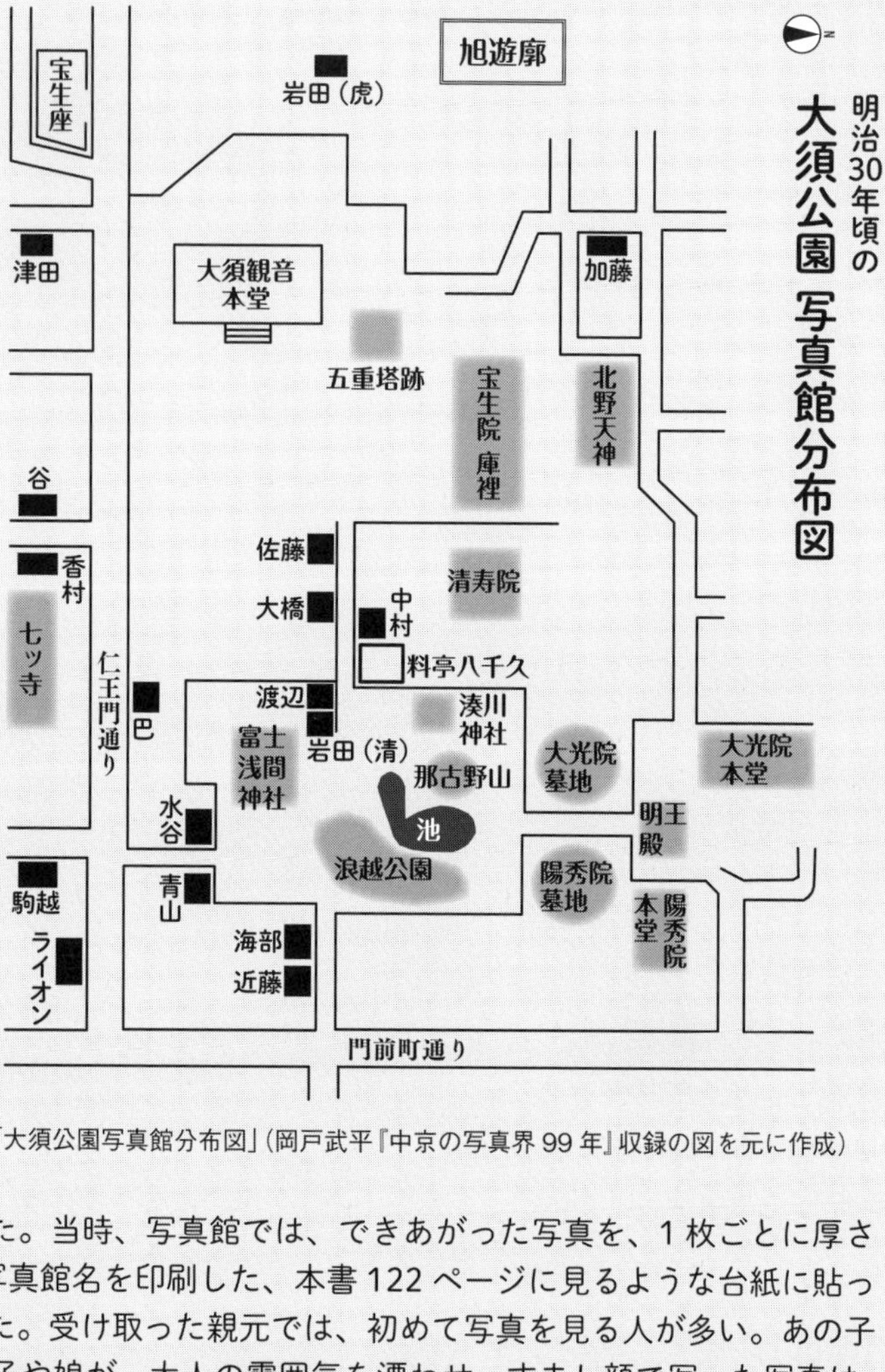

「大須公園写真館分布図」（岡戸武平『中京の写真界 99 年』収録の図を元に作成）

送ることが流行った。当時、写真館では、できあがった写真を、1 枚ごとに厚さ 2～3 ㎜の厚紙に写真館名を印刷した、本書 122 ページに見るような台紙に貼って渡す店が多かった。受け取った親元では、初めて写真を見る人が多い。あの子どもっぽかった息子や娘が、大人の雰囲気を漂わせ、すまし顔で写った写真は、近所や親戚にも見せ歩くもてようであった。

浪越公園周辺に写真館集中

需要の拡大とともに各都市に写真館が増えた。人が集まりやすい名古屋では、ほかの遊びも多い大須観音や浪越公園周辺に次々と写真館が開業した。上の地図は、『便覧』発刊の約 10 年後、1897 年頃の浪越公園周辺の写真館配置図である。中村牧陽の店は図中央の「料亭八千久」の西（左ページの写真参照）、名古屋写真師会初代会長の青山写真館は図下方の浪越公園の南にあった。

なお、浪越公園はあまりにも混雑し、1909 年に鶴舞公園が開設された。

コラム②……………浪越公園と写真館

名古屋最初の公園

日本に「公園」が誕生したのは、1873年（明治6）発令の太政官布告第16号からで、東京の上野公園が第1号である。それまでも、公園的な場所は全国各地にあったが、いずれもお城や寺院の庭園などで、私有地が期限をきって開放されるか、河原などで花見がおこなわれるという形態であった。それが欧米に倣って、「公園」という、いつでも誰でも自由に出入りできる場所が設けられるようになったものであった。

青木（2017）によると、愛知県では同年小牧城跡に小牧公園、1875年岡崎城跡に岡崎公園、犬山城に稲置(いなぎ)公園が開設された。名古屋では、1879年に大須観音の東に隣接した清寿院境内に設けられた、「浪越(なみこし)公園」が最初であった。場所は、現在のコメ兵ビルから那古野山古墳へかけての一帯である。

日本有数の盛り場「大須」

浪越公園、那古野山公園、大須公園などと呼ばれたこの辺りは、近世中期以来、江戸の浅草と一、二を争う盛り場（遊興型繁華街）で、遊廓、芝居小屋、飲食店などがひしめいていた。維新後も、平日から賑わい、休日には名古屋内外から人が集まり、とりわけ混雑した。1880年代後半当時、名古屋各地で働く若者の楽しみの一つは、自分や親しい仲間と写真を撮って親元に送ることであった。

写真撮影の技術は、1871年にイギリスで発明されたが、当初十数年はネガを現場で作る難しい技術で、露光時間が5～15秒かかる、「ガラス湿板(しっぱん)」方式であった。とうぜん費用もかかり、庶民が気軽に写せるものではなかった。

1884年になると、事前にネガを作って遮光袋に入れて持ち運べる、「乾板(かんぱん)」方式が発明された。感度も飛躍的に向上し、1～2秒露出で済むようになった。

写真の大衆化と写真館急増

この新写真術は「早撮(はやどり)写真」と呼ばれ、撮影技術も、ネガ準備も、写されるのも楽になり、費用も低減した。その結果、お店で働く丁稚さんたちでも無理をすれば写せるぐらいになり、都会へ就職した若者が、写真館で撮った写真を故郷へ

中村牧陽写真館（1884年ごろ）

【高岡町】

摺附木製造処　眞燧社

【絵解き】

上図は、日本の代表的燐寸（マッチ）メーカーの一社であった「眞燧社（しんすい）」である。当時は、「摺附木（すりつけぎ）」という方がわかりやすかったようで、軒に下げられたのれんには「摺附木製造所（頭書きでは製造処）」とされている。

建物図の右に描かれた「菊水（きくすい）」と「麒麟（きりん）」はマッチ箱のラベルで、商標登録されている。特許庁によると1884年6月7日に「商標条例」が制定されたのが始まりだとされているので、この商標登録は最初期に登録された一つだったとみられる。しかも麒麟図の下の「名古屋眞燧社製造」の文字は、当時としては珍しく左から右へ読むように書かれている。他の文字がすべて右から左へ書かれた中ではやや違和感はあるが、当時としては斬新な表現であった。

店の前では大八車の横で二人がかりで荷物を捌き、その左では二輪車で運んでいる。道路からすぐの店内では何やら商談がおこなわれている様子で、中庭では荷ほどきや荷造りがおこなわれ、奥の棟で製造されているようである。

【今昔を訪ねて】

発火具の進化を簡単にたどると、最初の天然火種の採取時代を別にすると、「火打石とほくち」の時代のあと、発火具ではないが火を移す用具として薄板を割った木片の先端に硫黄を塗った「付木（つけぎ）」が使われた。それにより、炭などの火種さえ残しておけばすぐ点火が可能になった。

19世紀にイギリスで摩擦マッチが開発されたが着火が悪かった。フラ

ンスでこれを改良した黄燐マッチが発明されたが、これは発火しやすすぎて危険なため、木片には発火点約150度の塩素酸カリウム、箱の横に赤燐や硫化アンチモンなどを塗って摩擦温度を高める、マッチとマッチ箱の組み合わせが開発された。

この段階で日本に輸入され、マッチ箱の塗剤にマッチ棒の塗剤を摺りつけて発火させる付木、つまり「摺付木」として普及したが、当初はきわめて高価であった。しかも家庭では、前述のように種火と付け木の組合わせで簡単に火は起こせたので、庶民の暮らしには容易に普及しなかった。

他方で、火山が多い日本では硫黄が入手しやすかったため、国際的に価格競争力があり、大阪、兵庫を中心にマッチの工場生産が発展し、神戸港から輸出された。名古屋でも杉山彌三郎がマッチ製造を始め、これが間もなく眞燧社になった。続いて1881年には、長坂多聞が燧巧社を設立し、名古屋からはおもに朝鮮や中国へ輸出された。

生産が拡大するにつれて価格競争が激化し、それに伴って生産コストの圧縮や製品種類（おもに容器サイズやラベル）の多様化が進み、外注、下請け生産も発展した。

労賃を安く上げるために年少労働が拡大した。1910年代初頭には、社会問題としても注目され、1916年施行の労働法では12歳未満の児童労働が禁止された。

マッチ業界では、1920年代から進出してきた外資に国内生産の大半を抑えられるなど、その後も苦労が絶えなかった。

第二次大戦後は、小箱のマッチが大量に宣伝に使われるなど再び隆盛期を迎えたが、1970年代半ばから日本でも造られ始めた使い捨てライターによって、マッチの需要は急速に縮小した。

一閑張製造所　音羽屋　川島重兵衛

【本町十二丁目】

【絵解き】

上図右端は「一閑張製造所」の音羽屋である。製品名の由来は、この製造技術を日本に伝えた明の飛来一閑に由来する。製品は図の下部に並べられたような各種日用雑器で、右上には「酒呑台・文房具・茶菓器・夏敷物・油囲類 及 盆類」とある。同じ技法は人形やお面、被り笠などにも使われている。

この技術自体は古くからあり、奈良の中宮寺の文殊菩薩像、元興寺の地蔵菩薩像などが知られている。

【今昔を訪ねて】

一閑張の特徴は、これが紙製で、軽くて丈夫なことである。木や石膏で製品の型を作り、これに和紙をかぶせて柿渋や漆を塗る作業を一定の厚み（強度）になるまで繰り返し、最後に仕上げの整形と着色を施して完成する。漆器業界では「紙胎漆器（紙ベースの漆器）」と呼ばれている。

「尾張名産」とあるが、明治期には各地で細々と作られていて、愛知県内にはとくに産地と呼べるところは見当たらない。その後、１９３４年にこの技術が、良質な漆と楮を原料とする和紙の産地であった小原村（現豊田市）に伝えられ、産地が形成された。

間もなく第二次大戦が始まり、生活用品の金属類まで徴発されて武器に変えられるようになった。その代用品として再び一閑張が活用され、紙製の洗面器やお盆、筆箱、裁縫道具入れ、小物入れなどが使われた。

戦後、プラスチックの普及とともに代替されていった。

三井銀行出張店　第四拾六国立銀行

【傳馬町】

【絵解き】

上の図は、1872年に名古屋伝馬町に三井銀行名古屋出張店として開設された「第四拾六国立銀行」である。黒壁のよく目立つ建物であった。愛知県内には、すでに豊橋に第八国立銀行、名古屋に第拾壱国立銀行が営業していた。三井銀行自体は近世から「三井組」として金融業務をしていたが、1873年に株式会社の「第一国立銀行」として認可された。

当時は、金融業務をする支店などは認められなかったため、新銀行の設立という形がとられた。

【今昔を訪ねて】

明治初期の「国立銀行」は「国が認めた銀行」の意味で、民間経営である。1879年までに153の国立銀行が開設された。発券業務（紙幣の発行）も可能であったが、政府は1882年に日本銀行を設立し、1884年に制定した「兌換銀行券条例」によって、日本銀行を唯一の発券銀行とさだめた（兌換券＝金貨と交換できる紙幣）。

明治になってもまだ使われていた旧藩札（近世に各藩ごとに発行されていた領内通貨）や、明治初期に発行された私札（国立銀行発行券）は早急に回収されて、国内通貨は中央銀行である日本銀行が発行する日本銀行券に統一された。近世の少額硬貨は、補助貨幣として明治末期まで通用していた。

旧国立銀行は、1896年に一般銀行に改組され、第一国立銀行は「第一銀行」と改称された。

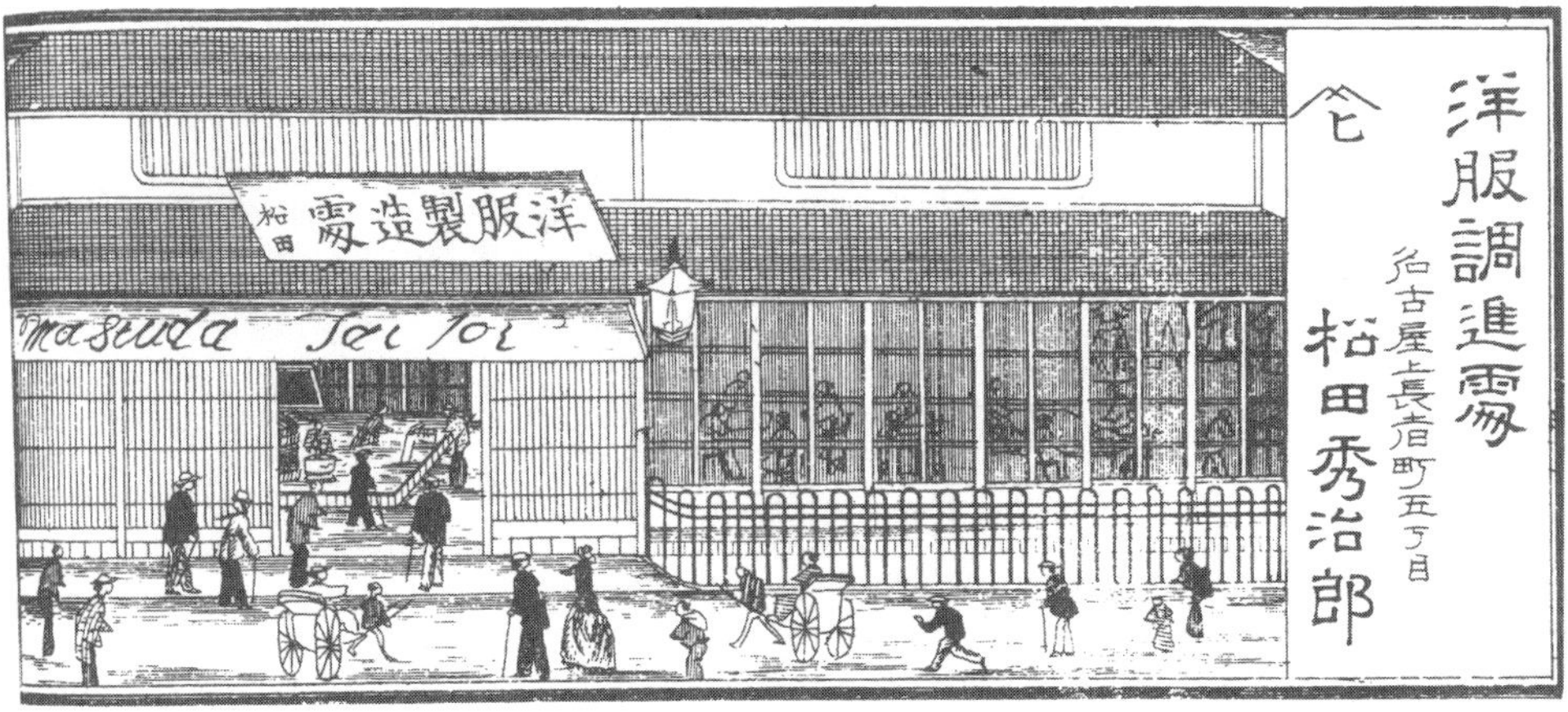

洋服調進処　松田秀治郎

【上長者町五丁目】

【絵解き】

上長者町にあった洋服の仕立て屋、松田秀治郎の店である。横文字の看板には怪しげな綴りで「Mastuda Tailor」とある。店内ではダッフルコートを拡げて品定めされている様子で、右手のガラス張りの奥が仕立て場である。前の道路を行く2台の人力車も、左側の車には洋装の女性が乗っている。

【今昔を訪ねて】

この時期はまだ、和装も洋装も既製服はなかった時代で、生地や柄を選んで購入してから、和装の場合は自分で仕立てるか、内職の仕立て職さんに依頼した。洋装は仕立て技術が特殊技能であったため、専門の洋服仕立て屋さんに依頼した。

洋服生地（ほぼすべて羊毛織物）も明治前期にはまだ国産はなかったので、すべて輸入品でとうぜん高価であった。洋服生地も、まだ服地の専門店が成り立つほどの需要はなかったので、本図のような洋服仕立て屋が一定量を在庫していて、その中から選ぶか、横浜などで入手した生地を持ち込んで、仕立てだけ頼むのが普通であった。

和服の場合は、仕立てた後、体形に合わせて「着付け」で着心地を整えるが、洋服の場合は、いったんできあがると修正が非常に難しいので、採寸段階から特殊な知識と技術が必要であった。明治初期にはそうした技術を神戸や横浜の外国人が経営する洋服仕立て屋に職人として仕え、その後、独立して開業したケースが多かった。

コラム③…………あかりの変遷

日本の家庭や商店の「あかり」は、近世の蝋燭・燈明（おもに菜種油）の時代からランプへ移行し、明治後半には都市部からしだいに電灯の時代を迎えることになる。『尾陽商工便覧』や『参陽商工便覧』が発刊された時期は、ちょうどそうした変化のさなかであった。

下の図はランプを商う店である。明治初期のランプは輸入品であったが、明治中期頃から国産されるようになった。ランプの光源は石油（灯油）で、大半が輸入品。そのため都市部の商家などでは比較的早く普及したが、農村部では普及が遅れた。愛知県岩滑村（現半田市岩滑）の作家新美南吉の代表作「おじいさんのランプ」は1904～05年頃のものがたりである。

ランプ屋の店頭風景

右図は明治期には「軒燈」と呼ばれていた門灯で、「ガス灯」と呼ばれることも多かった。本書でも名古屋、熱田はもちろん、半田、武豊、横須賀、津島、豊橋、岡崎、西尾、大浜（現碧南）などにも登場し、一宮と幡豆郡富田村では門灯ではなく内庭の照明に使われている図が見られる。こうした門灯については、別のコラム④「門灯の正体」で述べる。

その後、『便覧』発刊の数年後には電気の時代を迎えることになるが、これについてもやや長い説明が要るので、別のコラム⑤「電灯普及前夜」で紹介する。（森靖雄）

軒燈

汽車 汽船 積荷物取扱所 長谷川萬平本店

汽車 汽船 積荷物取扱問屋 大六組

【本挽町七丁目】【傳馬橋東詰】

【絵解き】

この見開き両ページは、名古屋の堀川沿いや熱田の海岸に多かった運送業者である。『便覧』がつくられたのは、大量・遠隔地物資は大半が舟運、内陸部では馬運であった時代から、鉄道が普及し始めた時期であった。東海道線は『便覧』が発刊された翌年の1889年に全通したが、敷設を終えた区間から順次開通しつつあったし、民間経営の鉄道も全国で敷設されつつあった。

運送業者は、そうした変化をいち早く取り込んで、輸送需要に応えていた。上図の長谷川萬平本店も、右の大看板には「物貨汽車積日限（ひぎり）請負送所（貨物到着日を保証する）」、次の看板には「大阪 神戸 東京 横浜汽船荷物取扱処」。それと並べて、「寧静丸（青島（チンタオ）航路にも就航した外航船）」「謙愛丸」「鴻益丸（遠州・鴻益社所蔵船・100トン）」、さらに横に曲がって「品川丸（郵便汽船三菱会社所蔵船・1338トン）」「玄武丸（共同運輸所蔵船・700トン）」「田子浦丸（郵便汽船三菱会社所蔵船・80ページに図あり）」と契約船名を掲げている。店は堀川端にあり、店の前まで帆船が入ってきた様子が描かれている。

左のページは伝馬橋東詰の大六組の店である。こちらも店舗側壁の看板に「汽車汽舟（ママ）積荷物扱所」「陸運物貨運送所」とあり、堀川から直接

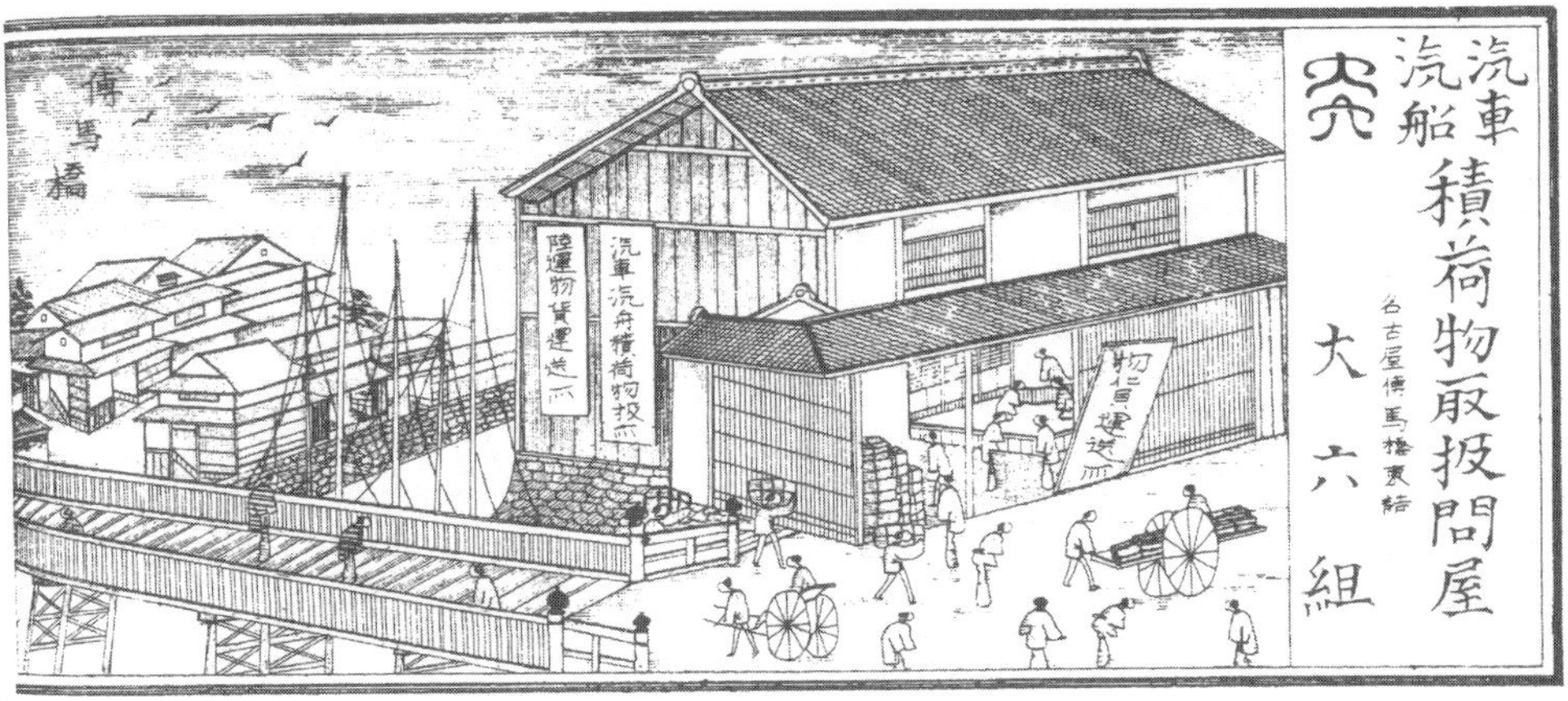

荷揚げできた様子が描かれている。

【今昔を訪ねて】

この見開きの2店は、場所も経営も異なるが、堀川と店舗構造との関係でみると、店の裏と表を見ていることになる。店によって多少の違いはあるが、堀川沿いの営業はおおむねこうした形態でおこなわれていたとみてよいであろう。今日においては、JR名古屋駅から桜通りを東へ進み、国際センターを過ぎて2本目を左折する「四軒道」の東側、堀川沿いにその名残をとどめている。

堀川は、名古屋城築城と並行して開削された、名古屋城西の幅下から熱田までの約6㎞の人工河川で、その先は伊勢湾へつながる。沿岸には運送業者や穀物問屋、肥料問屋などが立ち並び、図のような取り引きで賑わっていた。この川には、お城側から五条橋・中橋・伝馬橋・納屋橋・日置橋・古渡橋・尾頭橋が架けられ、「堀川七橋」と呼ばれた。大六組はその一つ「伝馬橋」のたもとで営業していた。

橋は、その後、景雲橋・岩井橋などたくさん架けられ、川も黒川、中川運河、大幸川など次々と増設された。水位が異なる堀川と中川運河の間には、船のエレベーターのような「松重閘門」などもつくられ、河川運送は昭和初期まで名古屋の主要物資輸送経路であった。

松重閘門（2016 年）

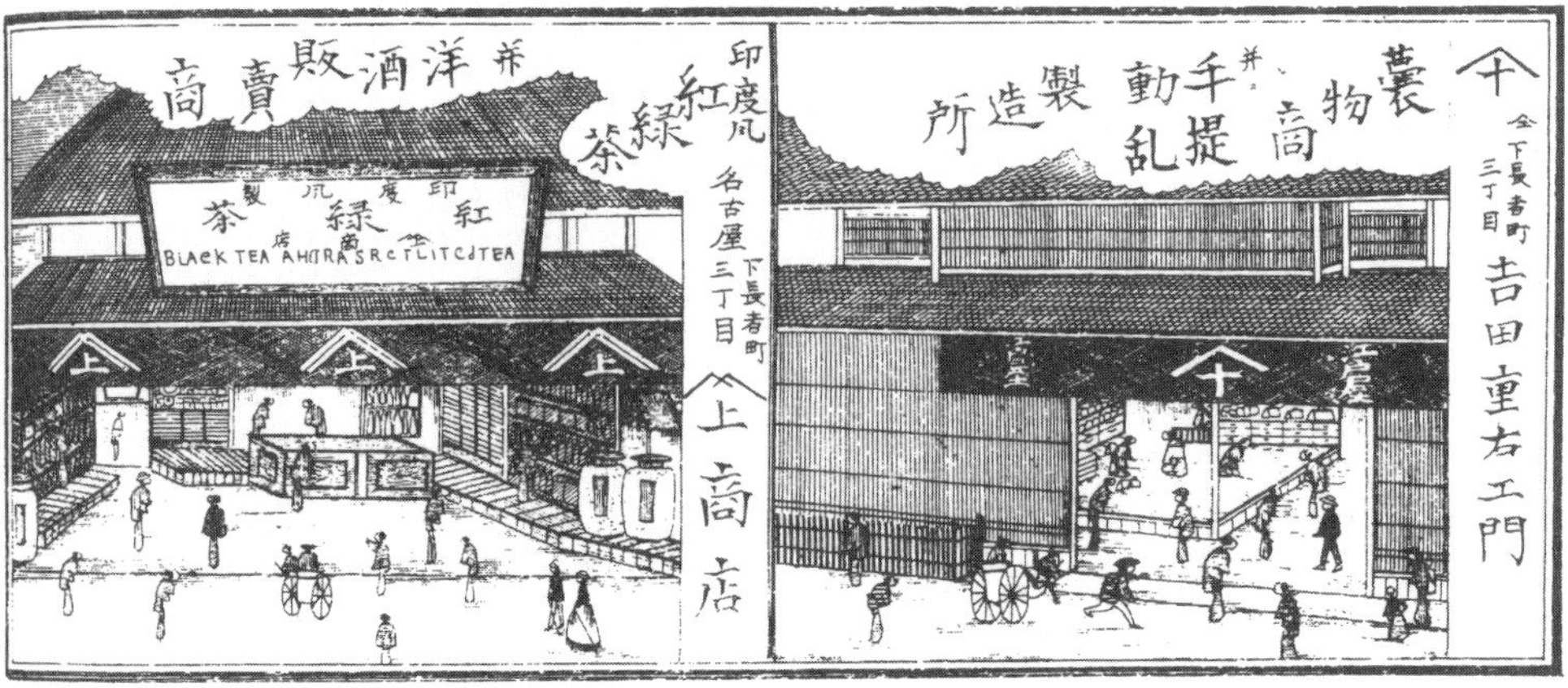

囊物商并ニ手提　動乱製造所　吉田重右エ門

印度風紅緑茶并洋酒販賣商　山上商店

【下長者町三丁目】【下長者町三丁目】

【絵解き】

このページ、右は吉田重右衛門の「囊物商并ニ手提・動乱製造所」、左は紅茶屋の山上商店である。

囊物は、鞣し皮製や布製の手提げ袋やボストンバッグなど軟らかい携帯運搬容器、動（胴）乱は革製や金属製の箱型の手提げで、トランクや弾薬容器など硬い携帯運搬容器を指す。店の奥や床にはボストンバッグ、左の棚には小型の袋物が並ぶ。

左の山上商店は「印度風紅緑茶并洋酒販売商」。「印度風紅茶」は、1880年代にはインドからも輸入されていたが、国産紅茶の輸出も始まっていた。この店は「印度風」とあり国産紅茶を扱っていたと推察される。看板には「BLACKTEA AND SRCTLITCJTEA」と書かれているようであるが、後半は意味不明。店内通路際には中国酒の大甕、その並びや店の奥には洋酒瓶が並んでいる。

【今昔を訪ねて】

茶樹は関東以南各地で栽培されていたが、その多くは自家用であった。それが開国とともに外貨獲得の重要産業として奨励されるようになり、次々と新興産地が生まれた。当時、イギリスはインドで大々的に茶畑を経営し、紅茶を生産していた。

緑茶と紅茶は同じ茶葉で、発酵度合いで作り分けられる。日本茶が緑や黄色で草っぽい風味が好まれるのに対して、紅茶は緑茶とは異なる風味で「異国」感があり、特別のお茶として受け入れられた。

箪笥 長持 嫁入道具 其外萬金物類 萬屋茂助

【袋町六丁目】

【絵解き】

全国の結婚祝儀でとりわけ持参品が多いと言われる名古屋の嫁入道具専門店。店中央の大のれんには「塗物類・萬茂（屋号）ぬりものるい・まんも」とあり、この店の名は「まんも」だとわかる。店の右半分は家具展示場で、箪笥と長持で埋まる。かさばる道具ではあるが、嫁入り道具の代表格だとわかる。長持は今ははやらなくなったが、衣類以外のもろもろの道具類を入れる大きな箱である。

店内の次のスペースでは細かい打合せや相談がおこなわれており、展示品以外の各種道具類も取り揃えてくれた。左には、火鉢らしいものが持ち出され、道路際には、洋風の丸テーブルも展示されている。

【今昔を訪ねて】

1930年代頃まで、尾張地方のやや広い庭を持った家では、女の子が生まれると庭に桐の木を植える習慣があった。桐は15年ぐらいで成木になるため、これで嫁入り用の箪笥を作って持たせるためだといわれた。桐は火に強いといわれて、家具や大型金庫の内張りに使われた。

嫁入り道具は若夫婦の当座の生活物資を持参させるのが始まりであろうが、尾張地方では他家へ嫁す娘への財産分けという意識が強く、次第に「嫁入り道具」が増えていった。派手婚の由来である。

タンスと長持ちの数え方は「棹」と呼ばれ、名古屋地方では、棹数で嫁入り道具の規模をはかる風習があった。

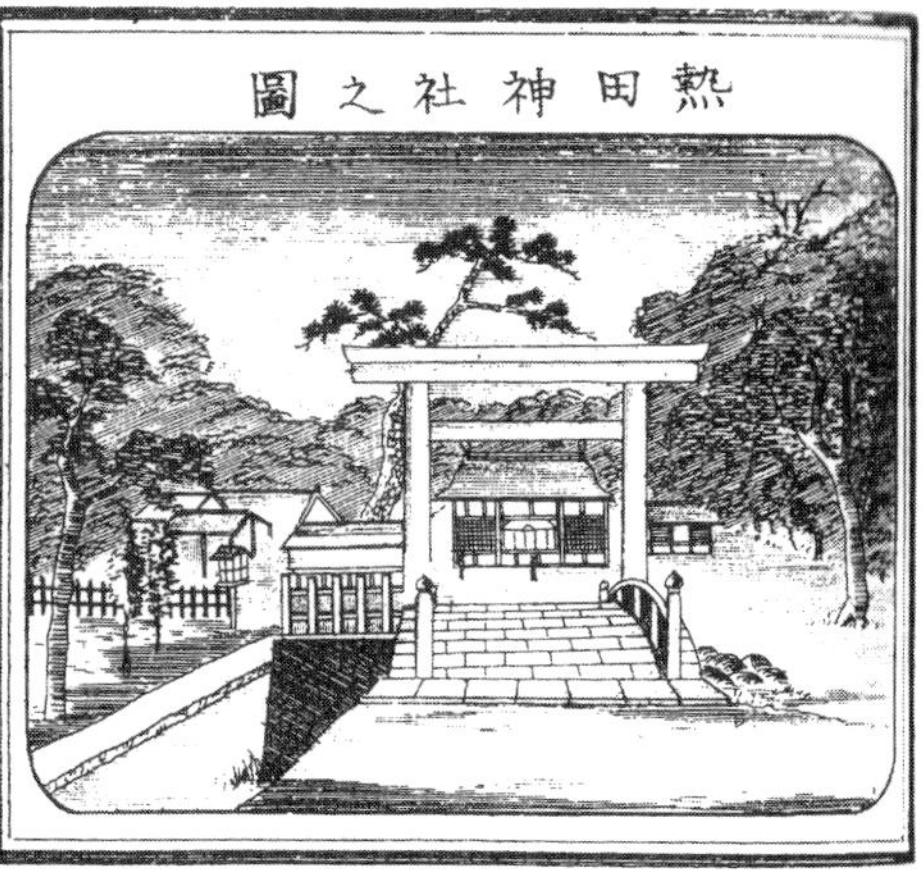

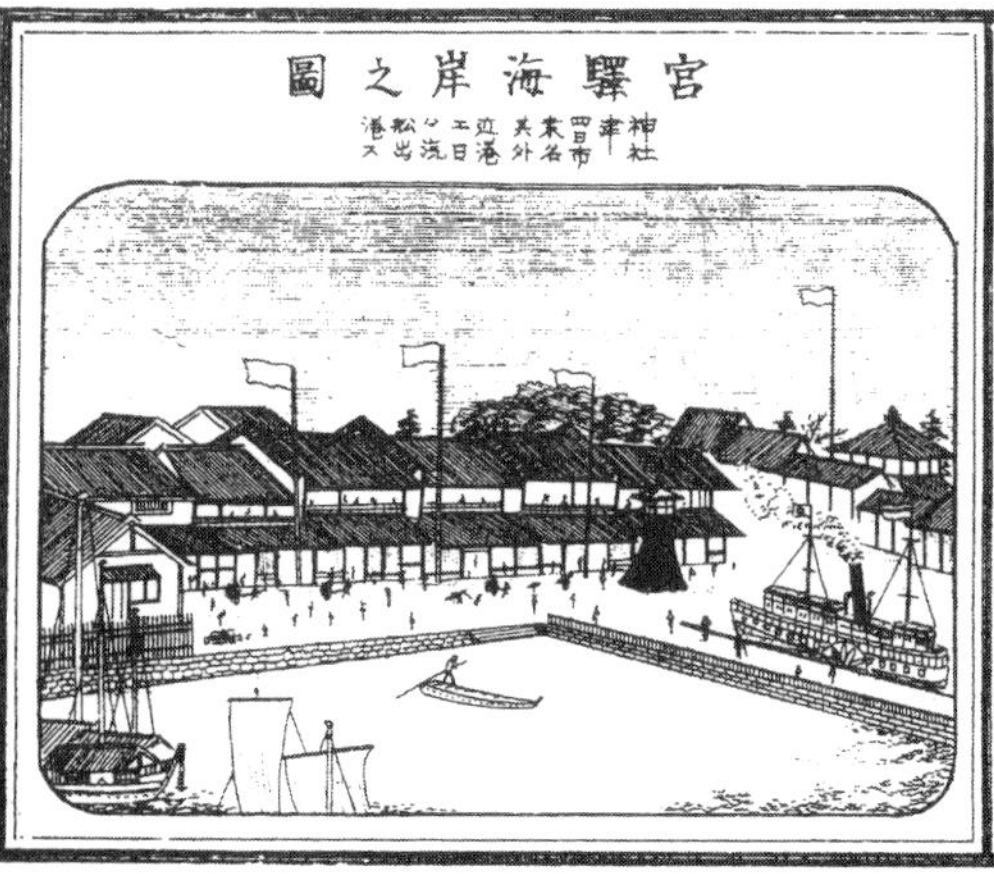

熱田神社之図・宮駅海岸之図

【絵解き】

上右の図は熱田神社、1900年代以後熱田神宮と呼ぶ。かつてこの辺りは伊勢湾に突き出た岬だったと言われる。古代豪族「尾張氏」の本拠と伝えられ、三種の神器の一つ「草薙剣」が祀られていることから、八咫鏡を祀る伊勢神宮に次ぐ神社とされる。主祭神は熱田大神。神話によると、草薙剣は素戔嗚尊が八岐大蛇を退治した際に入手したものが、姉に当たる天照大神（伊勢内宮の主神）に献じられ、それが日本武尊に与えられた。日本武尊は妃であった宮簀媛に預けて亡くなったため、媛はこれを熱田に祀ったとされる。

この熱田神社から1kmほどの入り江に、左図の「宮駅」がある。「宮」は熱田神社を指し、「駅」は駅逓で、街道の宿場に設けられた公用馬の乗り継ぎ場を指す。急ぎの公用者はここで待機させてある馬に乗り替えて先を急ぐ。近世、大きい街道には、一定間隔で次と呼ばれた宿場が設けられた。東海道は五十三次。そのほぼ一つおきに駅が設けられていた。

東海道のうち宮・桑名間は、鈴鹿越えをする陸路もあったが、直線距離で約30kmを船で渡る公式海上路が設定され、その江戸側の乗船場が宮駅で、「七里の渡し」と呼ばれた。

図には中型の外輪船が描かれているが、宮の入り江（熱田港）は砂が溜まりやすく、大型船や喫水が深い鉄鋼船は接岸できなかった。そのため、8kmほど沖の澪（海中の川）に大杭を立てて係留し、人や貨物はセドリ船に積み替えて熱田へ運んだ。

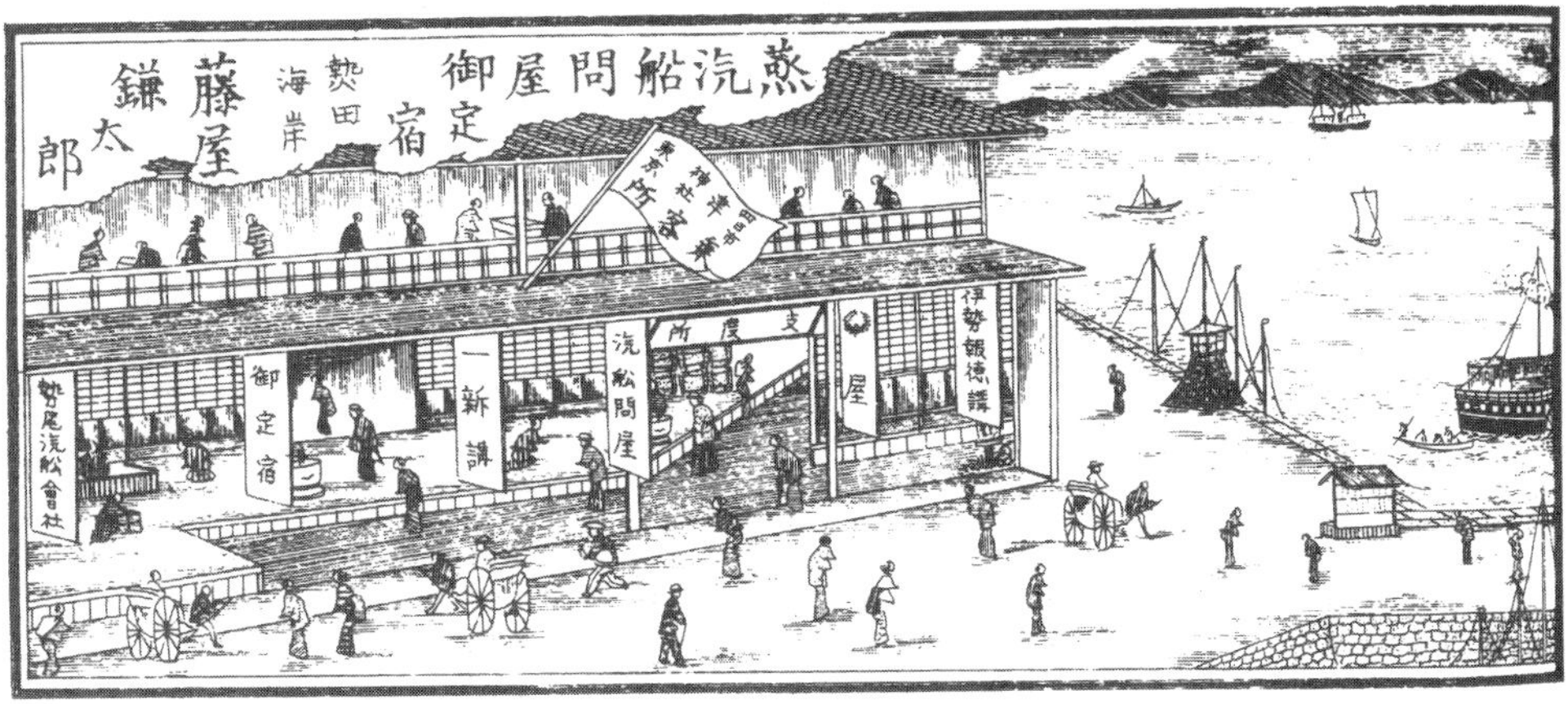

【熱田海岸】

蒸気船問屋御定宿　藤屋鎌太郎

【絵解き】

七里の渡し周辺には、何軒も船宿（ふなやど）があった。図は藤屋。港には和船や鉄鋼船が行き交い、右端の大型船は実際には8kmほど離れた場所から、セドリ船で客を運ぶ様子が描かれている。

2階から突き出した旗には「四日市・津・神社（伊勢）・東京・乗客所」とあり、藤田屋が扱う船便が示されている。利用客は、こうした表示を見て宿を選ぶわけである。

1階の突き出し看板には、右端に「伊勢報徳講」、4枚目に「一新講」とあり、こうした参拝講の指定宿であることを示す。出発前夜に担当の御師（おし）（ツアーガイド役の下級神職）が来て、参加者を確認したり旅行中の注意を与えたりする。左端には「勢尾汽船会社」の看板があり、同社の指定宿であったことがわかる。

【今昔を訪ねて】

こうした船宿の利用客は、下船客が泊ることは少ないので、大半は船待ち客である。当時、旅行は一大イベントで、港へ到着するまでにも支障が起こる可能性があるので、船客の多くは港で前泊した。

『愛知県統計書』明治10年版には、熱田港は水深1丈とあり、平均水深で約3mだったとされる。実際には、干満や季節による大潮・小潮もあるため、大型船や鉄鋼船が出入りするようになると水深不足が支障になり、大規模な浚渫と護岸改修工事（築港（ちっこう））を経て、1907年から「名古屋港」と改称された。

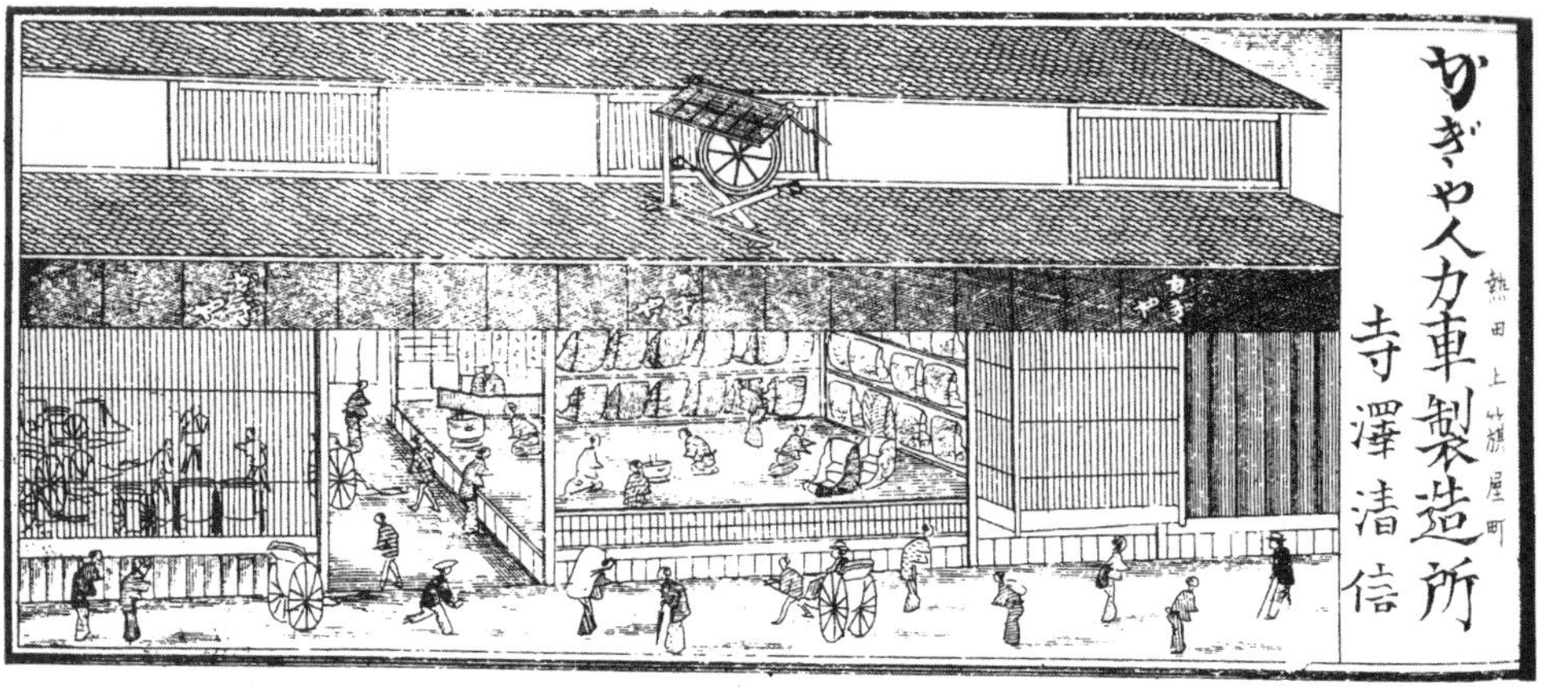

かぎや人力車製造所　寺澤清信

【熱田上籏屋町】

【絵解き】

名古屋は全国的に見ても人力車が発展した地域で、上図にも道路に二台描かれている。熱田・上籏屋町の「かぎや」は、今でいえば自動車メーカーであった。屋根には車輪形の看板が掲げられ、店名は軒のれんに「かぎや」とある。

店内の右手と奥には、さまざまなデザインの座席が用意されている。左手の格子の奥では車体が組み立てられつつある。人力車としてはこのほかに、雨除けの幌が必要であるが、これは前に34ページで見た「書写盤カバンゴム引人力車ホロ魚住吉太郎」などが提供した。

【今昔を訪ねて】

人力車は、両輪の上に座席を載せ、前の支え棒を一人の車夫が引く乗り物である。だから「俥（くるま）」と呼ばれた。普段は畳んでいるが雨除けの幌もついている。乗客は大人二人まで乗れる。異説もあるが、明治初期に東京で3人の日本人が創作し、1880年に東京・日本橋で開業した。

それまで日本の陸上移動手段は、徒歩か馬か、二人の駕籠舁き（かごか）が一人の客を運ぶ「駕籠」であった。それが、人力車は一人の車夫で運べる上に、乗客も腰かけてゆく方が楽で、見晴らしもよい。しかも駕籠よりも楽に速く走れるため、人力車はたちまち全国へ普及した。

『便覧』がつくられた当時はまだ衝撃緩衝装置はなく、震動がそのまま座席に伝わった。車輪が木輪からゴム輪に改良され、車軸や軸受けも替り、軽快に走れるようになった。

洋酒類　刻煙草　和洋小間物商　加藤茂助

【熱田神戸町】

【絵解き】

上図は熱田の入り江近くに店舗を構える「かとう」。店頭右端に「(煙草葉の絵と)刻煙草いろいろ」、中央に大キセル、左端に「寶丹(胃もたれ、胸やけ薬)と紫雪(熱病・急な発熱おさえ)」の看板が出ている。頭書きには「洋酒類」「和洋小間物商」とあり、船待ち客を相手に、当座求められそうな商品を手広く扱う店であった。

通行人も、港風景らしく、洋装の人や帽子をかぶった女性、羽織りで身なりを整えた男女など、「よそ行き」スタイルが多い。

【今昔を訪ねて】

店内右手の棚に並ぶ瓶類は洋酒であろう。道路際のケース右手には櫛や髪飾りらしい小物、店内の置き棚の上には帽子と小型の洋バッグが展示されている。

棚とキセル看板の間では、店員は座り、女性客は立って商談中で、間には帽子、その横には棚と同じ手提げバッグが置かれているので、バッグを買ったついでに帽子も…、という商談であろうか。

店の左手奥の棚には洋酒と思われる瓶類、道路際のケースには右3箱が刻み煙草、左端の箱にはキセルが並べられている様子。この頃には巻きたばこも出回っていた。この店ではまだ刻みタバコだけを取り扱っていた。

タバコは、1876年から課税され、1898年から専売制がしかれたが、この絵が描かれた頃はまだ自由販売であった。

船燈製造所 ガラスランプ 武力販売所 伊藤徳治郎

【熱田須賀町】

【絵解き】

熱田港近くで舷灯（げんとう）（船灯）の製造と「ガラス・ランプ・武力（ぶりき）（製品）」を販売する「いげたや」。舷灯は国際的に右舷（船の進行方向前部右側）には緑灯、左舷には紅灯を点ずるように定められ、製造・販売には逓信省の認可が必要であった。そのため、普通は店名か取扱い商品名を大書する屋根看板に「逓信省 免許第七号」と、政府公認の店であることを示すのが、何よりの宣伝になった。

販売品のうち「ガラス」は、石油ランプの「ほや」を指す。ランプは、完成品は店の中央にいろいろと展示されている。右の大火鉢の前で商談中の二人の前に並ぶ２個がランプの燃焼器具である。ホヤは選べる。「ブリキ」は、錫メッキした鉄板を指す。錫メッキは錆（さび）にくいので、船の補修部品や小道具に加工して供給していたのだと思われる。

【今昔を訪ねて】

「舷灯」は、船舶が法規にしたがって航行中や停泊中に掲げる灯火を指す。国際的には１８３８年にアメリカで点灯義務が課され、１８４８年にイギリスが進行方向の左右舷側やマストに異なる色の点灯を指定するなど、おもに衝突防止の点灯ルールが制定された。１８４９年にはアメリカが、この規定を、従来の蒸気船から帆走船も含むように拡大した。

わが国でも開国と併せてこの国際ルールを採用した。現在は１９７２年の「海上における衝突の予防のための国際規則に関する条約」に依っている。

知多・尾西の部

森 靖雄

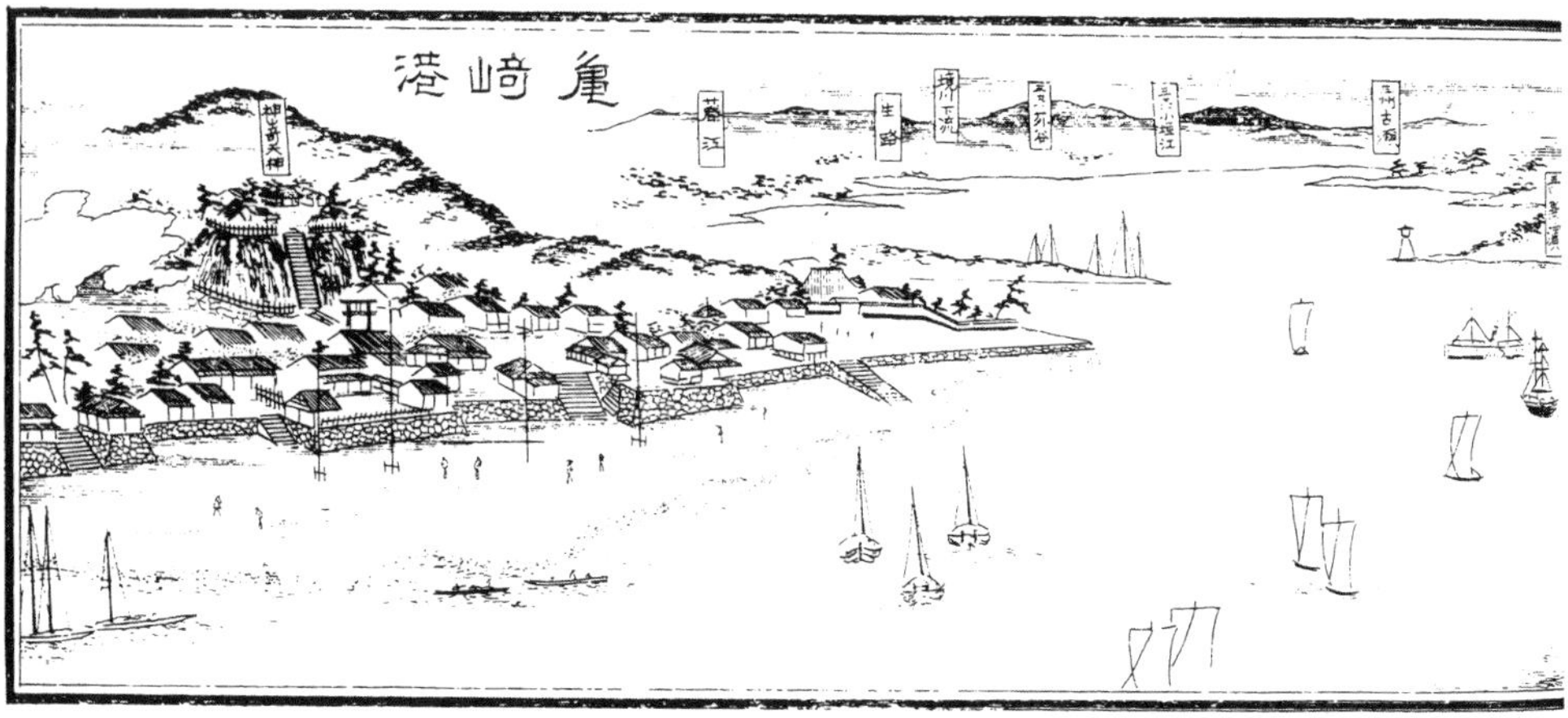

亀崎港

【絵解き】

亀崎は現半田市亀崎町。知多半島東海岸の代表的な港町で、明治中期にはすでに石積み護岸が整備されていた。図左方の山上には「神崎天神」、三河湾を隔てた遠景には右から「三州古瀬（現碧南市吉浜か）」「三州小垣江（現刈谷市）」「境川下流」「三州刈谷（現刈谷市）」「生路（現東浦町）」「藤江（現東浦町）」の地名が記載されている。

【今昔を訪ねて】

亀崎は、近世に大坂–江戸航路の主要な風待ち港であった三河湾に面した、「知多廻船」拠点港の一つで、明治中期には地元産の酒や白木綿などの出荷が盛んであった。隣接する半田では酢、対岸の大浜（現碧南市）ではみりん、三河湾両岸地帯では味噌・溜・醤油も生産され、そうした製品も一緒に運ばれた。『愛知県統計書』によると、この図が描かれた頃の1887年に、亀崎港には蒸気船101隻、西洋型風帆船97隻、50石積み以上の日本形船2457隻が入港しており、県内でも出入りが多い港であった。

図に描かれた「神崎天神」は「神前神社」の名称で現存し、この神社最大の祭礼である5月3、4日の「潮干祭」には、いずれも絡繰人形が演舞する5台の山車が、この祭りのためにあけられた堤防の切れ目から浜に曳き降ろされ、海中まで曳き廻される。

山車は、5台とも2006年に国の重要無形文化財、2016年にユネスコの無形文化遺産に登録された。

コラム④…………門灯の正体

このコラムに掲載した写真❶〜❺は「軒燈（のきとう）」である。❶〜❹は名古屋、❺は豊橋本町の杉田洋服店。❻は幡豆郡富田村の大田醸造所の内庭灯、❼は岡崎・矢作橋のあかり、❽は尾州一宮織工場の内庭灯の図（○で示す）である。

❶

❷

❸

❹

❺

❻

❼

❽

これらは当時「ガス燈」と呼ばれ、愛知の話かどうかは定かではないが、夕方になると点燈夫が巡回して点けたり消したりして歩いたと伝えられている。ガスは造船に必要なコールタール製造の副産物として産生したと言われるが、ガスの供給量は少なく、ガス管敷設なども必要であったため、実際にはそれほど普及しなかった。この図にある「ガス燈」も実は本当のガス燈ではなく、石油ランプであった。だからガス管工事も不要で、内庭でも設置できた。（森靖雄）

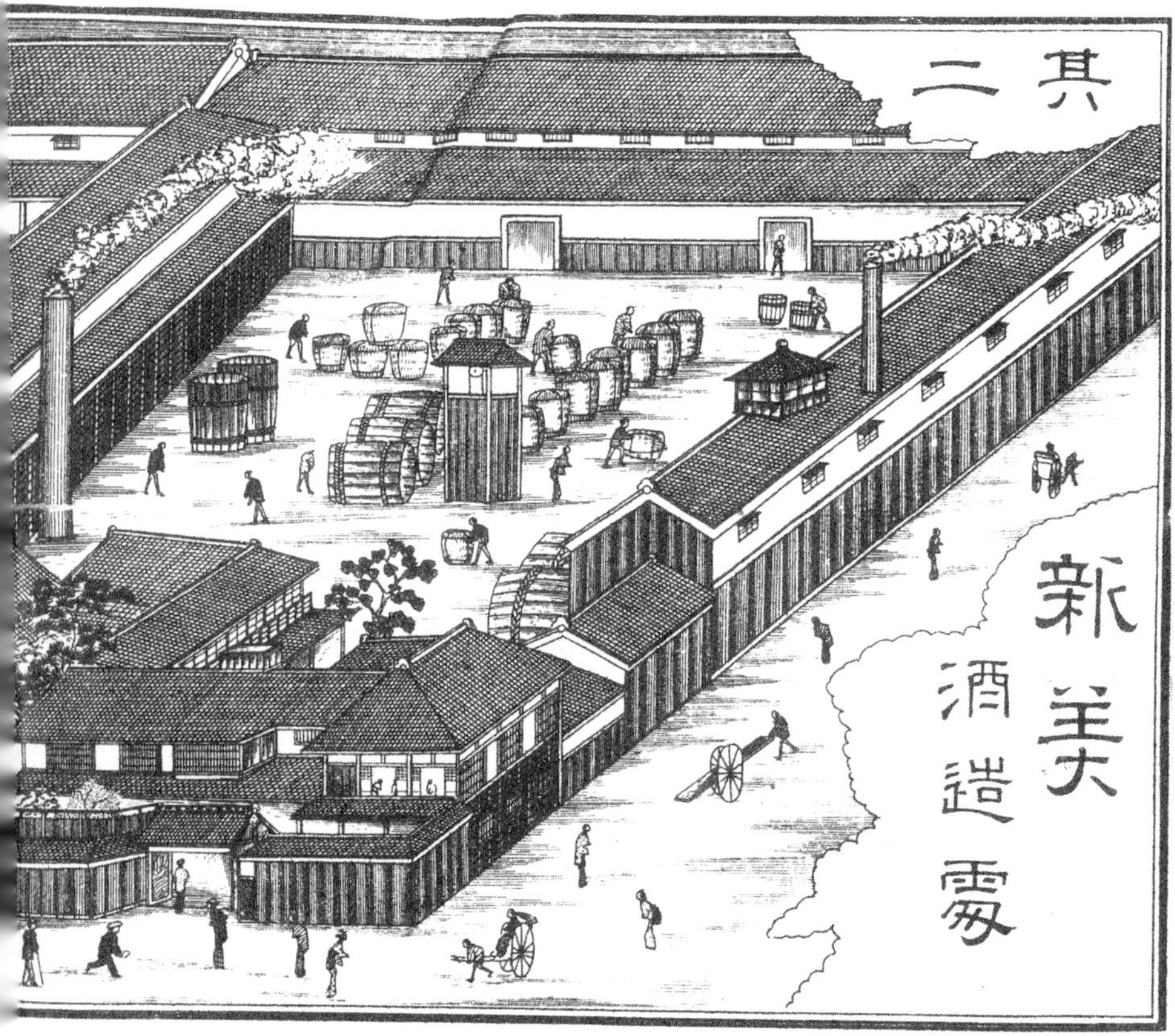

新美酒造処

【知多郡亀崎】

【絵解き】

亀崎の大手酒蔵（清酒メーカー）の一軒であった新美酒造処の中核部を描く。建物群の右手前角が本宅の入り口。その奥の一郭が酒造部で、米を研いだり、洗ったり、蒸かしたりする釜場（煙突のある棟）であった。同じ建物の並びに麹室もあったと推定される。中庭の中央には釣瓶井戸が設けられ、その周囲で酒樽を洗ったり干したりしている。

建物群の左半分は「穀物肥料倉庫」と記載されており、中庭まで船が引き込める堀が設けられて、東北地方や北海道産と思われる肥料が運び込まれている。この内堀は、図左下の「祥平橋」の下を通って阿久比川経由で三河湾へ繋がっていた。したがって、遠隔地へ送る搬出も内堀

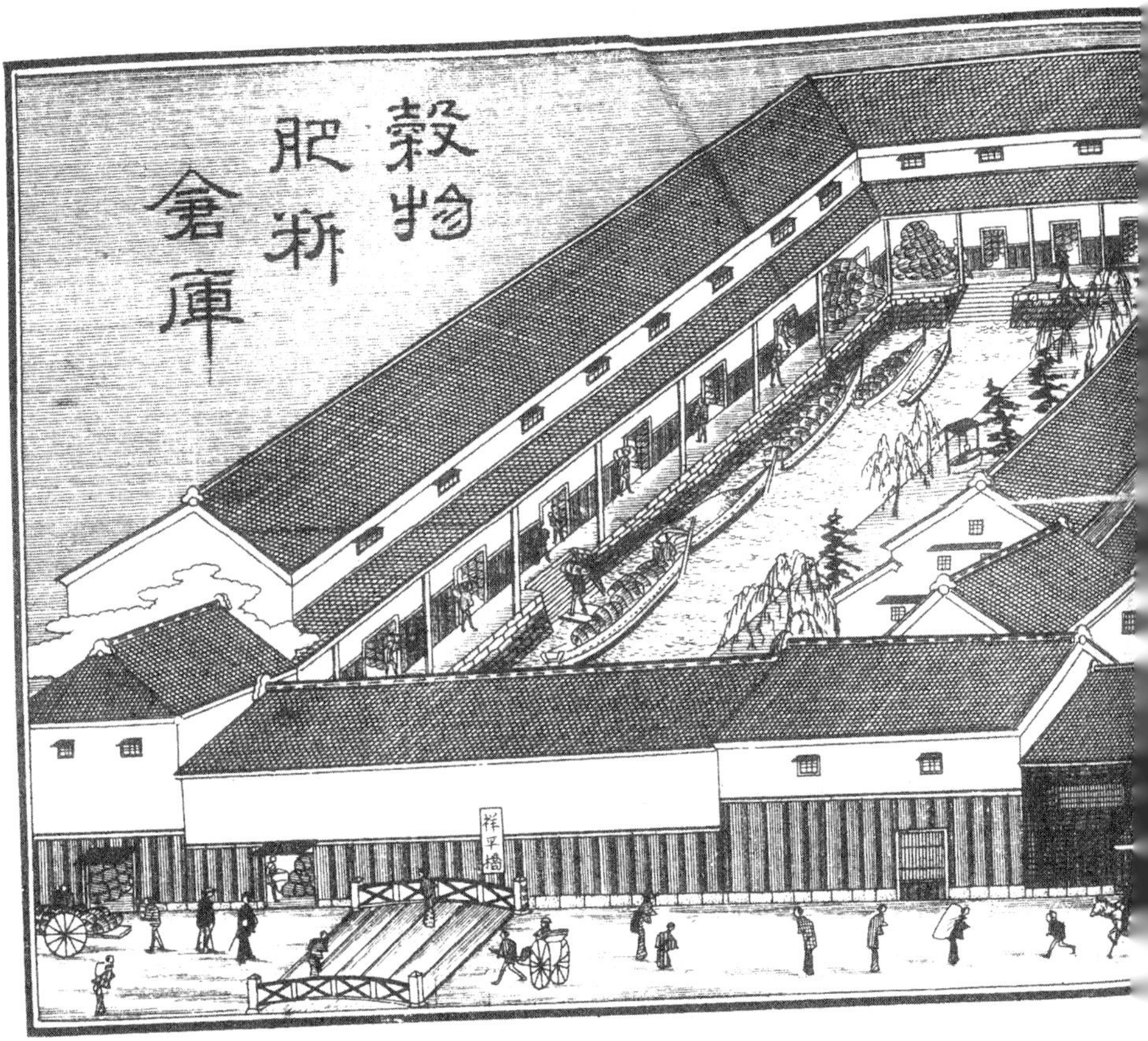

の奥に1隻だけ描かれている空舟のような、小型の無動力船（手漕ぎ船）で、この倉庫から沖合の大型船へ運ばれた。荷物は穀物も肥料も俵に詰めて搬送され、倉庫内外には大量の俵が積み上げられている。

【今昔を訪ねて】

酒の主原料は米と水であるため、酒は水田地帯で生産されることが多い。酒造を営む酒蔵も、広大な農地を持つ地主などが収穫米の二次加工のために営む例が多かった。そうした全国的な状況から見ると、灌漑用水にも事欠く知多半島で、灘・伏見に次ぐ酒造産地が成立したのは異例である。これは伊勢湾や三河湾が大坂－江戸航路の巨大な風待ち港であったことにより、早くから江戸の市場と直結していた地理的条件が大きかった。

なお、この図の一帯は、今は住宅街になり、堀のおもかげはない。

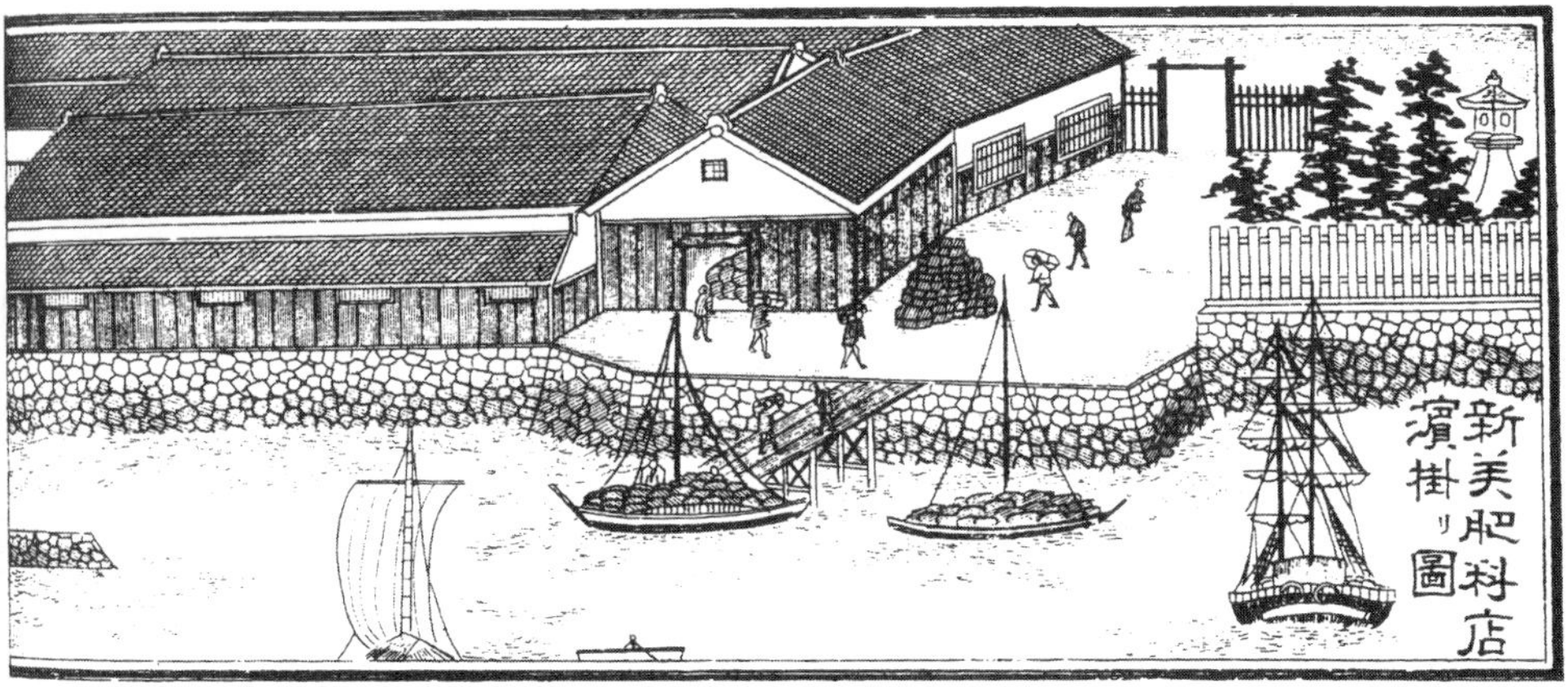

新美肥料店濵掛リ図

【知多郡亀崎】

【絵解き】

この見開きページは前図と同じ新美酒造処（肥料商兼業）が、近くの浜辺に設けていた荷捌き場である。右半分の図は荷受け場で、受け入れた荷物を一時収納する浜蔵（はまぐら）が幾棟も設けられている。浜蔵は左の図にも続いているが、建物配置で見ると右の建物群の方が管理が厳重であり、恐らくこちらが穀物類を扱うスペースであった。

蔵屋敷と海岸の境は、水上に出ているだけでほぼ大人の背丈ほど、海底からだと5、6mを超えると推定される立派な護岸で整備され、中型の帆船が直接岸壁近くまで停泊できる構造になっている。船と岸壁の間には木製の斜路が常設され、積荷は船から担いで荷揚げしている。

図の右端には屋敷内に私設の灯台も設けられ、夜間にも安全に移動できる配慮がなされている。

次ページは、さらに海側に設けられた埠頭（ふとう）で、一時的だとは思われるが野積み荷物も描かれており、右半分に比べると管理も甘そうで、こちらでは主に肥料が扱われていたと推定される。

図の左上遠方には気帆船も描かれている。船の中央、煙突の辺りには石炭を熱源とする蒸気機関が据えられ、少々悪天候でも走行できる。その前後には帆を張って風力でも走ることができるハイブリッド型の鉄鋼船（汽帆船）である。木造船に比べて喫水線が深いので、知多半島沿岸のような遠浅の海岸が多い地域では、干潮時にも一定以上の水深がある海

域に停泊し、海岸までは小舟に積み替えて運んだ。
　搬入された商品をそのまま出荷できる場合はこの浜から直接出荷し、選別など何らかの作業が必要な貨物は、64ページの本宅屋敷へ運んで手を加えた。

【今昔を訪ねて】


　明治中期頃の肥料は通常は堆肥や草木灰、人や動物の糞尿で、市街地では近在農家から「汲み取り」に来てもらい、農家は作物を一抱え持ってくる形で相殺することが多かった。ところが大都市周辺では、蔬菜類や菜種、綿花など通常の農産物よりも高価格な作物の需要があり、近世末期にはそうした換金性の高い作物を効率よく栽培するために、肥料におカネをかけることが可能になった。こうして「金肥（かねごえ）」などと総称される肥料が、商品として流通するようになった。とくに関東から中国地方へかけてそうした需要が多かった。

　農家は、堆肥（たいひ）、刈敷（かりしき）、草や木の残灰、家畜を飼う家では厩肥（きゅうひ）などは、手間を除けば費用がかからず、自給するのが普通であった。代金を支払って入手する金肥としては、おもに油粕（あぶらかす）と海藻類が取引きされた。

　油粕は、植物では菜種油や綿実油の搾りかす、動物ではイワシやニシンの搾りかすを乾燥させた干鰯（ほしか）、それと海藻が代表的商品であった。海産物は消費地周辺ではそのまま食用にした方が高く売れたので、肥料にされるのは主に東北・北海道の産物であった。こうした肥料資材は、腐敗防止と軽量化のため、乾燥させ、俵詰めにして運ばれた。遠方から運ぶため、「北前船」など当時としては大形の帆船で運んでくる。それを一手に買い受けることができる商人は一部の問屋に限られ、「肥料商」は都市の有力商人であった。

　なお、本図の新実肥料店は、現在はプロパンガスを販売されている。

御料理御宿　望洲楼

【亀崎港】

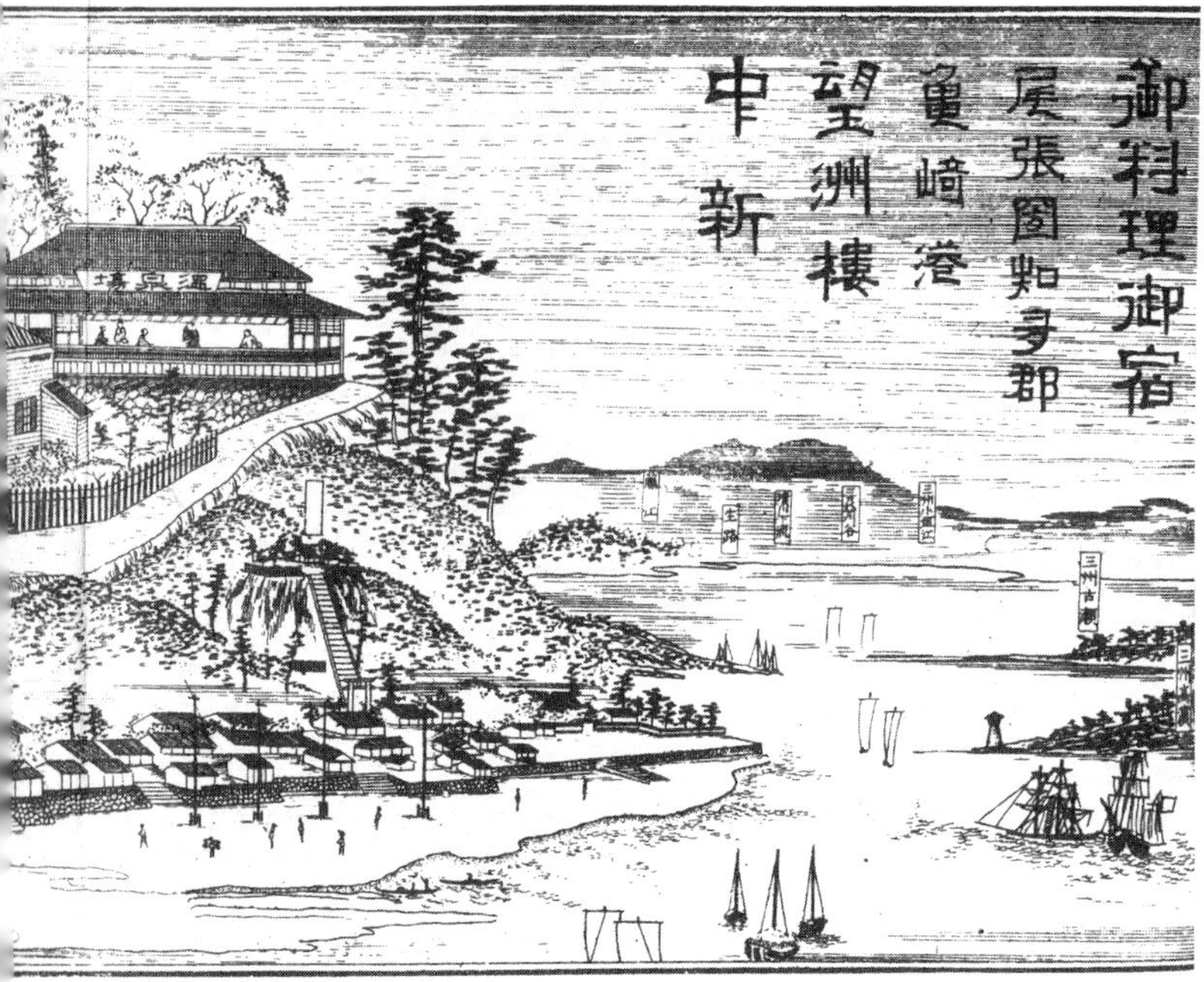

【絵解き】

港町・亀崎（現半田市亀崎町）には大小さまざまな料理屋が営業していた。料理屋の役割は、おもに自店での料理の提供と、注文主の自宅など自店以外の指定場所への料理の提供（仕出し）で、仕出しの場合は、必要に応じて、食器類なども揃えて提供された。自店が狭く仕出しを専門または主としている店は「仕出し屋」と呼ばれ、食事会場の提供を主としている店が「料理屋」と呼ばれて、明確な境があったわけではないが、両者は区別されていた。料理屋にもおもに食事提供場所（座敷）の広さや間数によって大小あるが、望洲楼は知多半島一の大店であった。

頭書きには「望洲楼・中新」とあり、図の左端の旗には裏文字ではあるが「御料理　中新」とある。「中新」は当楼の創業者「中口屋新左衛門」を略した通称である。望洲楼全体では、十室を超えるお座敷があり、多くの宴会を同時に引き受けることができた。敷地内の高所には「ゆ」と書かれた旗が立つ展望浴場も用意され、宴会を抜け出してひと風呂浴びることもできたし、同じ楼内で泊ることもできた。

【今昔を訪ねて】

望洲楼は、今も料亭として盛業中である。同店の紹介によると、1855年（安政2）に料理旅館（中新）として創業後、明治の初めに現在地へ新築移転し、それを機に店名を「望洲楼」と改めた。図のように高低差約25mの起伏に富んだ広大な屋敷に建物が点在する造りである。そのため、敷地内には木造階段や小庭などのほか、料理を運ぶ木製リフトなど、当時としては斬新な仕掛けも見られる。

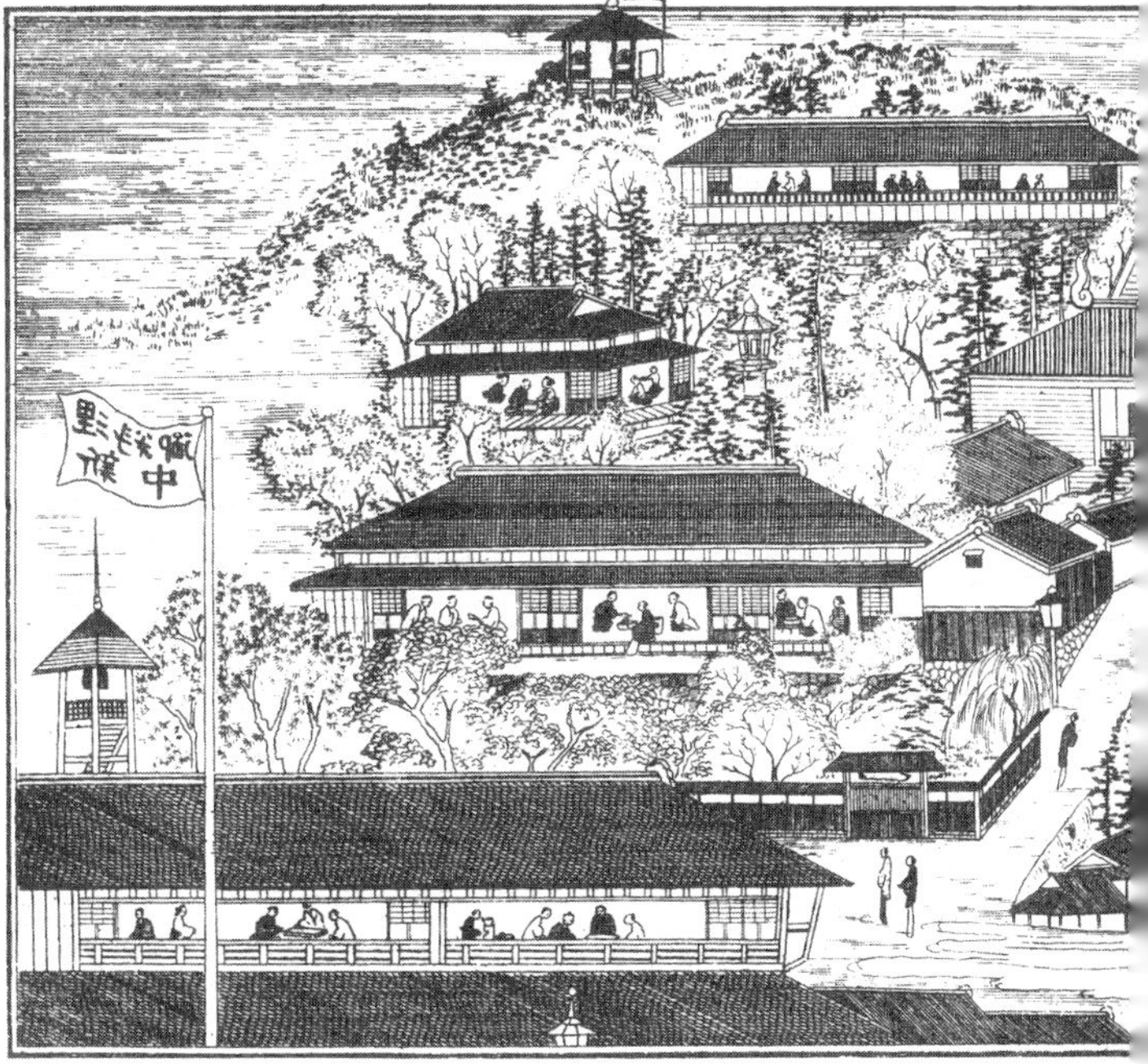

現在の望洲楼玄関
（写真提供：望洲楼）

1890年、明治天皇観閲下で名古屋から知多半島へかけて第1回陸海軍連合大演習がおこなわれ、帰途、武豊港から軍艦で帰還された。この演習時には行幸啓用の食事を望洲楼が引き受け、手押し車で料理を運んだと記録されている。福澤諭吉、柳田國男、西郷従道らも訪れたことがある。

望洲楼のこれらの建物は、景観法に基づく半田市の「景観重要建造物」第5号に指定され、木製階段など一部立ち入れない個所もあるが、大半は現在も使われている。

現在、九代目から十代目へ引き継がれつつある。

清酒アルコール 喜久酒 紫蘇酒製造処 吉田幸造

【尾張亀崎港】

【絵解き】

本図は、清酒アルコール・喜久酒・紫蘇酒を製造していた吉田幸造の工場で、酒造地帯の知多半島でも特異な蔵元であった。日本酒など醸造酒を蒸留すると「醸造アルコール（スピリッツ）」になる。そのスピリッツに食用菊の花びらを漬け込んで甘味を添加したものが「喜久酒」、紫蘇の葉を漬け込んだものが「紫蘇酒」、リキュールである。

つまりこの工場は、清酒を蒸留することで他の蔵元とは異分野を開拓したわけで、このページの図はその蒸留装置を描いている。

左のページは、手前の道路際の建物が醸造蔵だと思われ、中庭に面した棟には陶器製の容器に入ったスピリッツやリキュールが並んでいる。

中庭では製品の出荷作業をしているが、道路に出されているのは、上がやや開いた醸造酒用の樽である。中庭で荷造り中の樽は両端がすぼまっており、業務用のスピリッツやリキュール類ではないかと思われる。瓶入りの酒類はケースに並べて大八車に積まれているので、この形で出荷したようである。

【今昔を訪ねて】

蒸留装置そのものは、近世から「らんびき」と呼ばれる陶器製の小型蒸留器が使われており、長距離移動する船には、海水から真水を取るために積み込まれていることが多かった。したがって、原理的にはこの時期としてもとくに珍しいものではなかったが、輸入品である高価なこの装置を据えた工場は珍しかった。

『半田市誌 亀崎編』によると、この工場では後年、ラムネの製造もされていた。

明治中期以後には、近隣の半田や常滑など各地で「ビール」の醸造も試みられた。多くは間もなく廃れたが、1889年に半田の中埜酢店（中埜又左衛門）が売り出した「丸三麦酒（ビール）」は成功した。そこで1986年に工場を拡大し、1898年に現在「半田の赤レンガ建物」と呼ばれている巨大なレンガ造りの工場を建てた。ドイツから醸造技師ジョセフ・ボンゴルと機械技師を招いて、本格的なドイツビールを生産し、「加武登麦酒（かぶとビール）」と改称して発売した。「加武登麦酒」は1900年のパリ万国博覧会で金牌を獲得し、国際的にも高い評価を得た。経営的にはその後東京資本の手に渡ったが、醸造は昭和初期まで半田に存続した。当時の工場「赤レンガ建物」は、その後半田市が買い取り、2004年に国の登録有形文化財、2009年に近代化産業遺産に認定された。「赤レンガ建物」は、現在はＪＴＢに運用が任され、一部は飲食施設として常用されている。

半田赤レンガ建物（「加武登麦酒」工場）

魚問屋　梶川權左エ門

【亀崎港】

【絵解き】

本図は亀崎の「魚市場梶川」である。「産地魚河岸（卸売市場）」で、漁師が獲った魚を一括して引き取り、買取代金は取引終了後に清算する。浜には大きな魚がじか置きされ、三棟ある取引場の両端では、市場従業員と鮮魚卸商「仲卸」によるセリの最中である。セリ落とした魚は、近隣都市の市場や料理屋へ運ばれた。

中の棟では直接値段を交渉する相対取引がおこなわれ、左の棟の左端では買い取った魚を引き取り、前の空き地ではそれらを仕分けている。

海岸に集まっている船は三種類が描かれている。画面右上の帆船は漁を終えて売りに来た舟、右下には二隻の苫船が停泊している。この二隻も帆船で、船上で一家族が生活しながら頼まれた運搬仕事に従事する。こうした水上生活者は、明治末期頃からまず子どもが陸の寄宿舎から学校へ通うようになり、やがて家族も陸に上って、愛知県では1930年代までにほぼ姿を消した。

もう一種類、画面の手前に先がそり上がったスマートな舟が群集している。鮮魚は鮮度が重要なため、到着が早いほど荷受け市場に喜ばれる。その日の一着船には割増賞金がつくことも多い。そのため、船足が早い快速船で仲卸からの輸送依頼を待ち受けている。快速船には、本図のような1人乗りのものと、9人乗りのものとがあった。どちらも船形は似ていて、現在も競技用ボートに9人乗りの形態が残っている。

魚の取引は朝が多いが、大口出荷

先である熱田の魚市場では夕市も行われていたので、夕方前にもこうした光景が見られた可能性がある。

【今昔を訪ねて】

亀崎港（近世は湊）は、大坂－江戸を結ぶ航路の中でも規模の大きい風待ち港で、来航する船も多い港町であった。そのため、亀崎地域自体の在住者が多かったほか、宿泊客や船員の滞在、宿屋などのサービス施設で働く人も多く、総じて需要量が多い。そのため高値がつきやすく、漁獲物が集まりやすかった。

鮮魚類の産地取引は、近世以来全国的にセリ方式が多い。これは鮮度保持のため集荷した魚介類を短時間で売捌く必要があり、売り手（元卸（もとおろし））側のセリ人が最低希望価格を示し、買い手がそれに上乗せした金額を示し合って、最高価格を付けた仲卸人が買い受ける方式で、現在でも基本的に同じである。

それに対して、仲卸人が、同じ魚種・サイズの魚を大量に確保する必要があるとか、地方へ運ぶためセリを待つことができないなど、特殊な事情がある場合には話合い（相対（あいたい））で価格を決める。現在は、セリ値の平均の10％高が多い。セリがすべて終わらなければ計算できないので、とうぜん後清算である。

生産者（漁師）には、こうして決まったそれぞれの取引価格から15～20％程度の口銭（こうせん）（取引き手数料）を差し引いた金額が、買取価格として支払われる。卸売り市場は多くがこうした仕組みで動いている。

この図の魚市場は、1959年まで存続していたが、同年9月26日にこの地方を襲った台風15号「ヴェラ」（のちに「伊勢湾台風」と命名）によって流失した大量の丸太が直撃し、建物全壊。魚市場業務もそれを機に廃業した。経営者の梶川氏の子孫は、現在「梶川歯科」を開いておられる。

（三ツ環）酢蔵

【尾州半田】

【絵解き】

この見開き図は、「ミツカン」印の世界最大手酢製品メーカーである中埜酢店の醸造蔵である。三河湾へ流入する阿久比川の河口付近を整備して自家用水路を設け、蔵前まで中型帆船が着船できる大規模な屋敷を構えていた。これら建物群の主要部は、今も同社の古い製造道具や製造工程の一部を展示する博物館「酢の里」として保存されている。

左のページは出荷場で、中庭では酒樽と同じ72リットルの液体を入れる「四斗樽」が荷造りされている。容器も含めると80kg以上になり、人力で積み下ろしできる限界量であった。左ページの石段の下と、右ページの川の中に樽を積んだ船が三隻描かれているが、こうして甲板に並べて搬出し、沖合に停泊した大型船に積み替えて送られた。遠隔地用の大型船でも四斗樽は甲板に並べたが、船の揺れで転がるのを防ぐため、船縁に頑丈な柵を設けた専用船「樽廻船」も運行されるようになった。

【今昔を訪ねて】

半田は亀崎と並ぶ酒造地であった。中でも一族が複数の酒蔵を経営した中野（のち中埜）家の中野又左衛門が、１８０４年（文化元）に酒粕を原料にした「酢」を開発し商品化したのが、「三ツ環酢」であった。

「酢」は簡単に言えば酒を放置しておけばできるし、酒は果実などが溜まる条件があれば自然発酵しやすいので、洋の東西を問わず古くからあり、酢は酒よりも高価で、おもに薬の一種として利用されたようである。

中埜酢店発酵蔵（2019年）

ヨーロッパでは、ワインを水で薄めて樽に保管するとできるワイン酢が作られていた。野菜などの酢漬けである「ピクルス」を作るのに用いられるのが代表的な利用法である。

いっぽう日本では、おもに川魚を米飯に漬け込んで発酵させる「熟れ鮨」が、原理的には果実酒の発酵と似ている。「鮎寿司」「鮒寿司」などがそれで、目的は防腐作用の利用であるが、併せて特有の臭気と酸味が好まれた。ただ熟れ鮨は発酵に時間がかかり、高価にならざるを得ない製品であった。

近世中期になると、おもに江戸で、夜泣き蕎麦、団子、饅頭、焼餅など各種のファストフードが流行し始めた。その一つに「江戸前（現東京湾）」で獲れる鮮魚を三枚におろして短時間酢漬けにし、これを小型のお握りに乗せて食べる「早鮨」があった。

その頃、知多半島の半田では、前記の中野又左衛門が、清酒圧搾後の酒粕を再発酵して酢にする製法に成功し、従来の酢よりもさっぱり味の酢を生産した。彼はそれを酒の搬送ルートで江戸へ売り込んだ。これが江戸で流行し始めていた「早鮨」に合うと評判を得て、安定的に売れ始め大ヒットした。中野から改名した中埜家は製酢専門の蔵元として発展した。

なお、酒粕酢の生産そのものはミツカンだけではなく、近世には堺（現大阪府堺市）や粉河（現和歌山県紀の川市）などでも造られていた。

肥料等問屋 保険代理店 醤油醸造 小栗三郎

【半田】

【絵解き】

見開きの各図は、半田で「肥料・米穀・米糠問屋」「東京海上保険会社代理店」「醤油醸造所」を営んでいた萬三（まんさん）商店である。米糠と醤油は商標登録もされ、醤油は今も「萬三」銘柄で販売されている。

【今昔を訪ねて】

名古屋地方は全国でも珍しい「溜（たまり）」の産地であるが、萬三では「醤油（しょうゆ）」が醸造されていた。醤油は、穀物を蒸し、塩を加えて発酵させて作るが、大豆だけで作られたものが「溜」「たまり醤油」と呼ばれる。

なお、小栗商店の店舗（左ページの写真）は半田運河の源兵衛橋近くに現存しており、国の登録有形文化財に指定されている。

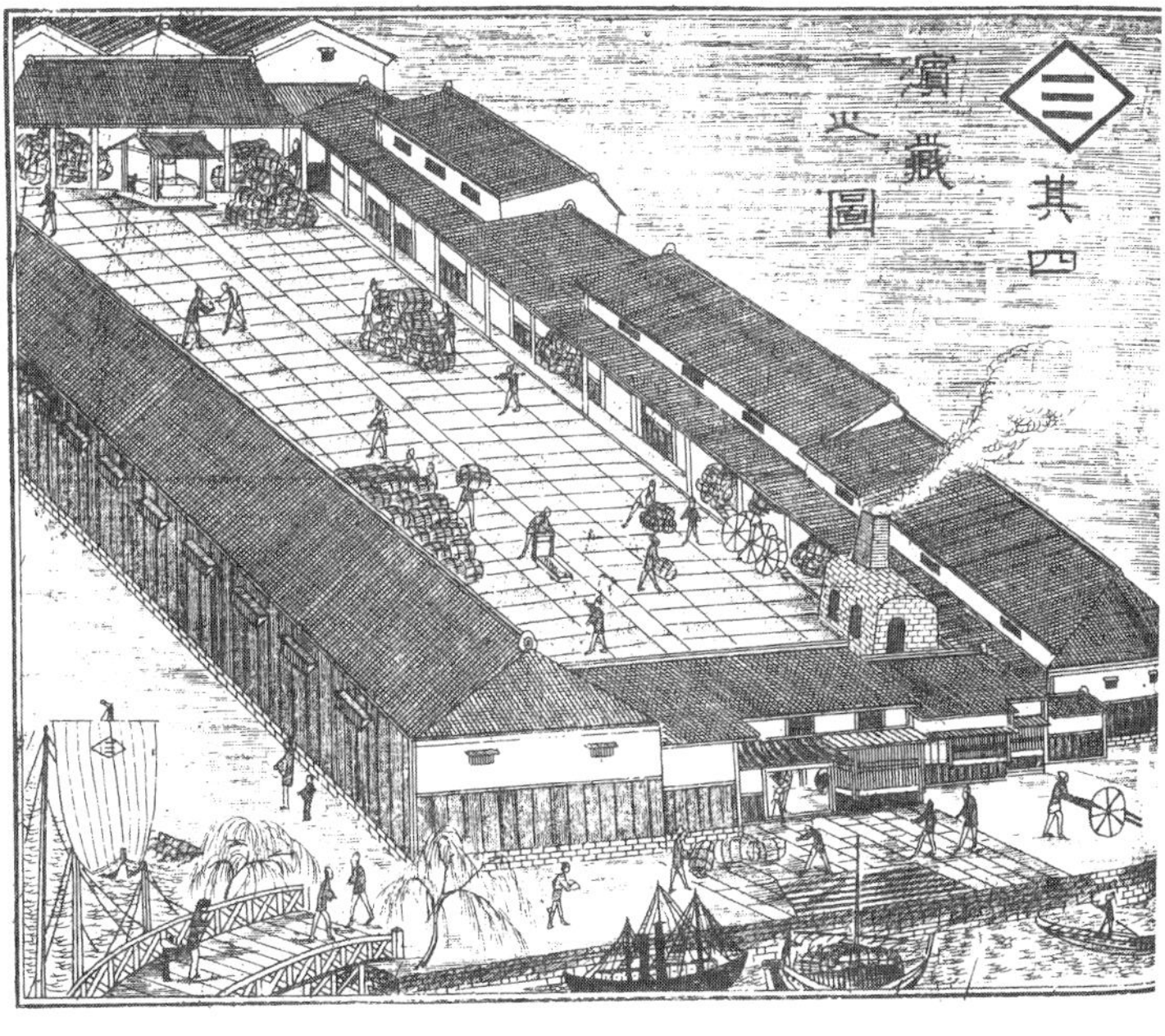

小栗商店の店舗

マンサンの看板

牛乳搾取所　愛養舎

【半田港】

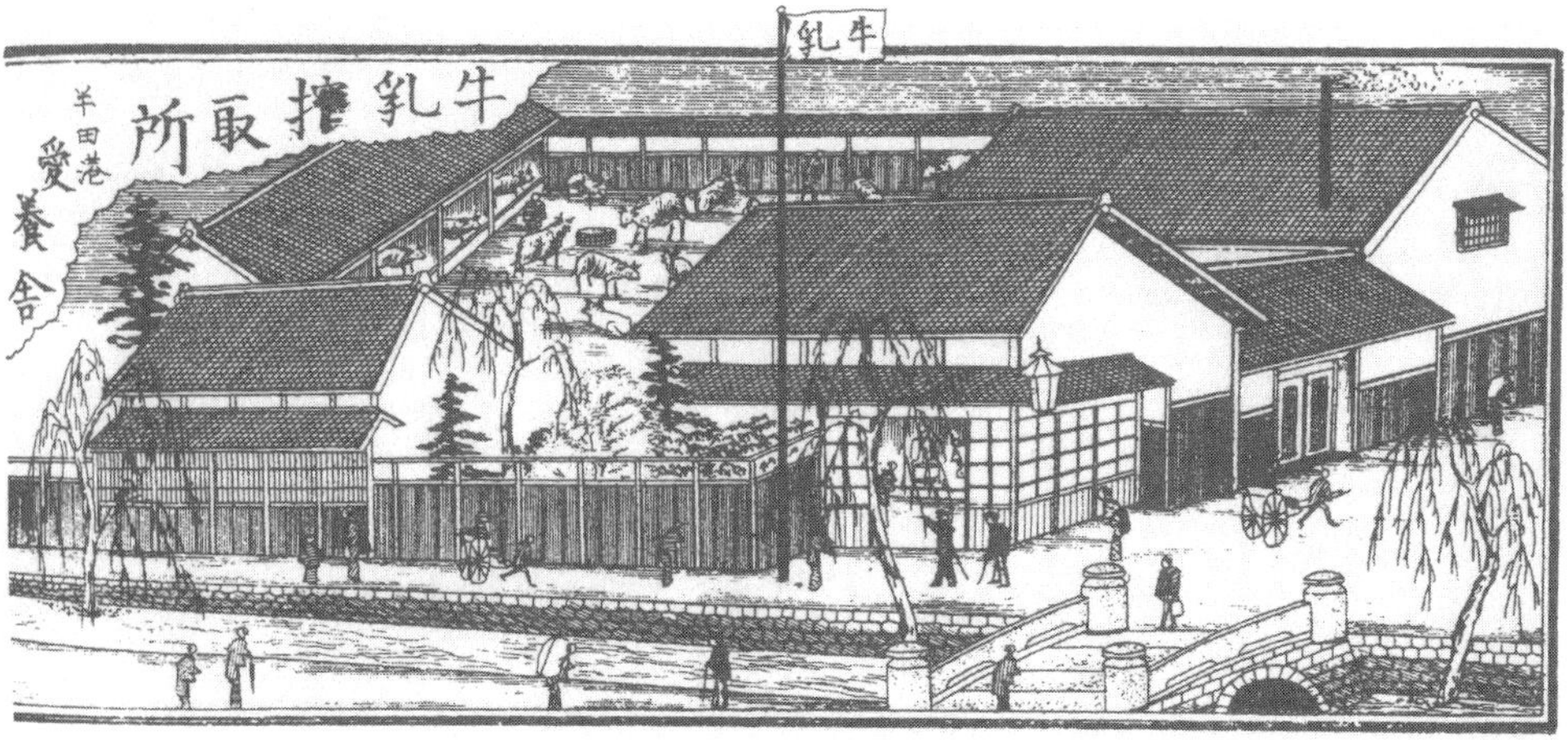

【絵解き】

図は、現JR武豊線半田駅付近で、乳牛を飼育しながら牛乳を販売していた、中埜家（ミツカン）経営の「愛養舎」である。図に描かれただけで10頭以上が飼育されており、当時としては大規模な牧場であった。入り口近くには、当時流行し始めていた通称「ガス灯」（コラム④「門灯の正体」参照）も設置されている。

【今昔を訪ねて】

「愛養舎」（現、みどり牛乳）については、JR半田駅前に、写真のような親牛と子牛二頭をかたどった「知多酪農発祥之地」記念像と、下記のように由来を記した石碑が建てられている。

「　知多酪農発祥の地由来

明治十四年頃、四代目中埜又左エ門氏は滋養と健康の目的で乳牛を購入し自家飲用に供していたが、明治十七年一月、牛乳を愛養舎泰場と名付けて営業を始めた。

明治十九年、牧場の西に隣接し武豊線半田停車場が設置され、明治三十二年、柊町に移転した。（中略）

平成四年九月二十日

知多酪農発祥百年を記念する会」

JR 武豊線半田駅前の「知多酪農発祥之地」記念碑

大亀丸 海龍丸取扱所 半榮社

【愛知県半田港】

【絵解き】

知多半島では、1874年から郵便汽船三菱会社が伊勢湾（拠点は三重県四日市）へ来航するようになり、間もなく湾内の輸送も手掛けるようになった。既存の輸送業界では、それを機に一挙に過当競争が始まり、多くの廻船問屋は廃業に追い込まれたが、仲間で共同したり、会社化して対抗する動きも広がった。半田港を拠点とする「半榮社」もその一つであった。

半榮社では、開通路線が順次伸びつつあった鉄道貨物や、地元廻船「大亀丸」「海龍丸」の代理店を営業していた。店の出入口の横にはカラの大八車、付近の路上では荷物を運びこむ人や、船へ積み降ろしする貨物が山積みされている。

描かれた人の多くは和装であるが、橋を渡り終えた人力車の乗客は洋装、その前を歩く女性は洋風のケープをまとっている。洋装がおシャレの先端であった時代である。

【今昔を訪ねて】

1872年に着工された国営鉄道敷設計画は、1886年に中山道経由から東海道経由に変更され、1889年に新橋－神戸間の全線が開通した（「東海道線」命名は1895年）。当時は、私鉄を含めて全国的に鉄道敷設が進みつつあった時期で、船便とは違う新しい輸送体系として陸上の鉄道輸送網が整備されつつあった。

知多半島は、東海道線に先んじて開通した武豊線も利用できたが、運賃が高く、船便を利用する貨物輸送の需要はすぐには減らなかった。

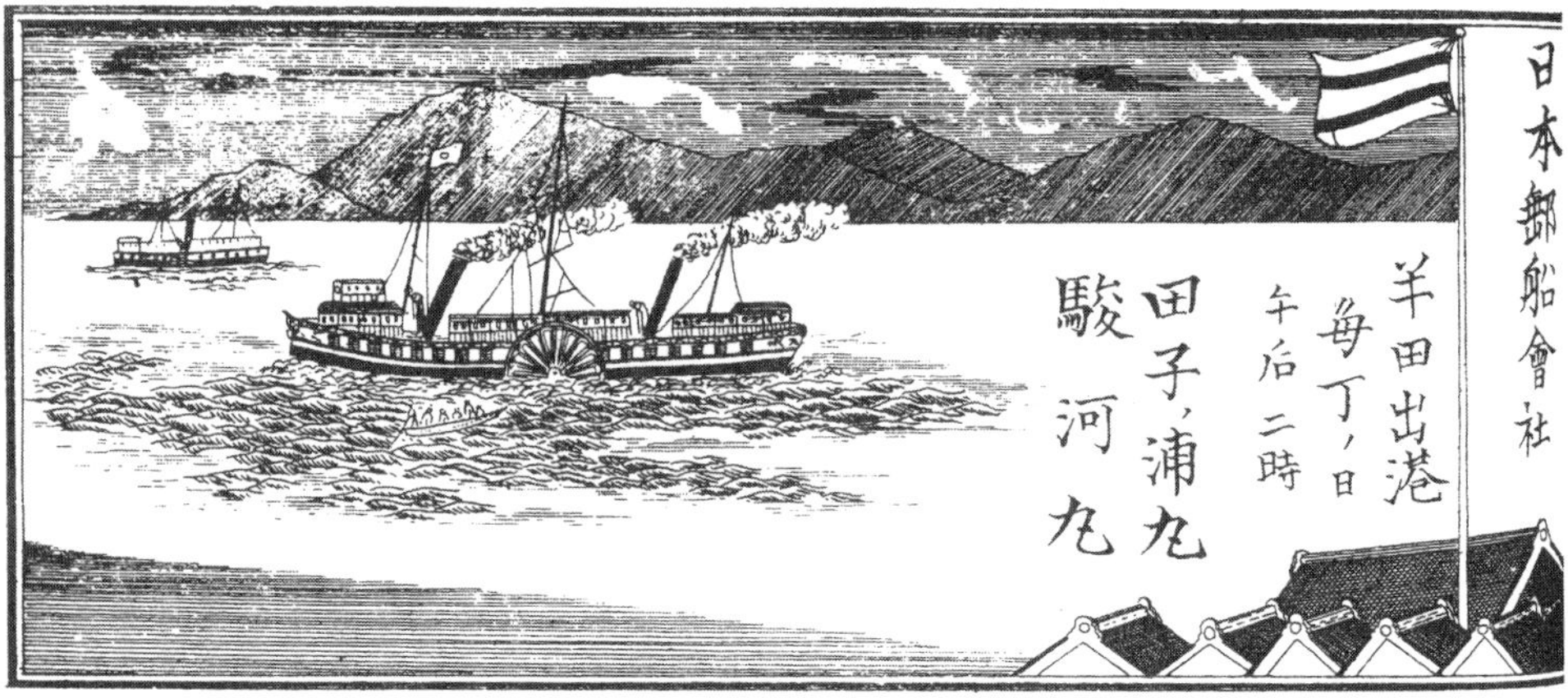

日本郵船会社 田子ノ浦丸 駿河丸

【愛知県半田港】

日本郵船会社荷物船客取扱所 半田共同社

【愛知県半田港】

【絵解き】

記録で確認できる伊勢湾最初の来航汽船は郵便汽船三菱会社の「快順丸」で、1875年に横浜から四日市港へ来航した。来航目的は伊勢湾内航路の開拓調査であった。

その後の経過は後述するが、1885年に郵便汽船三菱会社と共同運輸会社とが合併して「日本郵船会社」が誕生した。上図中央に描かれている外輪船は、総トン数721トン（1884年進水）の「駿河丸」で旧共同運輸会社所有船、左の船は木鉄混合船で総トン数762トン（1869年進水）の「田子浦丸」、旧郵便汽船三菱会社所有船であった。

図の右には「半田出航・毎丁ノ日・午后二時」と、「偶数日の午後2時に定時出船する」ことを明示している。台風接近時などには欠航もあったが、天候や潮時に影響されずに定時運行することは、和船や帆船にはできない汽船の強みであった。

知多半島や名古屋には、船や鉄道で運ぶ長距離輸送貨物や乗客を斡旋する指定業者が多数営業していた。前泊客に備えて旅館を兼ねる店もあった。次ページはそうした半田の船問屋「半田共同社」の店頭で、店の内外では忙しく荷捌きがおこなわれ、店の右奥には武豊線の列車も描かれている。同社は株式経営で、初代社長は「萬三」（76ページ参照）の小栗三郎氏であった。

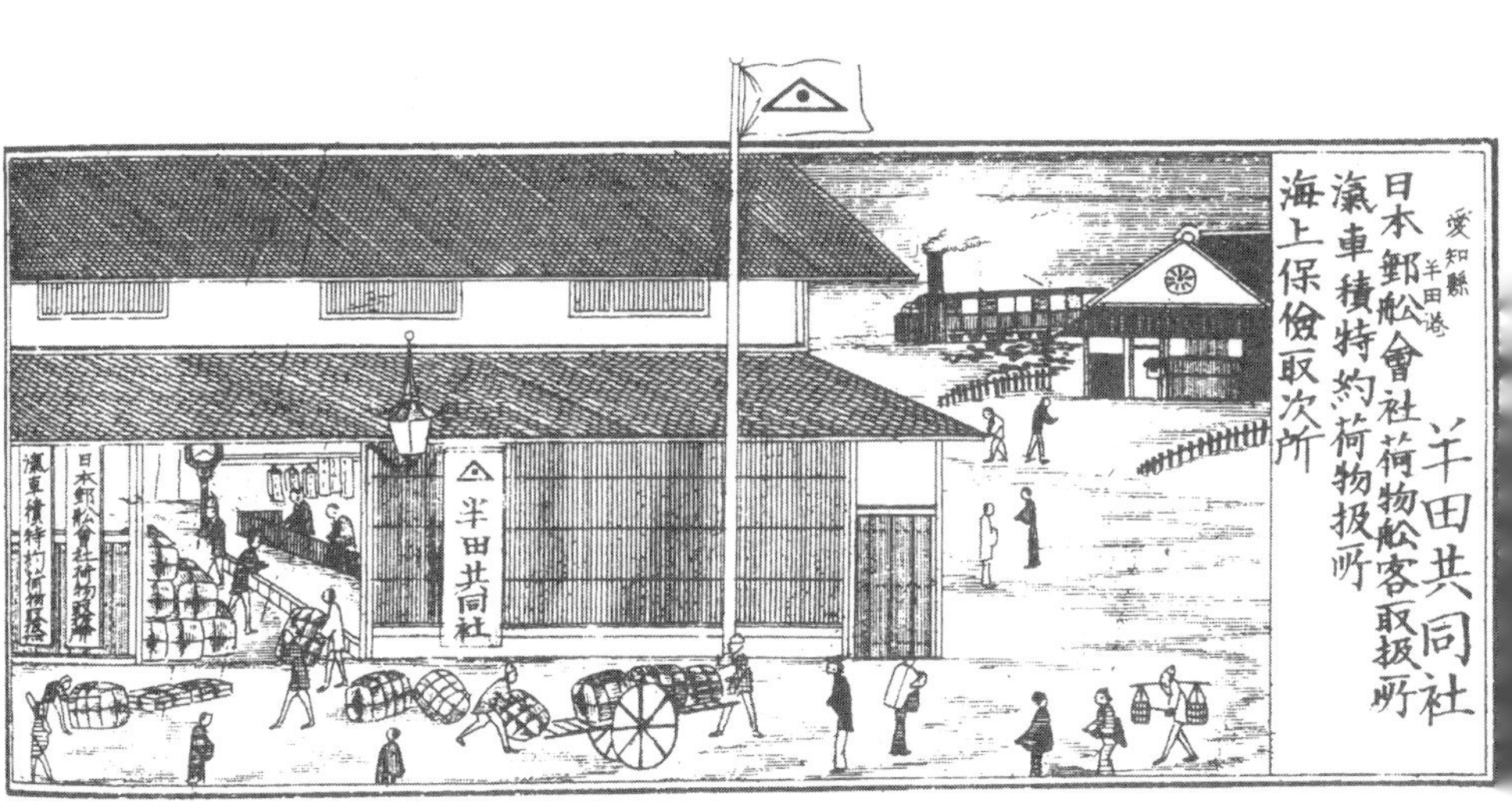

【今昔を訪ねて】

郵便汽船三菱会社は、1875年に岩崎弥太郎が設立した船会社であったが、1878年に四日市支店から本社宛に、半田邨集荷見込品として「清酒五〇万樽の内毎月二千樽」「酢一二万樽の内毎月百樽」など8種類の有力輸送品を挙げ、半田出張所の開設を具申した。

1880年には三菱本社の調査員が来訪して市場調査し、伊勢湾海域の有利さが報告された。四日市支店からは「(半田では)酒即時千樽余モ積取之義申来候間当分之内青龍丸千年丸位ナレハ三艘之定航被成下度(酒は即時に千樽以上送る受注があったので、青龍丸・千年丸規模の船三隻で定期航海するように)」進言し、半田出張所が実現した。

そのうちに名古屋に拠点を置く方が有利なことに気づき、1884年4月に四日市支店から「名古屋出張所開設計画」書が送られた。『愛知県史』通史編近代1(9章3節)収録文書によると、「京浜－名古屋間貨物輸送予想量(年間)」として輸出(移出)品では、瀬戸(陶磁器)15万個など計30万9900個(1個はほぼ1・2m^3)、輸入(移入)品では、砂糖5万個など計18万2100個の受注が予想されている。名古屋出張所の開設はほぼ即座に実現した。開設4カ月後には早くも3人の増員を申請し、1人増員された。

こうした三菱の活躍に対抗して、三井系の財界人らが1882年に東京で共同運輸会社を設立し、両船会社の熾烈な競争が始まった。三菱会社の資料によると、両社は猛烈な値引きなどで顧客を奪い合い、貨物運送費を4割引きで受注するというような事態にまで発展した。共倒れを恐れた当時の首相伊藤博文らのあっせんで、1885年に両社は合併し、日本を代表する「日本郵船会社」が誕生した。

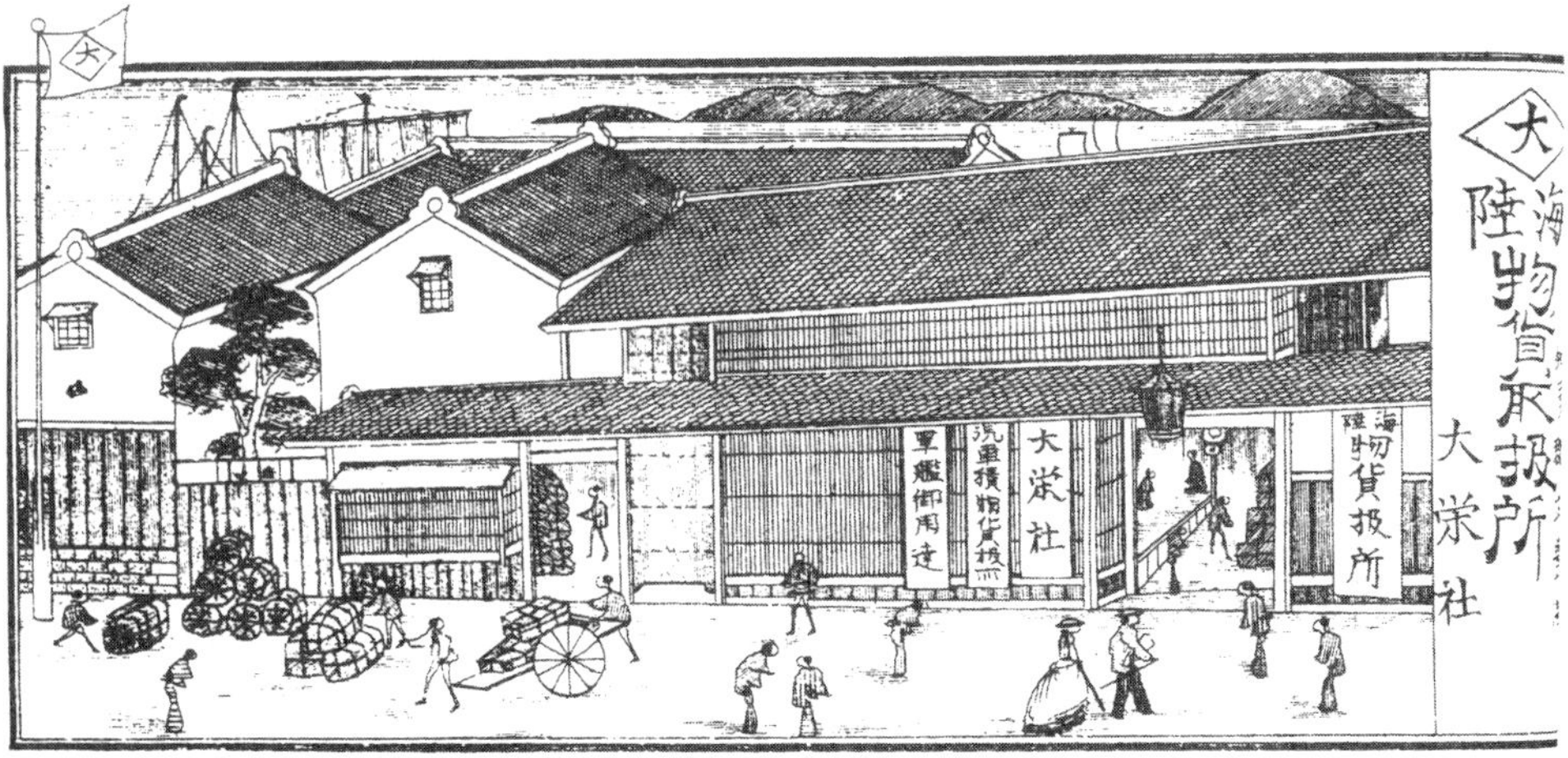

海陸物貨取扱所　大栄社

【知多郡武豊港】

海陸物貨取扱所　開運社支店

【知多郡武豊港】

【絵解き】

知多半島の武豊港に店舗を構える「大栄社」は、「海陸物貨取扱所」「汽車積貨物扱所」「軍艦御用達（ごようたし）」の看板を掲げている。店の裏には帆船が停泊し、店の内外にはさまざまな形の貨物が積まれている。

店の前を行き来する人たちの多くは和装の日本人であるが、大八車の左には辮髪（べんぱつ）の中国人男性、入り口の前を通るのはステッキを持った男性と骨入りのスカートで着飾ったペアで、ほかの港とは違う雰囲気が感じられる港町風景である。明治中期の武豊港は港町の機能としては横浜や神戸と似た、都市型の港湾であった。

次ページの図も、同じ武豊港で営業していた貨物取扱店「開運社支店」である。本店は半田港にあった。こちらには客を載せた人力車が2台描かれ、遠来客が多いことを示している。図の左端ではかなり大形の帆船から直接荷揚げされており、水深が深いことがわかる。左上には、多くの港図では遥か沖合に描かれる大型客船が停泊している。店の看板に「日本郵船会社荷客取扱所」とあるので、これは日本郵船の船であろう。本図からも武豊港がかなり深い港であったことがわかる。

【今昔を訪ねて】

前項で東海道線開通の経過を紹介したが、国として最初の鉄道事業であったこの大プロジェクトでは、資

材のほぼ全量を欧米からの輸入に頼る必要があった。その輸入港は当然のように横浜港と神戸港であったが、この両港だけでは離れ過ぎており、中間にもう一つ陸揚げ港が必要であった。

調査の結果「武豊港」が最適と判断され、まず当時の武豊港を約2倍（現在の三河港武豊埠頭の半分）に拡張し、護岸工事や埠頭を造成する「築港」工事がおこなわれた。併せて、陸揚げした資材を東海道線（当時は中山道鉄道）の工事現場まで運ぶために、琵琶湖経由と知多半島東海岸経由とが比較・調査され、知多半島経由の方が大幅に費用・工期が少なく、難工事はないという好条件で、ほぼ即決した。こうして「武豊線」の敷設が決まった。

こうした経過でわかるように、武豊線の当初計画は貨物線であったが、工事が進むにつれて沿線有力者たちから「客車併結」の要請が出るようになり、工事が完成した1886年には、客車も連結する鉄道として開通した。

ただ、外洋船などの大型船入港には水深不足であったため、道仙田海岸の「武豊停車場（のち武豊港駅）」地先に、長さ80間（140m）、幅3間（5・5m）の木製桟橋が設けられた。

その後、1890年に名古屋から知多半島にかけて陸海軍連合大演習がおこなわれ、明治天皇が視察後武豊港から軍艦で帰京されることになり、桟橋の補強や延長がおこなわれた。「大栄社」の「軍艦御用達」看板は、この時に必要物資を積み込んだことを意味している。

そうした経過もあって、武豊港（現衣浦港）は1889年に「開港場」に指定された。名古屋港が開港場に指定されたのは、その8年後の1907年であった。

常滑陶器製造販売所　清水守衛
常滑焼陶器窯元　陶榮社

【常滑村】

【絵解き】

見開きの二枚は、いずれも知多半島、常滑（現常滑市）の陶器工場である。上の清水守衛の工場図左端に描かれているのは登り窯で、図の左端から薪をくべて加熱し、建物の右端に立つ煙突で炉中の空気を吸引しながら炉中の器物を加熱・焼成する仕組みである。焼き窯側面の焚口からも加熱して焼成温度を上げる。図右上の建物内やその前庭で粘土成形、建物内の右三区画では中形・小形の甕や壺を轆轤で成形している。前庭では大型の甕を成形している。

下図の陶栄社では短い焼成窯が二基稼働しているが、集荷問屋業務が主で工場周辺には大小の甕が集荷さ

れ、図の右端下のような小舟で右端の大型帆船に運ぶ。帆船の上の海は伊勢湾、対岸は四日市である。海岸に丸太状のものが積み上げられているのは常滑の特産品であった「土管(どかん)」である。

【今昔を訪ねて】

陶磁器（陶器は粘土の焼き物、磁器は石粉の焼き物）は、縄文時代から土器がつくられていた古い技術で、基本的に原料立地産業である。日本では平安時代から始まる有名産地に「六古窯」と呼ばれる産地があり、愛知県では「瀬戸」と「常滑」の二産地が知られていた。

近世には、純白で薄手の焼き物が作れる瀬戸は「色絵付け」や釉薬(うわぐすり)を掛けた製品の産地として発展し、粘土に鉄分が含まれる常滑は大型の穀物保存甕や養蚕用の大型火鉢などの産業資材産地として発展した。常滑の大甕を成形する「紐づくり」技法は、伝統的工芸品に指定されている。

常産商會　鯉江高司

【尾張國知多郡】

【絵解き】

建物で囲まれた敷地の中央に登り窯が築かれ、煙出口（「會」の字の左下）には煙突がないようで、盛大に煙が上がっている。屋敷内には製品の大甕や土管が積み上げられている。

【今昔を訪ねて】

明治政府は成立直後から欧米技術の輸入に努めたが、土木技術もその一つであった。日本でも築城に伴う石垣構築や、河川や海岸の護岸工事、木樋による導水技術など独自の技術もあったが、欧米にはもっと大規模な土木技術があった。鉄道敷設もその一つで、広域土木工事に伴う水脈処理も大きな課題であった。明治政府は、１８７２年に土管を求めて常滑へ開発の可否を訊ねた。軽量で堅牢な土管を焼くためには、焼成温度を高めて焼き締める必要があり、粘土の組成（異なる粘土の混合比）を改良するとともに、窯内温度を高温化することが課題であった。

常滑では文化年間に鯉江方教が半地下式の「真焼窯（まやけがま）」を実用化していたが、その子伊三郎（方寿）がこの窯を連房式登り窯に改良して大量に土管を焼くことに成功した。その養子高司がソケット（管のつなぎの輪）

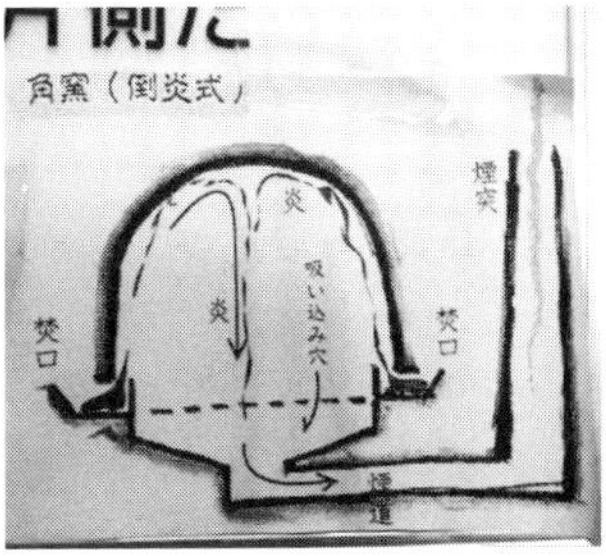

を改良して、他産地製品を大きく引き離した。その結果、近世末期以来停滞ぎみであった常滑の陶器産地は一斉に活気を取り戻し、「土管（現在は陶管と呼ぶ）産地」として知られるようになった。

そうした功績をたたえて、常滑市内天神山に下の写真のような鯉江方寿翁の「陶像」が建てられている。

上の三枚の写真の、左は昭和期の常滑焼「角窯」の内部である。半円筒形の窯本体と床の間の溝のようなところが焼き口の内部。炎は壁沿いに上昇し、従来の窯はそのまま煙突へ抜けるが、この形の窯の上部には煙突がなく、窯の床に中の写真のような空気穴（隙間）があけられ、その先に設けられた煙突が空気を吸い込む。そのため窯の上部にたまった熱気は、右の図のように下部の隙間へ吸い込まれ、窯内に積まれた製品を再加熱する。こうして、熱効率を高め、炉内を高温化する「倒炎式」と呼ばれる窯である。真焼窯も原理としてはこうした構造であった。

鯉江方寿翁陶像（2016年）

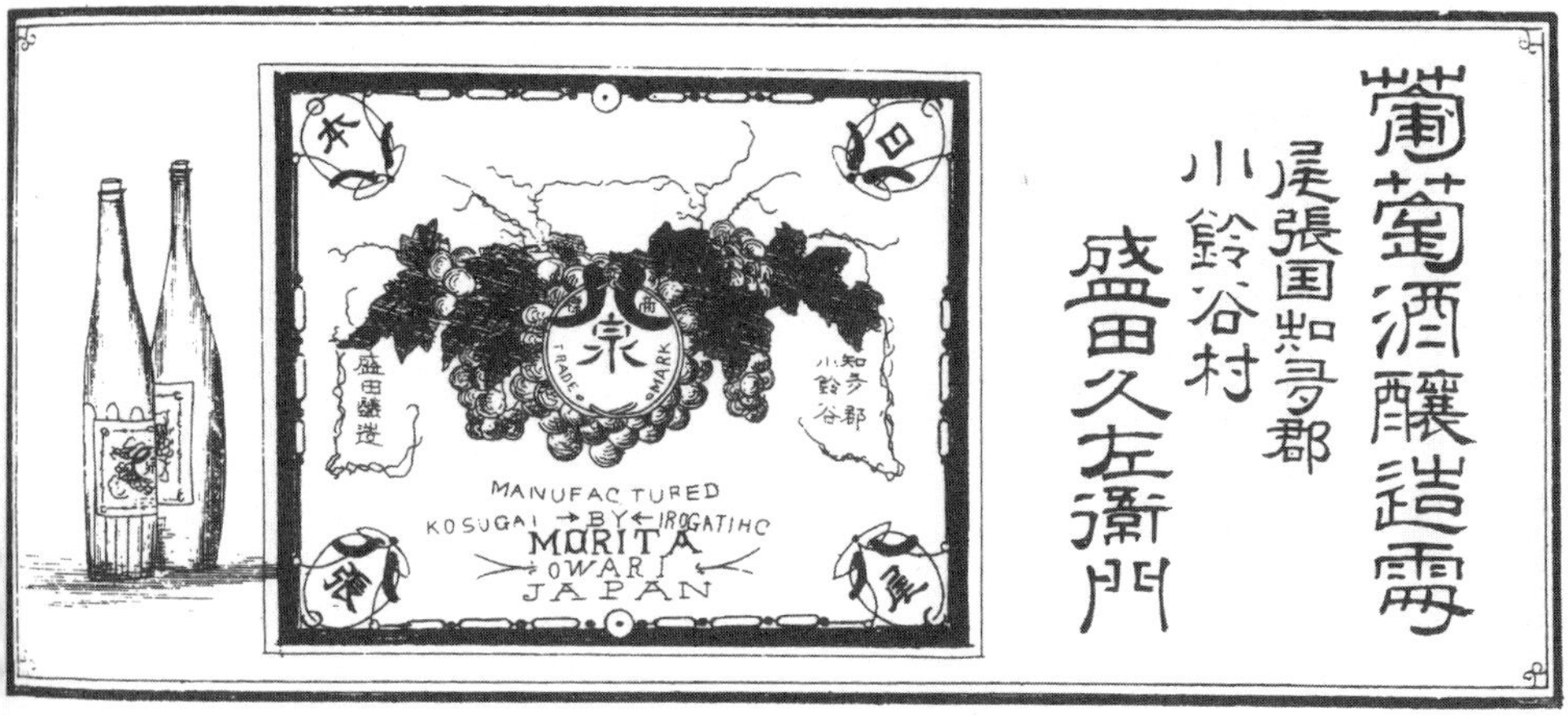

葡萄酒醸造処　盛田久左衛門

【尾張国知多郡小鈴谷村】

【絵解き】

本図は、小鈴谷（こすがや）（現常滑市小鈴谷）の盛田（もりた）醸造によるブドウ酒を紹介している。盛田久左衛門家では盛田醸造として日本酒「子の日（ねのひ）」や「勲功（くんこう）」、ヤマイズミの称号で味噌・溜（たまり）や醤油を醸造し、現在に至っている。

1884年に始まった登録商標にも登録し、ラベル中央に商品名「泉」、下に「TRADE MARK」、周囲にブドウの絵、左右に「知多郡小鈴谷」「盛田醸造」、四隅に「日本・尾張」。中央下部に「MANUFACTURED KOSUGAI → BY ← IROGATIHC」「MORITA」「OWARI JAPAN」とある。

【今昔を訪ねて】

現在は、近世末期以来の味噌蔵の一部を改装して「盛田味の館」というレストランも経営している。テーブル席の周辺には古い大型の味噌樽や製造道具類も展示してあり、博物館の中で食事する雰囲気である。

なお、盛田家は長らく知多半島東海岸部の庄屋を束ねる大庄屋で、当時の資料は財団法人鈴渓（れいけい）学術財団に寄託され、「盛田家文書」として公開されている。一族の盛田昭夫氏はソニーの共同創設者である。

盛田酒造の販社「山泉商会」は、1971年我が国コンビニエンスストア第1号（異説あり）「ココストア」を創業し、酒屋の転業先として酒販免許を生かして「酒も売るコンビニ」を特色に成長。その後、流通規制緩和とともに特徴が薄れ、ファミリーマートと合併した。同家の分家盛田善平は名古屋で敷島パンを創業した。

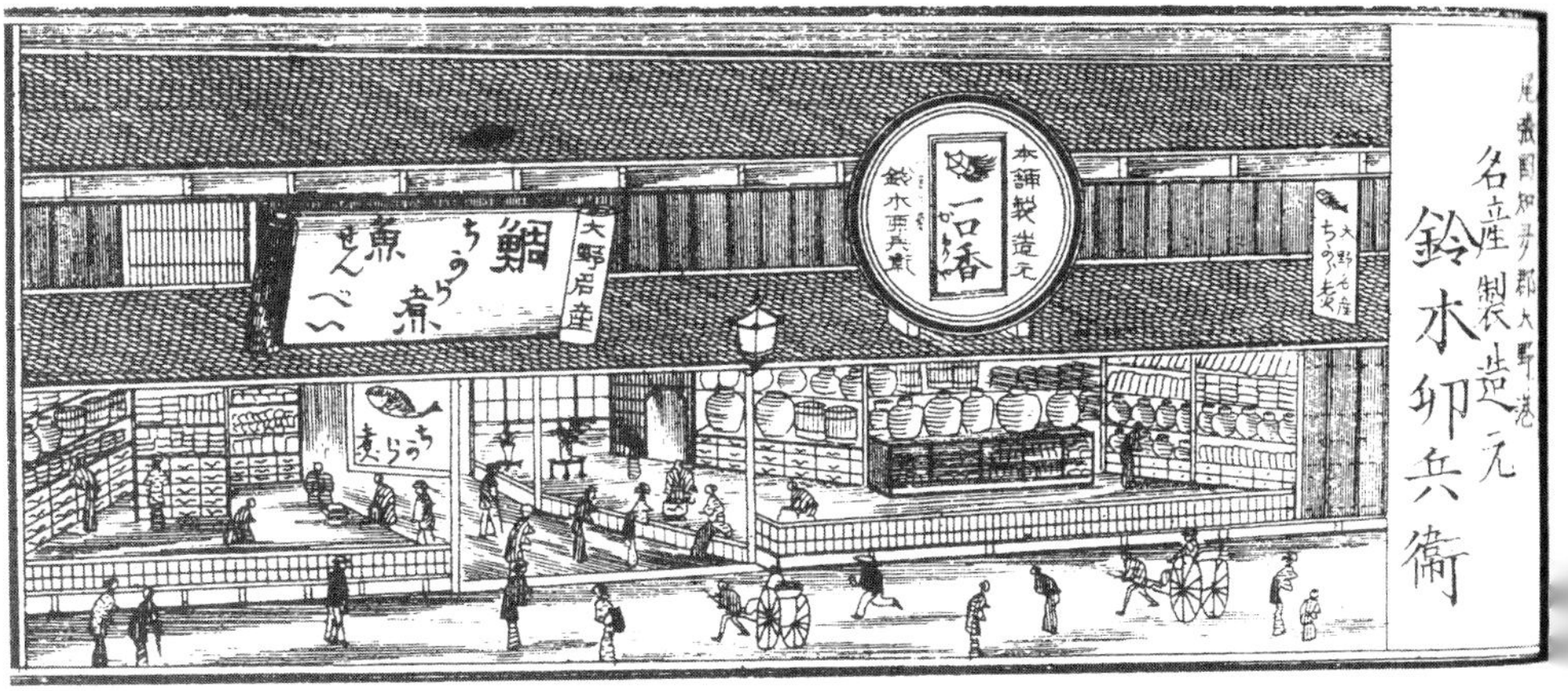

名産製造元　鈴木宇兵衛

【尾張国知多郡大野港】

【絵解き】

明治初期、観光地として売り出していた大野町（現常滑市大野町）の代表的土産店であった鈴木宇兵衛商店の店頭である。屋根看板は、右から「鯛ちから煮」、今も売られている「一口香（いっこっこう）」、「大野名産」として「鯛ちから煮　魚せんべい」の大型看板が揚げられている。

店内には、一口香の保存容器である大小の壺や、桶、箱が整然と積まれ、左側の店頭には小引き出しが設置されて、看板以外にも多様な商品が扱われていた様子である。客筋は女性客が多く、店は人力車や飛脚も往来する常滑街道に面していた。

【今昔を訪ねて】

「魚せんべい」は現在の「エビせんべい」の原形と思われる。伊勢湾や三河湾で獲れる小魚類をすり身にして澱粉を混ぜて焼き上げるせんべいである。「一口香」は同名のお菓子が長崎にもあり、長崎のは饅頭型で外は固いが中は空洞で「からくり饅頭」などとも呼ばれる。大野町の「一口香」は、中高のせんべい型で全体がほぼ同じ硬さの、やや軟らかいビスケット状のお菓子。明暦年間（1655－58）創業の「港屋」が戦後も作り続けていたが2005年に廃業し、同じ大野の「風月堂」が引き継いで製造・販売している。

大野は「大野の黒鍬（くろくわ）」と呼ばれた土木集団でも知られ、各地の農業土木や治水工事に出張して仕事をした。その関係で「大野鍛冶（かじ）」と呼ばれた野鍛冶（のかじ）が発展し、農業用鉄器具の産地でもあった。

海音寺潮湯治略図

【絵解き】

上図は、1320年に開山した大野（現常滑市大野町）の臨済宗妙心寺派の古刹「海音寺」と、大野の海岸を描く。同寺は知多弘法八十八か所めぐりの七十四番札所としても親しまれている。図の海岸は、その後整備されてはいるが、現在もほぼ本図に近い海水浴場である。海音寺海岸が注目されるのは、同寺の来歴と合わせて、その海岸が「日本最古の海水浴場」と言われる由来による。その詳細は、次の92・93ページ「愛知大野港一覧図」に記載されているので、併せてご覧いただきたい。

大野は知多半島西海岸の有力港町で、明治初期には92・93ページの図のように整備された港や町ができていた。対岸には、左から志州鳥羽・イセ山田神社（伊勢神宮）・松坂・安濃津（現津市）・白子・若松・四日市（以上三か所は現四日市市）・桑名の地名が記載されている。図の右上の海岸線をはさんで沢山の「人」が描かれ、五本の旗がはためく。一番右端の旗には「海水浴」とあり、ここが海音寺の海岸である。

「日本最初の海水浴場」の由来は、92ページの「愛知大野港一覧図」の左上と右の中ほどに詳しく書かれているので紹介しよう。（文中、区切りの空白を補充）まず左上から、

「当海水浴ハ　今ヲ去ル五百五十年前光厳天皇御宇　建武年中ノ創始ニシテ（京師如来縁起ニ委シ）

　其効験ノ卓絶ナルコト今更喋々ヲ要セズ　茲ニ明治十四年本港海音寺当住磯谷和尚。安冨涉。萩原宗平。

須田六右ヱ門。杁山利太郎。平野助三郎ノ諸氏　本邦未だ海水浴場ノ創立ナキヲ遺憾トシ　各所ニ奔走医学士ヲ聘シ改良ヲ計リシヨリ　尓来寒暑陸続諸彦非常ノ眷顧ヲ賜フ　尚又明治十五年長興衛生局長及後藤技術官（当時愛知病院長）実地御検査相成　殊ニ称賛シ玉フヨリ倍々江湖ノ声価ヲ博シタリ　当浴場ノ地景タル海ヲ隔テハ南勢州朝熊山ヲ初メ諸山緑黛ト連綿シ　眼前ニハ夥果ノ風帆常ニ往来シ　又黄昏ニ至レハ漁火ノ依稀ノ明滅ス　亦皆以テ心神ヲ養フ可シ　之ヲ浴余ノ良剤ト云フモ妨ナキニ似タリ　実ニ閑遊ノ別天地ト謂フ可シ」とある。

下段には、次のように海水浴の効能と地域の紹介が記載されている。（効能のフリガナは原文通り）

海水効能

気管(キカン)支病　喘息(ゼンソク)　疝痛(センツウ)　僂麻質斯(チマウマチス)
瘰癧(ルイレキ)　胃弱(イジャク)　神経痛(シンケイ)　梅毒(バイドク)　淋病(リン)
子宮病(シキュウビョウ)　月経不順(ケツケイフシュン)　白帯下喜斯的里(シラチヒステリ)
痔疾(シシチ)　環癬(タムシ)　疥癬(ヒゼン)　皮膚病(ヒフ)

技官後藤新平先生撰述海水功用論緑記「子(ネ)グランゲ」及「フホーゲル」二氏ノ説ニ従ヘバ海水緻密ノ度ヲ検スルニ平均一、〇二八九トス（我愛知県知多郡大野海水浴場ニ於テハ余検液器ヲ以テ査定セシニ一、〇二五九四一五〇ナリ云々）　宿舎貴顕縉紳ノ需用ニ供ス可キモノハ　海岸美景ノ地ニ海濱館。思波楼　市中ニハ泉館、信濃屋、田舎鮓等其他数店アリ　料理屋　金谷園　其他数軒アリ

名産　大野味噌。白木綿。一口香。鯛ノ力煮。きすせんべい。太もづく。松風　等アリ

海陸便　殊ニ名古屋。熱田。四日市。津。神社。等へハ毎日数回の航海アリ　陸地ハ惣テ平垣（森注、坦か）ナリ　免許医　安富　湯浅　其他数名アリ

【今昔を訪ねて】

「海水浴」は、今は「泳ぐ」イメージが強いが、初期の海水浴は「潮湯治(しおとうじ)」と呼ばれ、文字通り「海水につかる」行為であった。温泉と同じような目的で1日数回ずつ静かに海水に浸る形である。かつて明治30年代生まれの女性に聞いたところでは、女性客が多く、浴衣(ゆかた)のようなものを着て30分から1時間海につかる。その後しばらく休んでまた入るのを、日に数回繰り返したということであった。そのため、海水浴は10日から1カ月ぐらいは逗留するのが普通で、当然その間は家事から解放されるほか、転地療養のような効果もあって、「海水浴は体に良い」「疲れが取れる」と評価された様子である。

そのため初期の海水浴客は富裕層が多かったが、1912年に伝馬駅（名古屋）―大野駅間に愛知電気鉄道（現、名古屋鉄道常滑線）が開通し、名古屋やその近辺から日帰りできるようになった。それを機に海水浴が大衆化し、行楽化した。

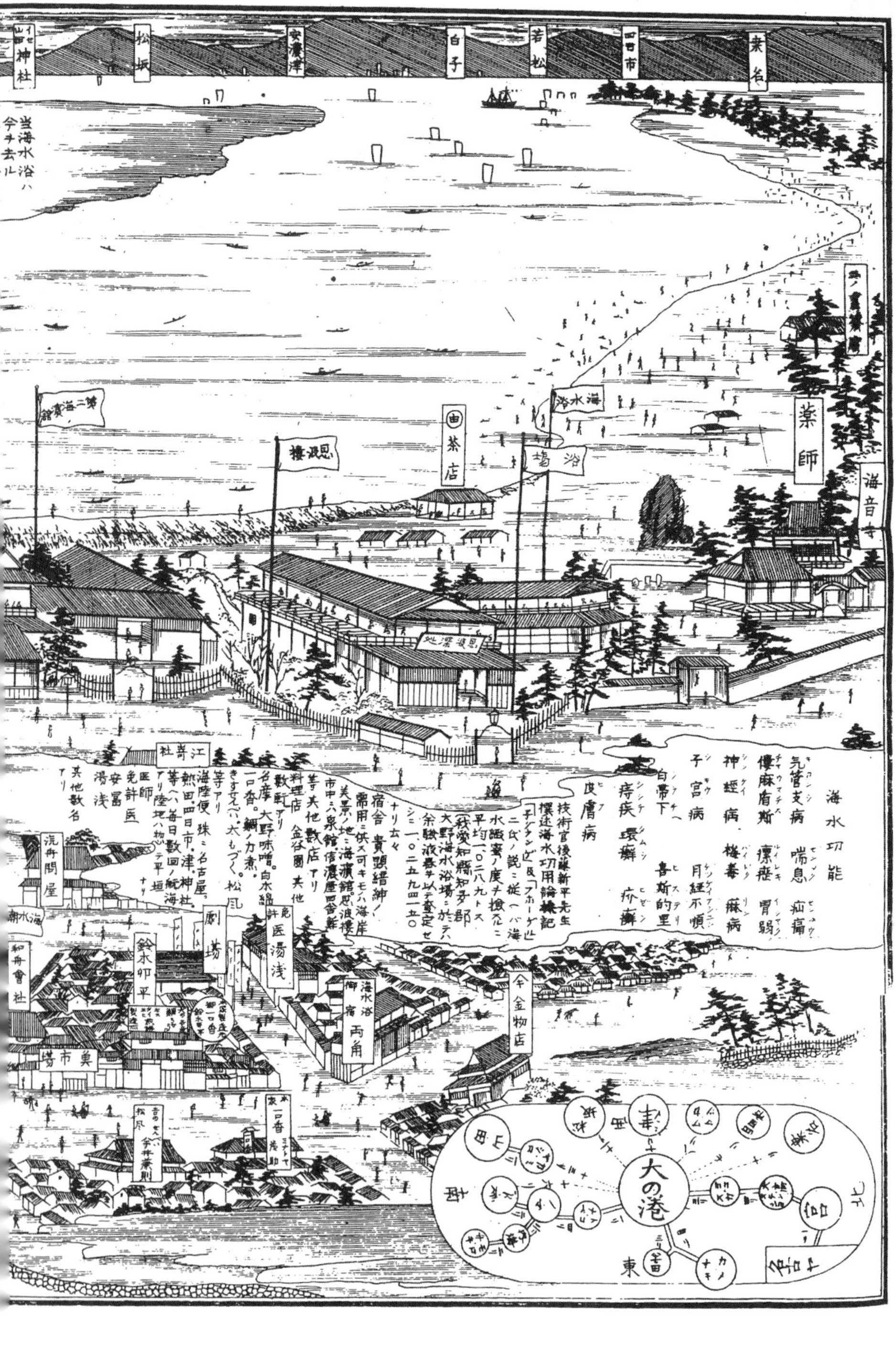

イセ山田神社
松坂
安濃津
白子
若松
四日市
桑名
当海水浴ハ今ヲ去ル
第二海濱館
思波楼
茶店
海水浴場
薬師
海音寺
思波楼処
江嵜社
海水功能
気管支病 喘息 疝痛
僂麻質斯 瘰癧 胃弱
神経病、梅毒 痳病
子宮病 月経不順
白帯下、喜斯的里
痔疾 環癬 疥癬
皮膚病
技術官後藤新平先生撰述海水功用論緒記「チダンゲ」氏及「フホーゲル」氏ノ説ニ従ヘバ海水鹹塩ノ度ナ検スルニ平均一、〇二八九トス我愛知縣知多郡大野海水浴場ニ於テハ余験液秤ヲ以テ査定セシニ一、〇二五九四一五〇ナリ云々
宿舎 貴顕紳士ノ需用ニ供ス可キモノハ海岸美景ノ地ニ海濱館。思波楼 市中ニ六泉館。信濃屋。四番新等其他数店アリ
料理店 金谷園 其他数軒アリ
名産 大野味噌。白木綿。一口香。鯛ノ力煮。きすせんべい。太もづく。
海陸便 殊ニ名古屋。熱田。四日市。津。神社等ヘハ毎日数回ノ航海アリ
医師 免許医 安富 湯浅 其他数名アリ
洗舟問屋
劇場
鈴木卯平
免許医湯浅
海水浴御宿両角
金物店
和舟會社
奥市場
一口香
大の湊
東

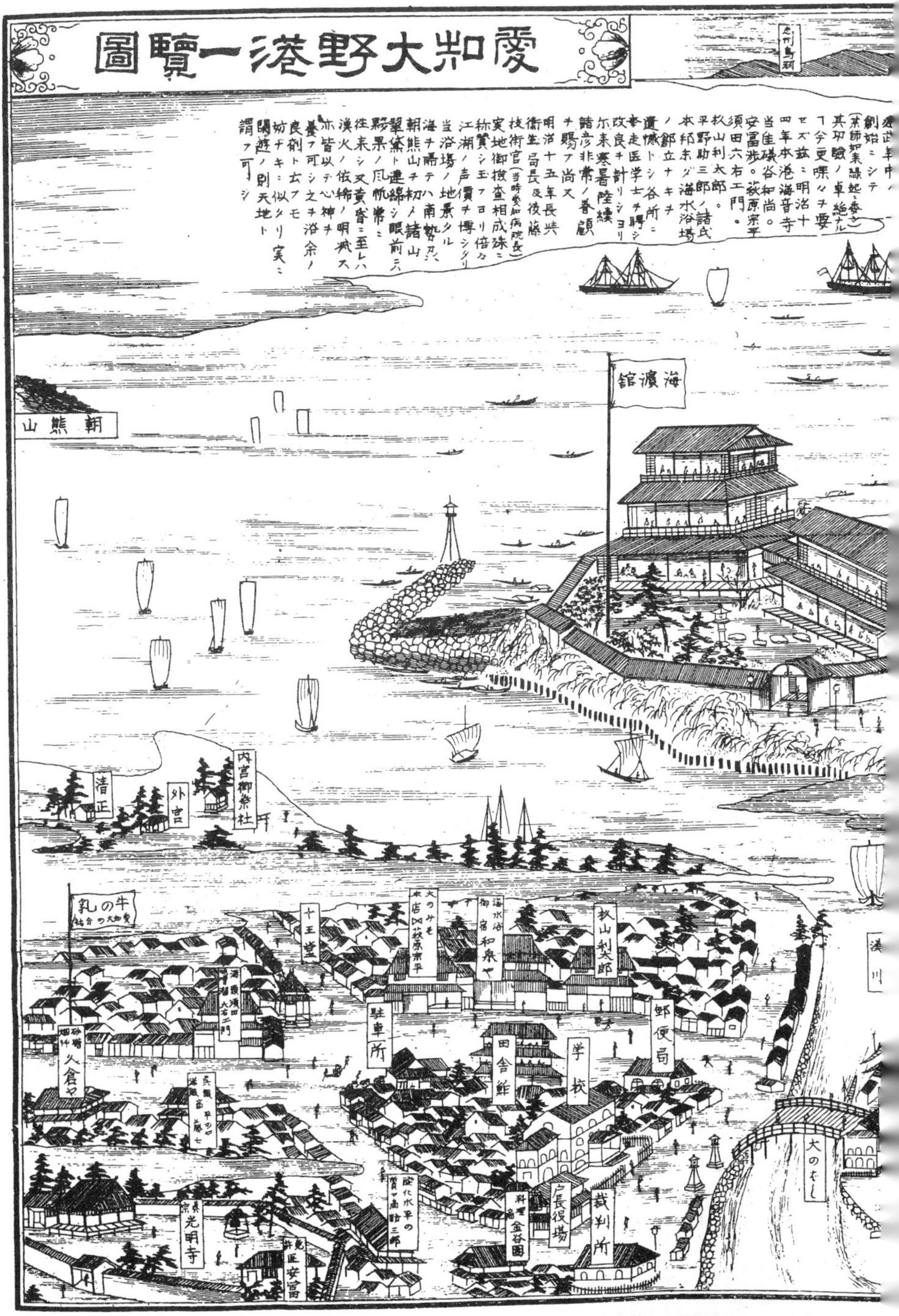
愛知大野港一覽圖
海濱館
朝熊山
内宮御祭社
外宮
清正
牛乳
十王堂
駐車所
田舎鮓
学校
郵便局
裁判所
戸長役場
光明寺
大のぶし

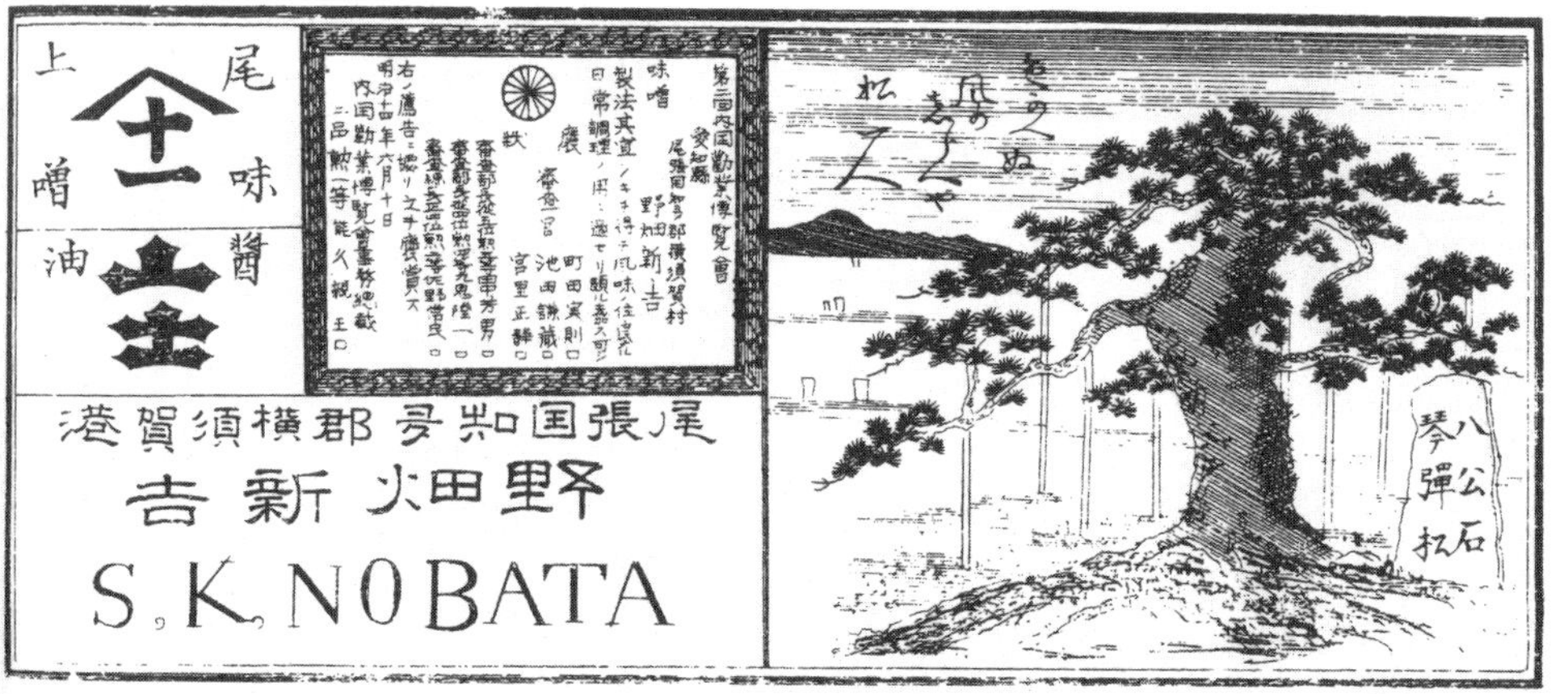

八公石 琴弾松

味噌醤油 野畑新吉

【尾張国知多郡横須賀港】

【絵解き】

現東海市横須賀町は、『便覧』が発刊された当時は横須賀村、翌1889年に横須賀町になった都市的地域の一つであった。上の右半分に描かれた松の老木は、町内大教院に植えられた松で、この地方の伝承民話にちなんで「琴弾松」と呼ばれていた。木の右の石碑にもこの名称が記載されているが、実際に刻まれているのは「八公石」である。図の左上に書かれた方間舎楓京（坂楓京）の句「色かへぬ風のしらへや松一人」は石碑の側面に彫られているが、伝承では最後が「松みどり」とされている（風化して読めない）。「八公石」は前記楓京が建てたもので、八公は中国の文人八人を指す。

野畑新吉の工場図は、上図の左半分から次ページへかけて、味噌・醤油醸造業の商売を紹介し、右上は1881年3～6月に東京・上野公園で開催された第二回内国勧業博覧会に味噌を出品した際の褒状である。同工場については、名前の下に「S. K. NOBATA」とアルファベットでも標記している。次ページの図の左上には釣瓶井戸が描かれ、この周辺が豆や桶の洗い場であったことを示している。店の前には樽が搬出され、大八車、人力車、飛脚が行き交う賑わいが描かれている。

【今昔を訪ねて】

『東海市史』によると、知多郡の横

須賀は、近世初頭までは馬走瀬（まはせ）という漁村であったが、１６６６年（寛文6）に尾張藩二代藩主徳川光友が横須賀御殿「臨江亭（りんこうてい）」を建て、名古屋、犬山と並ぶ城下町として扱われるようになった。港も整備されて、知多半島の主要港の一つとしても機能した。臨江亭は光友の死後取り壊されたが、１７８３年（天明3）、その跡地に知多西浦73カ村を取りまとめる尾張藩の代官所が建てられ、知多半島の行政・経済の中心地になった、ということである。

明治以降も多くの商店や銀行が開設され、道路や鉄道（現名鉄常滑線）も整備されて、１８８９年に町制が敷かれた。現在は東海市の南端地域で、地先は戦後に埋め立てられて伊勢湾工業地帯の一画になり、横須賀の地先は大同特殊鋼知多工場になっている。

ちなみに、前記の「琴弾松」の由来は、概略次のようなものである。

大教院に隠棲していた白羽監物がこの松の根方で好きな笛を吹くと、それに合わせるように琴の音が聞こえる。吹きやめると琴も止まる。気になった監物が、近くの「浜御殿」で静養中の姫が琴の主らしいことを突き止め、会いに行くと姫はすでに他界した後であったが、折からの浜風を受けた松が琴の音を伝え、監物がそれに合わせて吹奏したというもの。この伝承を聞いた楓京が、松の根方に「色かへぬ風のしらへや松みとり」の句碑を建てたといわれる。こうした由来により、大教院の老松は「琴弾松」と呼ばれていたが、１９７３年に枯死した。

なお、八公石がある大教院は、名鉄常滑線尾張横須賀駅と元浜公園の間に、日蓮宗薬王山大教院として現存し、２０１８年9月に本堂の屋根が台風で傷んだのを機に、全面的な葺き替え工事をおこなって地域の話題になった。

呉服太物類　棉綛糸　木綿売捌所　本田屋　伊藤儀右衛門

【尾張国知多郡横須賀港】

【絵解き】

繊維製品を主とした小売店「本田屋」の店頭。店舗内部は3つに分かれ、右では日焼けを嫌う反物（たんもの）や糸類、中ほどでは砂糖など、左では機織り用の糸などが商われていた。左端の倉庫様の建物には日除け葦簀（よしず）らしいものが積まれており、こうした雑貨類も扱っていた様子である。

店頭には「萬品帳（よろずしなちょう）」と表書きした大福帳形の看板、右には葦簀の陰で読みにくいが「呉服　木綿」以下の品書き、「萬品帳」の左には、「砂糖大安売」「綿売捌所」「綛糸（かせいと）売捌所」「木綿売捌所」とある。

【今昔を訪ねて】

呉服は絹織物、太物は綿織物や麻織物を指し、ともに「反物」とか「着尺（きじゃく）」と呼ばれ、成人一人用の衣類が作れる一反（『きもの用語事典』によると幅約37㎝、長さ約12ｍ50㎝くらいが標準）を、折り目がつかないように巻物状に巻いて棚に積まれていた。多くは織（おり）または染（そめ）で柄（がら）が付けられ、仕立てれば着物になった。

それに対して、絹織物にも綿や麻織物にも白生地のまま取引されるものがあり、とくに綿織物は用途が広かったので、知多半島では白木綿の反物が大量に織られた。その多くは三重の白子（現四日市市）経由で江戸へ送られ、一部は「知多木綿」と呼ばれて直接出荷された。

明治後期になると豊田佐吉が力織機を開発し、知多半島や西三河ではいち早く取り入れる工場が出て、「知多木綿」は量産型綿織物の代名詞のようになった。

魚鳥 生鯖 薪炭 海陸運送問屋 山村茂兵衛

【尾張国知多郡横須賀港】

【絵解き】

横須賀港では運送問屋の山村茂兵衛が魚市場も営んでいた。港に面した邸宅の広い前庭が魚市場で、あちこちに活魚用の大盥(たらい)が用意され、大型魚は地面にじか置きされている。中央ではセリがおこなわれ、海岸端には、ヒラメ、タコ、ウナギと思われるものも描かれている。当時伊勢湾では、特定の魚を選んで獲ることはできなかったので、獲れた魚は何でも取り扱ったようである。

当時はまだ公設市場はなく、取引き場はすべて私営であった。

図の右端には、買い受けた魚を天秤棒(てんびんぼう)で担って帰るらしい人、その左には籠を天秤棒で担ってやってきたらしい姿も描かれている。取引場前の海岸には、遠距離航行用の帆船と、細身の軽快な早船(はやぶね)が、運搬先への用命を待っている。

【今昔を訪ねて】

同店の説明文には「魚鳥 生鯖 薪炭 海陸運送問屋」とあり、魚だけではなく、鳥や薪炭も扱っていたことがわかる。生鯖(いさば)は「魚や海産物を扱う商人」を指すので、冒頭の「魚」とはダブルが、塩乾物や海藻類など魚以外の海産物も扱っていたことを表していると思われる。

冷蔵も冷凍もできなかった時代、生魚の鮮度保持には苦労した。運搬船の船底に海水が流れる「カンコ(生け簀(いけす))」を設置した船もあったが、多くの船はそうした設備がなく、運送先へ速く届けるのが鮮度保持の手法であった。そのため、図のような早船（快速船）が活躍した。

有松絞賣捌所　服部七左エ門

本元有松絞染所　山口喜三郎

【尾張知多郡東海道有松本家】【尾張知多郡東海道有松中程】

【絵解き】

上の図は、東海道鳴海宿の人気土産品であった「有松絞（鳴海絞とも呼ばれた）」を、産地の有松で商う「大井桁屋本家」服部七左衛門店の店頭である。街道に面した広い店内の壁面には製品の反物が折りたたんで棚に収められ、店内の左端には新柄と思われる製品が掛けてある。取引は客も畳敷きの店内に上がって、売り手が柄違い数種類の反物を拡げて見せ、客の好みや希望価格帯を絞り込んでいく。正面の棚には巻いた反物もあるので、織柄生地を選んでもらって好みの絵柄に絞る、高級品の注文も受けていたことがわかる。

店の中央には大きな時計、店の前には1784年の大火以来用水桶が置かれている。通行人の左から5人目と6人目はこの辺りでは珍しい洋装の男女で、急いでいる様子でもないので、池鯉鮒宿か鳴海宿の宿泊客が来店したのかもしれない。

次ページの「枡屋」も老舗の同業者で、絞染所と名乗ってはいるが店は販売専門である。同じ反物でも普通の織物は折り目がつくのを嫌って巻物にするが、絞り染めの場合は畳んでもほとんど折り目が残らないし、巻くと内側の凹凸が潰れやすいので、畳んで在庫することが多い。

【今昔を訪ねて】

有松村（現名古屋市緑区有松町）は、1608年（慶長13）に尾張藩

有松絞・井桁屋の現況
（写真提供：井桁屋）

が、東海道警備の目的で知多郡内から「腕のたつ移住者」を集め、池鯉鮒宿（現知立市）と鳴海宿（現名古屋市緑区）の間に開設した新村で、開設当初は桶狭間村の一部であった。そうした関係で農業は難しく、住人の竹田庄九郎が、１６１０年から始まった名古屋城築城に九州から来ていた人の着衣の絞り染めを見て、生産し始めたと伝えられている。三河木綿に絞り染めした手拭いを、隣接する鳴海宿で売り始め、産業として定着した。

織物への柄染め手法の一つである絞り染めの技法は、柄染の多くが目的の柄を染め出すのに対して、絞り染は柄を白抜きで残すのが特徴である（柄の部分を染める技法もある）。この技法は広く世界各地に伝わるため多様な技法が駆使される。最も多いのは、①白生地に予定する柄を青い点で描き、②その個所をつまんで糸を数回強く巻き付ける。③すべての青点についてこの作業を終えたら、それを染色する。④乾いたら、縮まった布の両端を強く引張って巻きつけた糸をはずし、⑤軽く火熨斗すれば、一応完成である。実際には、この工程にさまざまな技巧が施されて多彩なバリエーションが生み出され、おもに和装着尺になる。日本では京都と有松が２大産地である。

なお、前ページの井桁屋は１７９０年に創業した老舗で、１９００年のパリ万博に出品して銅賞を獲得、現当主は九代目。店舗の現況は上の写真のようで、有松にはこうした街並みが保存され、２０１６年に「重要伝統的建造物群保存地区」に指定された。

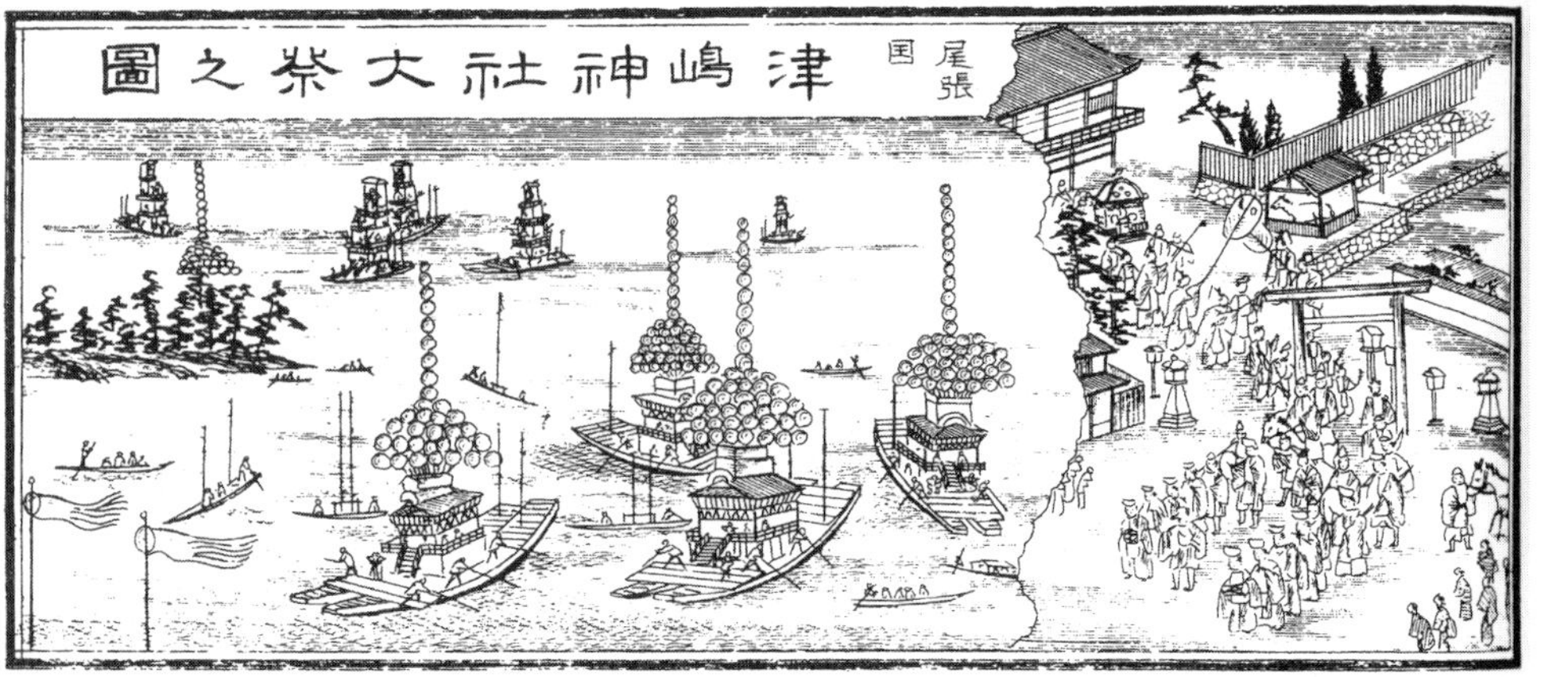

尾張国 津嶋神社大祭之図

愛知県海東郡の中心都市・津島（現津島市）は、津島神社の門前町である。1889年に町制が敷かれたので、『便覧』が出た当時は津島村であった。津島神社は、須佐之男命と大穴牟遅命（大国主）を祭神とする、国津神系（天孫族と呼ばれる渡来和人以前から日本にいた諸族）、の古い神社である。

図は毎年7月第4土曜日におこなわれる「尾張津島天王祭」で、右は当日朝本殿から御旅所へ神輿を移す「神輿渡御」。左は500個余りの提灯を飾った巻藁舟が、ゆっくりと天王川を漕ぎ渡る試楽祭（宵祭り）の光景が描かれている。本祭りは翌朝の朝祭り。大小の屋台船が天王川を渡る。

天王川は水路変更で廃川になったが、この祭りがおこなわれる水域は池状に残されている。

津島神社は、中世・近世には祭神とは別に「津島牛頭天王社」と呼ばれ、全国に約3千社あると言われる津島神社・天王社の総本社として尊崇された。牛頭天王は道教の流れを引くとみられる土俗的信仰だと考えられている。そのため津島神社は「天王さん」とも愛称された。

「天王祭」は今も古式を伝えて受け継がれており、1980年には「尾張津島天王祭の車楽舟行事」の名称で国の重要無形民俗文化財に、2016年には「山・鉾・屋台行事」の一つとしてユネスコの無形文化遺産に登録された。本殿、楼門、所蔵の太刀なども国の重要文化財に指定されている。

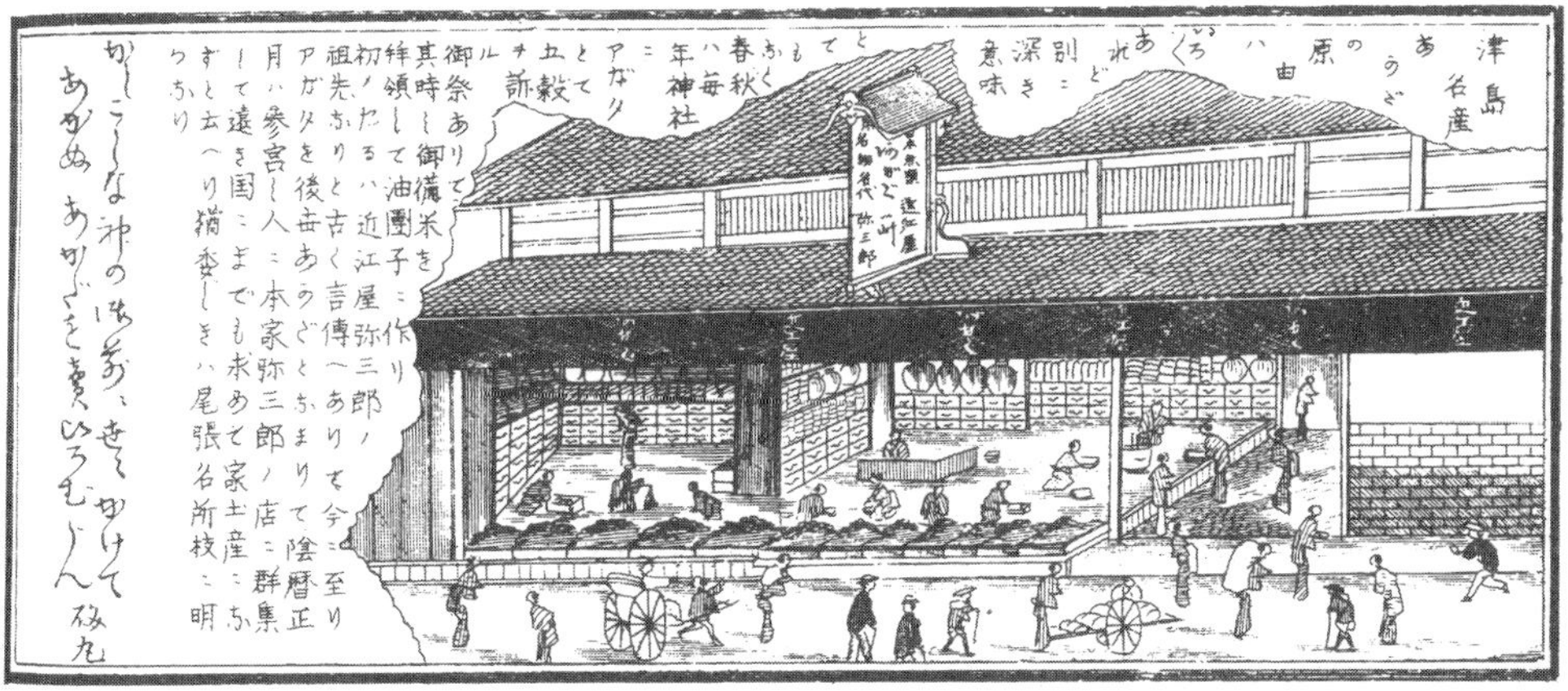

近江屋弥三郎店頭図

【津島】

【絵解き】

津島神社の鳥居前には、当地の名物菓子「あかだ」の店が軒を連ねていた。これはそのうち「近江屋」の店頭を描く。屋根に掲げた看板には中央に「あかだ」、右左に「日本無類名物名代」「近江屋　弥三郎」とある。「あかだ」は、米の粉と砂糖を混ぜて湯で硬く捏（こ）ね、直径1cmほどの団子状に丸めて、ゴマ油で揚げた菓子である。同じ材料を、太さ3mmほどの棒状に伸ばして直径3cmほどの輪型に整形し、ゴマ油で揚げた菓子は「くつわ」とよばれる。

津島では、その両方とも売られていた。道路に面した店頭にはたくさんの半切（はんぎり）（食品などを入れる浅い木箱）に山盛りに積まれている。店の棚には大野町の銘菓「一口香（いっこうこう）」と同形の壺も並んでいる。

【今昔を訪ねて】

画面の余白に書かれた説明にはこうある。（区切りに空白追加）

「津島名産あかだの由来ハいろいろあれど　別ニ深き意味とてもなく春秋ハ毎年神社ニアガタとて五穀ヲ訴（祈か）ル御祭ありて　其時の御備（供か）米を拝領して油団子ニ作リ初メタルハ近江屋弥三郎ノ祖先なりと古く言伝へありて　今ニ至リアガタを後世あかだとなまりて　陰暦正月ハ参宮し　人々本家弥三郎ノ店ニ群集して　遠き国々までも求めて家土産ニなすと云へり　猶委（くわ）しきハ尾張名所枝（枝＝図会か）ニ明かなり

かしこしな　神の御前に世々かけて　あかぬあかだを　売ひろむらん

磯丸」

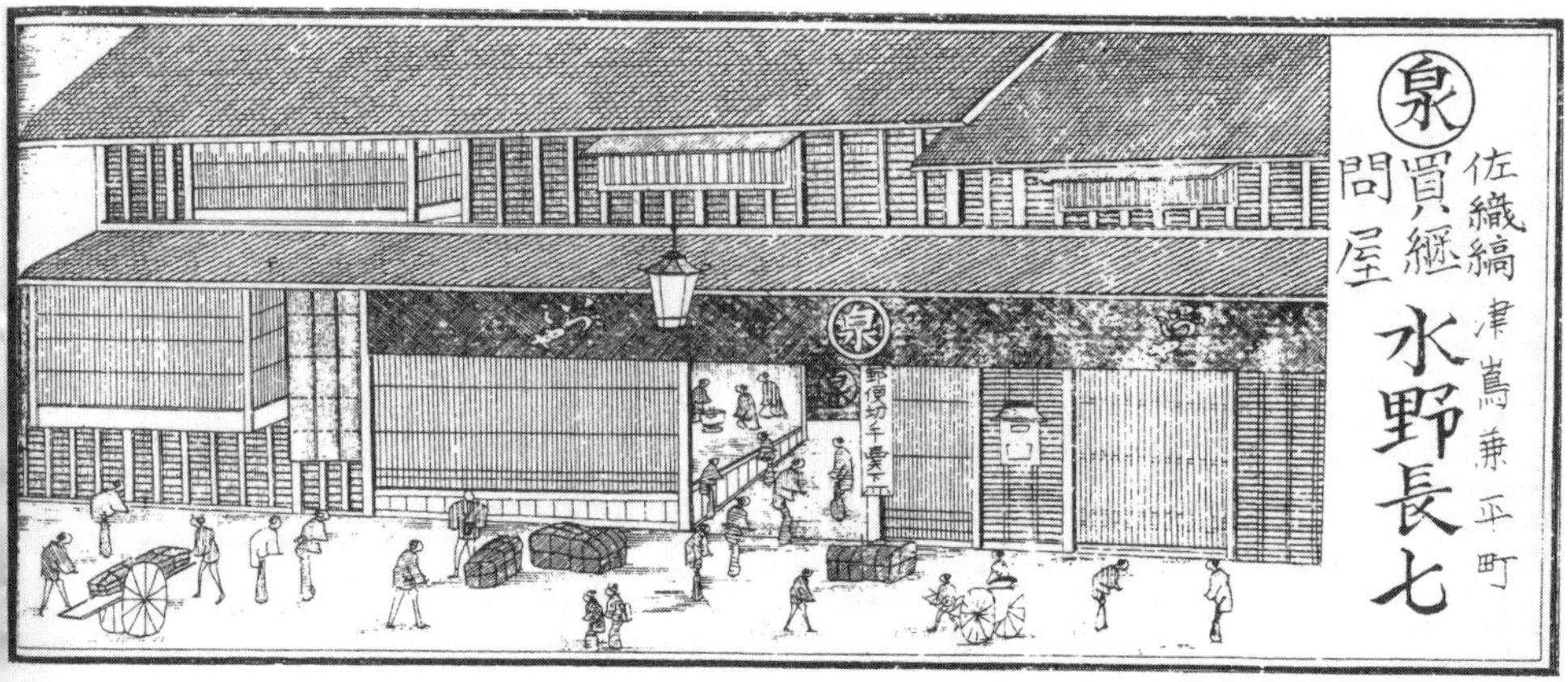

佐織縞買継問屋 水野長七

【津島兼平町】

【絵解き】

津島とその周辺地域は「佐織縞」と呼ばれた前染綿布の産地であった。商品名は、主要産地であった佐織村（現愛西市）に由来する。「前染め」というのは糸の段階で染めてから織る織物で、糸の染め色や濃淡、染め分けた糸の組み合わせで多様な縞柄を織り出すことができる。

織布作業は織物問屋が織柄を指定し、必要な色糸を渡して織らせる「出機」方式と、織職人（おもに女性）が糸を購入し、織柄を創案して織り上げ、製品を問屋に買い上げてもらう方式とがあった。伴野（2011）によると、1910年朝鮮併合後、当店・通称「とば長」は、全国の同業者に先駆けて、朝鮮との綿布の輸出入を手掛けるようになった。

【今昔を訪ねて】

「縞」というのは織物の柄の一種でストライプを指す。一見単純な柄に思えるが、ラインの幅や色使い、経糸で縞模様を出す（縦縞）、緯糸で縞模様を出す（横縞）、両方を縞にする（格子柄）など多様に織り出せる。さらに細かくギザギザ模様（よろけ）にしたり、太いギザギザにするなど、単純な柄の繰り返しながら多様な製品を生み出せる。こうした織柄の設計は織子（織工）のアイデアによる場合もあるが、柄師と呼ばれる専門のデザイナーが考案する。

それとは別に、地域によって固有の特徴を持つ柄を織り出す場合があり、津島周辺では「佐織縞」、一宮周辺ではインドのサントメに由来する「桟留縞」が知られていた。

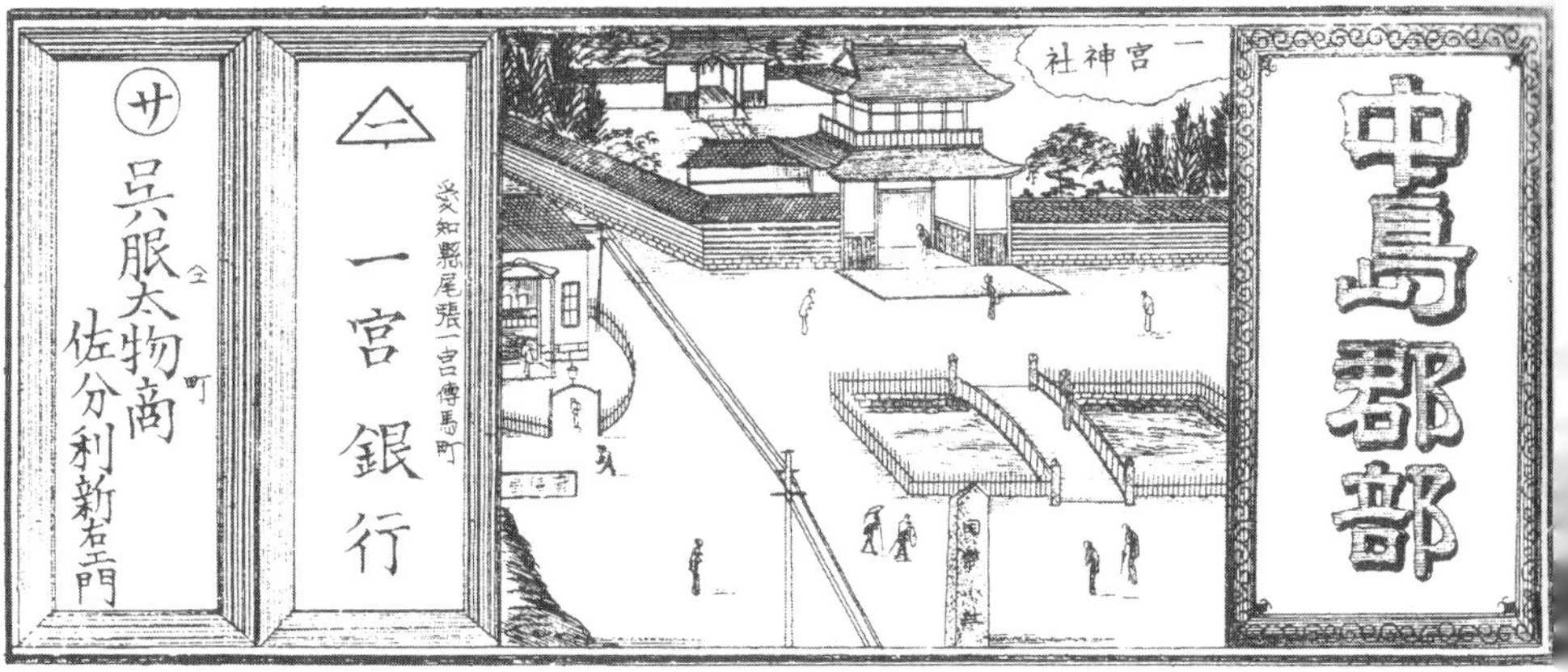

一宮神社（真清田神社）

現一宮市の真清田神社は奈良時代「尾張の国の一ノ宮」である（二宮は大県神社）。主祭神は天火明命。上図には手前から太鼓橋・楼門・社殿が描かれている。神仏分離以後も楼門が残され、第二次大戦で全焼した後も社殿とともに再建された。下の写真は真清田神社の現状である。

近世中期以来、綿作や織物業の発展と共に、同社境内や門前で開かれた三八市が、綿糸・綿布取引の中核になり、おもに尾張西・北部の広域な農民や家内工業者、織物工場などが取引に来て、一宮は一大商工業都市に発展した。

下の写真は、小規模店舗として利用されている同社塀長屋の一部に、糸屋が集まる一角で、当時の市店の面影が見られる。

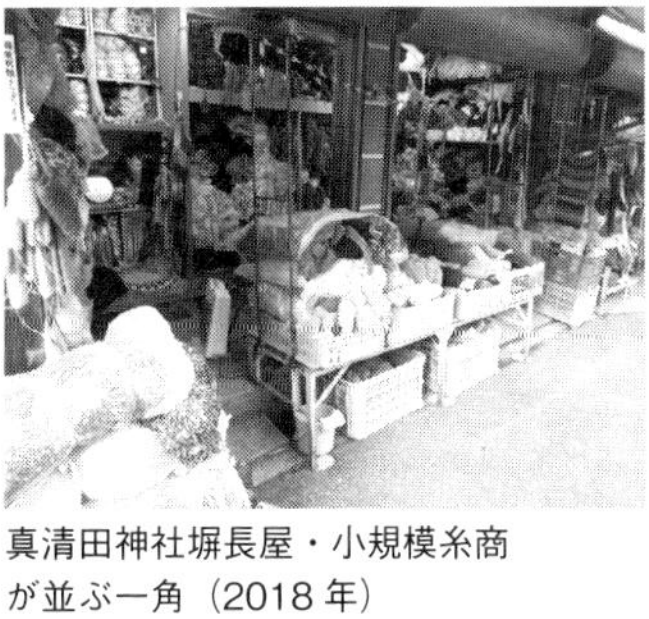
真清田神社塀長屋・小規模糸商が並ぶ一角（2018 年）

尾張の一ノ宮・真清田神社（2018 年）

國産織物商
一宮織工場
愛知縣尾張國中島郡一宮驛

国産織物商 一宮織工場

紺飛白縞織物製造所 森文左衛門

【尾張国中島郡一宮駅】【中島郡一宮】

【絵解き】

一宮（現一宮市）は濃尾平野のほぼ中央に位置する平坦な町で、岐阜街道の中継地であった。1886年に東海道線も開通した（現JR尾張一宮駅）。上図頭書きの「中島郡一宮駅」は、近世の宿駅をさす。

濃尾平野は近世中期以来綿作や綿織物生産が盛んで、住居内に織機を置き女性が終日機を織る家も多かった。製品は「尾州木綿」と呼ばれ、多くは一宮の縞問屋に集められて、名古屋や大坂（大阪）へ出荷された。一宮地方ではおもに、「前染織物」が作られていた。

上図、門の右は「染工場」で、糸が染め分けられ、中庭の干場で乾燥されている。図中央の道路際の工場棟にはそれぞれの部屋に「高機」が置かれ、「ちゃんからん、ちゃんからん」と響いていた。

奥の棟の二階にはそれぞれの部屋に「いざり機」が置かれ、製品の特性に合わせて織り分けられていたことがわかる。二階の部屋からは緯糸を通すごとに糸間を詰める、「とんとん」という音がしていた。

左のページは、完成した反物の製造販売店であった森文左衛門の店舗で、現在の本町四丁目で営業していた。本図の頭書きには「紺飛白縞織物製造所」とあり、店の右側で織作業もされているが、大半は契約先の工場や家内作業者に委託していた。

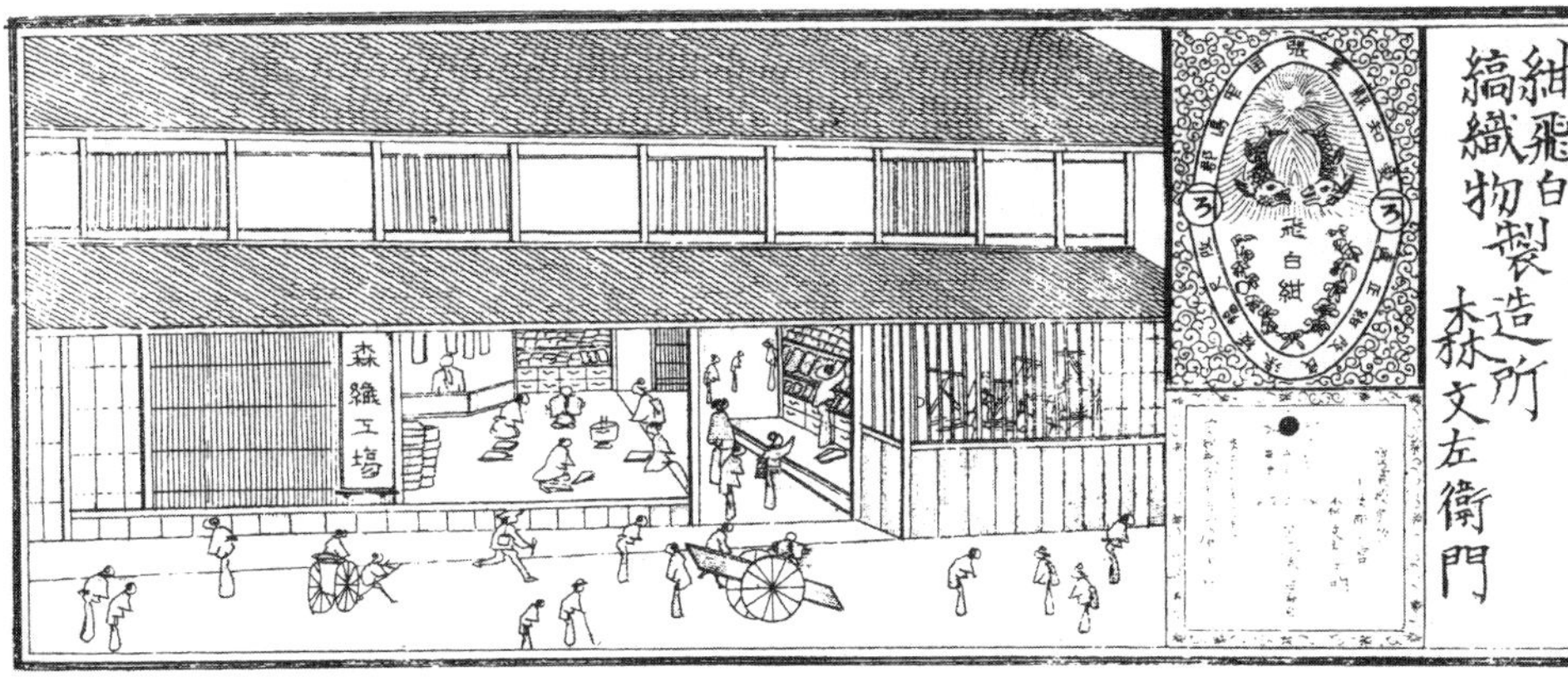

自家生産している分は内機、内職的工房への外注は出機、工場からの分は仕入れと呼び分けられていた。出機経営（問屋）は製品の企画・販売と、人件費を含む諸経費の金融がおもな役割で、製品の最終点検など「仕上げ」工程だけ自家でやっていた。

同店の看板製品は紺飛白で、紺地に絣柄を織り出した模様をさす。絣染めは、糸の一部を白く染め残して織る技法で、同じ藍染めながら糸ごとに濃淡をつけ、設計通り模様を織り出す高等技術製品であった。

【今昔を訪ねて】

我が国では近世中期から綿作が盛んになったが、明治に入る頃から国産綿花よりも毛足が長い中国綿で作った唐糸が大量に輸入されるようになった。貿易量が増えるにつれて不平等条約の改定交渉が進み、1888年にアメリカ、続いてドイツ、ロシアと通商条約が改定された。

それを機に、さらに毛足が長い印度綿の輸入量が急増した。毛足が長い綿を使うほど細い糸を撚ることができ、細い糸で織れば薄くて軽い布を織ることができる。そのため、この前後から比較的厚手の布しか織れない国産綿の価格が急落し、国内の綿作地帯や地場原料に依拠した綿織物産地は廃れていった。

それに追い打ちを掛けるように1891年10月28日に濃尾大震災が起き、濃尾平野では多くの織工場や家内工場が壊滅的打撃を受けた。

ところが、尾西地方では一部の業者がそれ以前から羊毛織物の研究を進めており、これを機に毛織物生産へ転換することで産地消滅の危機を乗り切った。

知多や西三河地方では、豊田佐吉が開発した新しい「力織機」を導入して織布工程を高能率化し、後染織物（白木綿）の量産に活路を見出して産地を再興した。

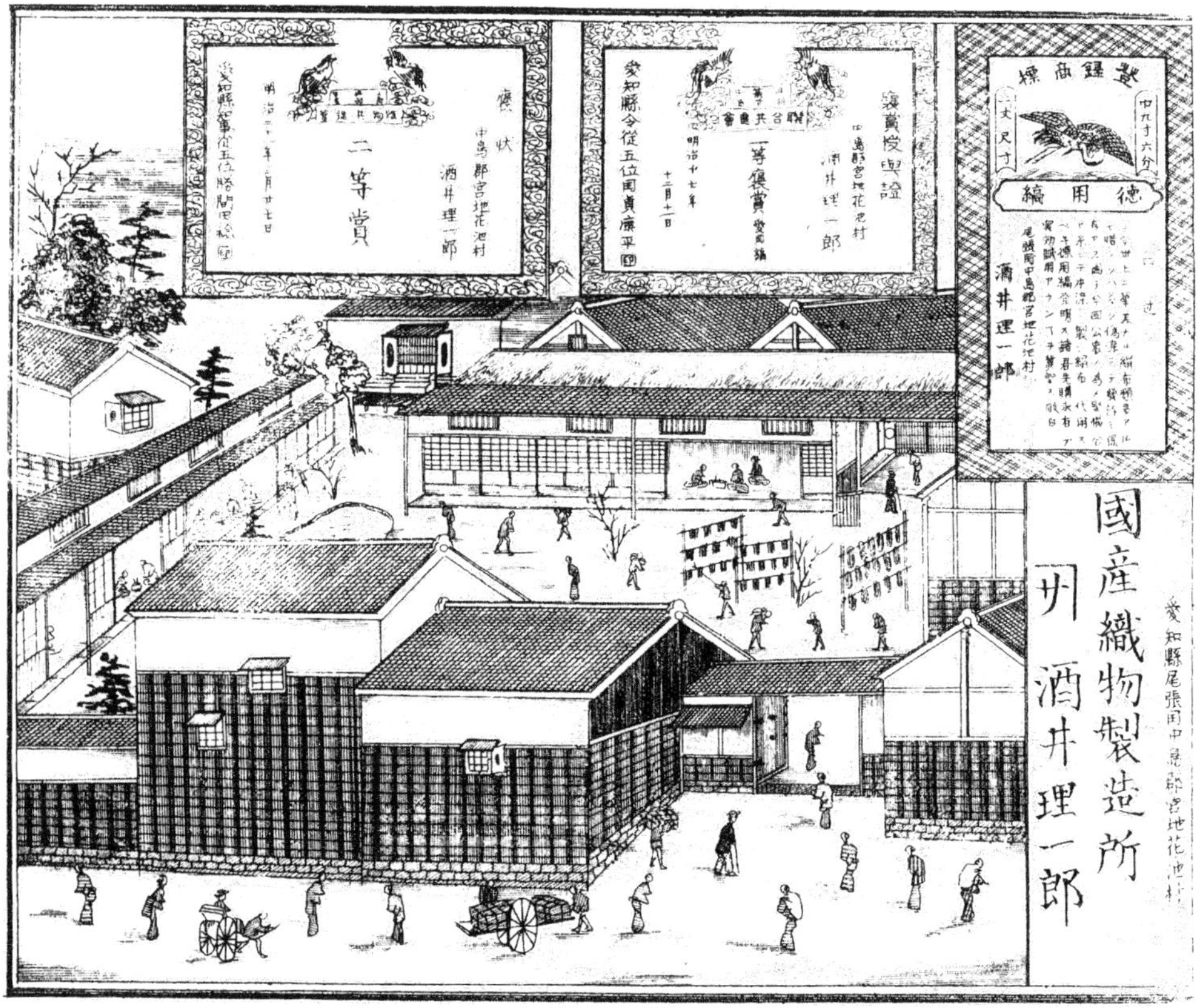

国産織物製造所 酒井理一郎

【尾張国中島郡宮地花池村】

【絵解き】

本図は、一宮の隣村宮地花池村（現在一宮市）で織物業を営む酒井理一郎の工場である。作業内容は前記の一宮織工場とほぼ同じであるが、同じ綿製品ながら細糸を使って高級品を生産していた。

【今昔を訪ねて】

図の上部、右端は商標登録証であるが、下の紹介文には「（大要）堅牢な染色加工をした絹布に代る半襟（はんえり）素材を発明した」とある。中央の「褒章授与証」は1884年の連合共進会（現在の産業博覧会）一等褒章、左の褒状は1888年の織物共進会二等章である。共に愛知県知事名で与えられている。こうした、細い輸入糸を使い、薄手で高品質の綿製品を追求する工場もあった。

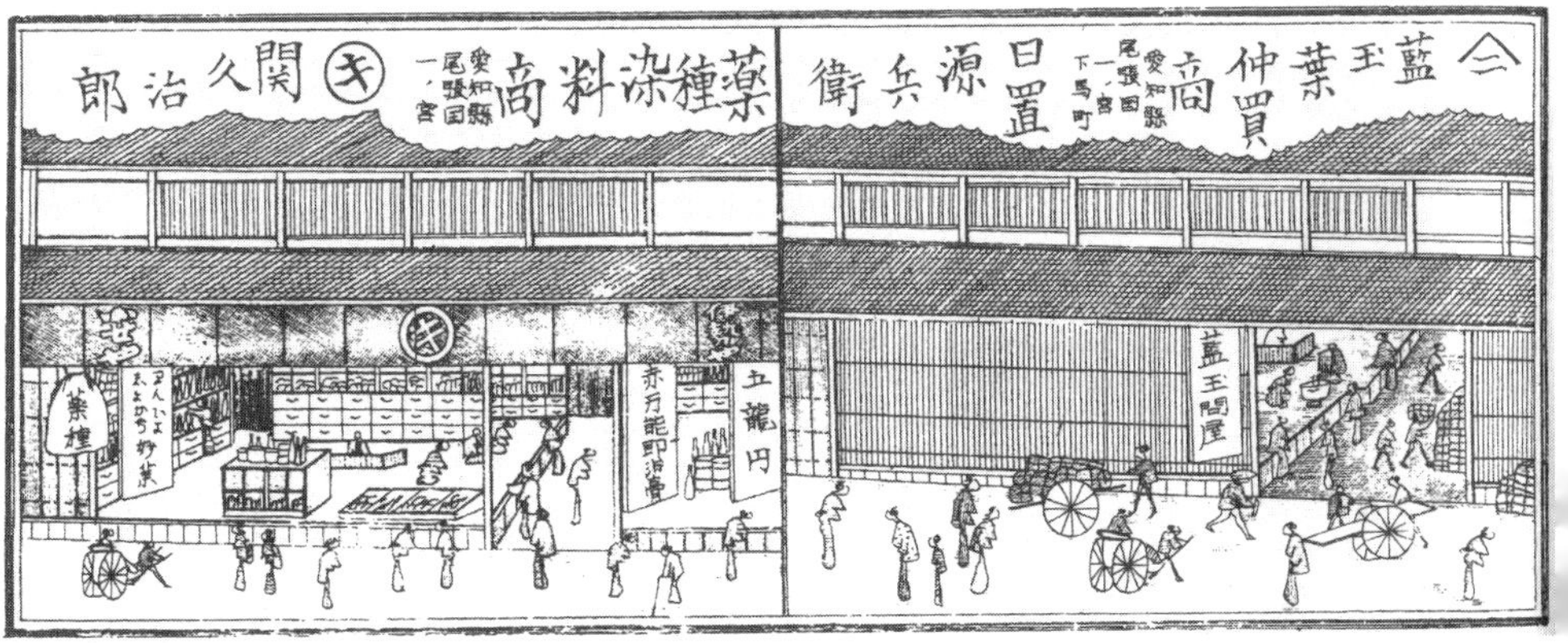

藍玉葉仲買商　日置源兵衛

薬種染料商　関久治郎

【尾張国一ノ宮下馬町】【尾張国一ノ宮】

【絵解き】

絣には色絣(いろがすり)などもあるが、藍で染めた糸で織りあげる「紺絣(こんがすり)」が多かった。藍は全国各地で栽培されたが、とくに徳島が有名であった。

染色は消費地立地産業で、おもに都市部に「紺屋(こうや)」とか「染屋(そめや)」と呼ばれる専業者がいた。上図右の日置源兵衛の店では、入り口の右手に入荷した藍玉の梱包を積み上げている。左の関久治郎の店は、染料の表示が見当たらないので、薬種商が主であった様子である。

【今昔を訪ねて】

藍の製法を簡単に言うと、①藍の葉を収穫し、発酵させて「蒅(すくも)」と呼ぶ染色原料にする。②蒅を水に浸して石灰や酒などを加えて寝かせると、青（紺）色に発色するようになり、これに繊維製品を浸して染色する。この工程の①は藍産地の仕事、②は染色業者の仕事に大別できる。実際には、蒅のままではかさばるので、蒅を突き固めて乾燥させた形で販売される。この塊が藍玉である。

染料の中でも藍は退色しにくく、日本では虫よけや肌荒れ防止などの薬効もあると考えられていた。そのため庶民衣料の普遍的な染料として広く利用された。濃淡やグラデーション、それらの組み合わせによって多様な変化が生み出され、ファッション分野では「ジャパンブルー」と呼ばれている。

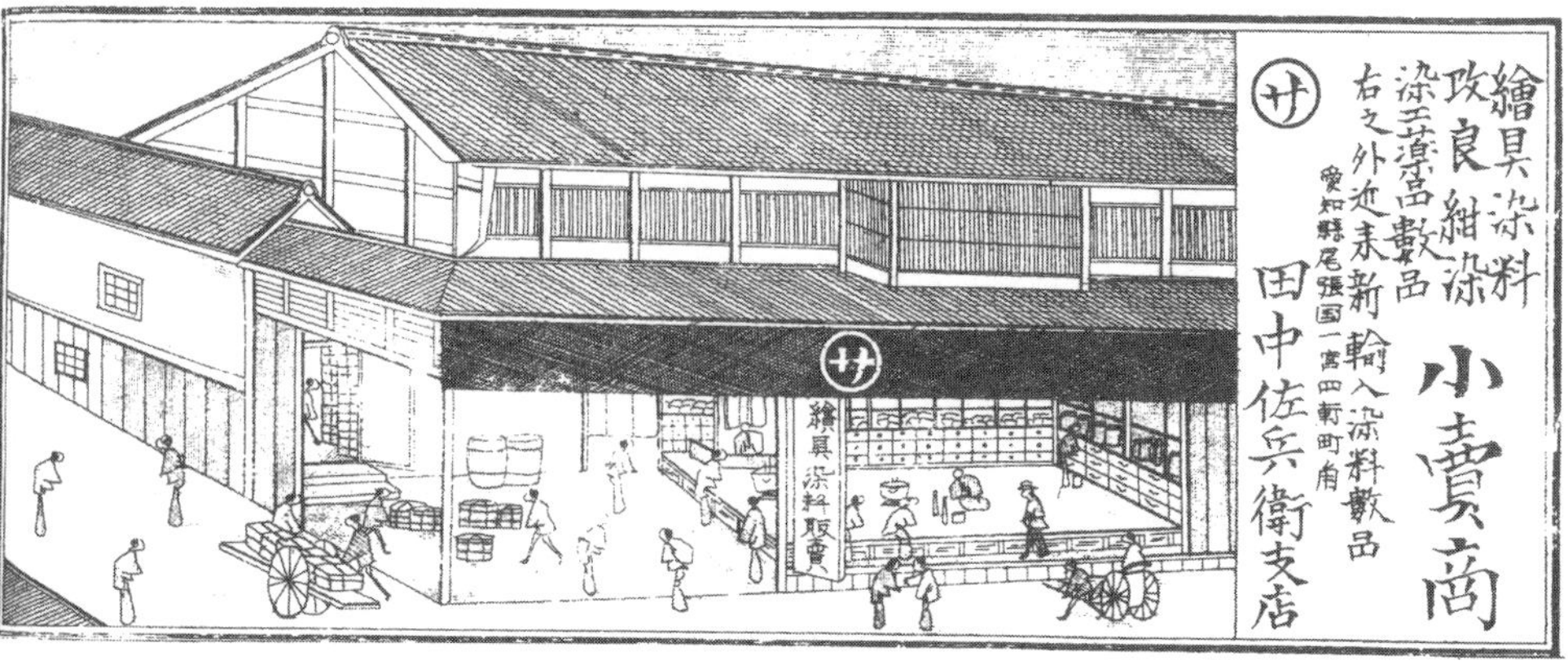

絵具染料 改良紺染 染工薬品数品小賣商 田中佐兵衛支店

【尾張国一宮四軒町角】

【絵解き】

尾張北西部のような前染織物の産地では、藍のほか多彩な発色の染料需要がある。一方、維新以後は外国で開発された鮮やかに発色する多様な色彩の染料など、従来日本にはなかった染料も輸入されるようになった。高価ではあるが、織物地帯や都市にはそうした染料の需要もあった。染料は、繊維品の染色に使われるほか、漆や油性の塗布剤に混ぜて着色するような用途もあった。

本図は頭書きに「絵具・染料・改良紺染・染工薬品数品」「右之外近来新輸入染料数品」小売商とある、田中佐兵衛の店である。

【今昔を訪ねて】

一宮では、1727年（享保12）に尾張藩から許可された「三八市」が、通常の日用品小売市場の圏域を超えて、北・西尾張一円から綿製品を集荷・販売し、とりわけ糸の取引が盛んであった。そのため「縞物」用の染色済み「色糸」需要が多く、市の中央を南北に流れる大江川沿いに染色業も盛んであった。当然、染料需要も多く、競って「新しい色」が求められ、この店もそれに積極的に応えていた。

その経営者田中佐兵衛の孫・田中鉄三郎は、現在の一宮の本町通りと伝馬通りが交わる交差点の南東角に、ランドマークのように建つ「テンサンビル」（旧伝馬通り3丁目・現本町4丁目）社長。鉄三郎の子・田中直毅は国際公共政策センター理事長を務め、経済評論家としても活躍中である。

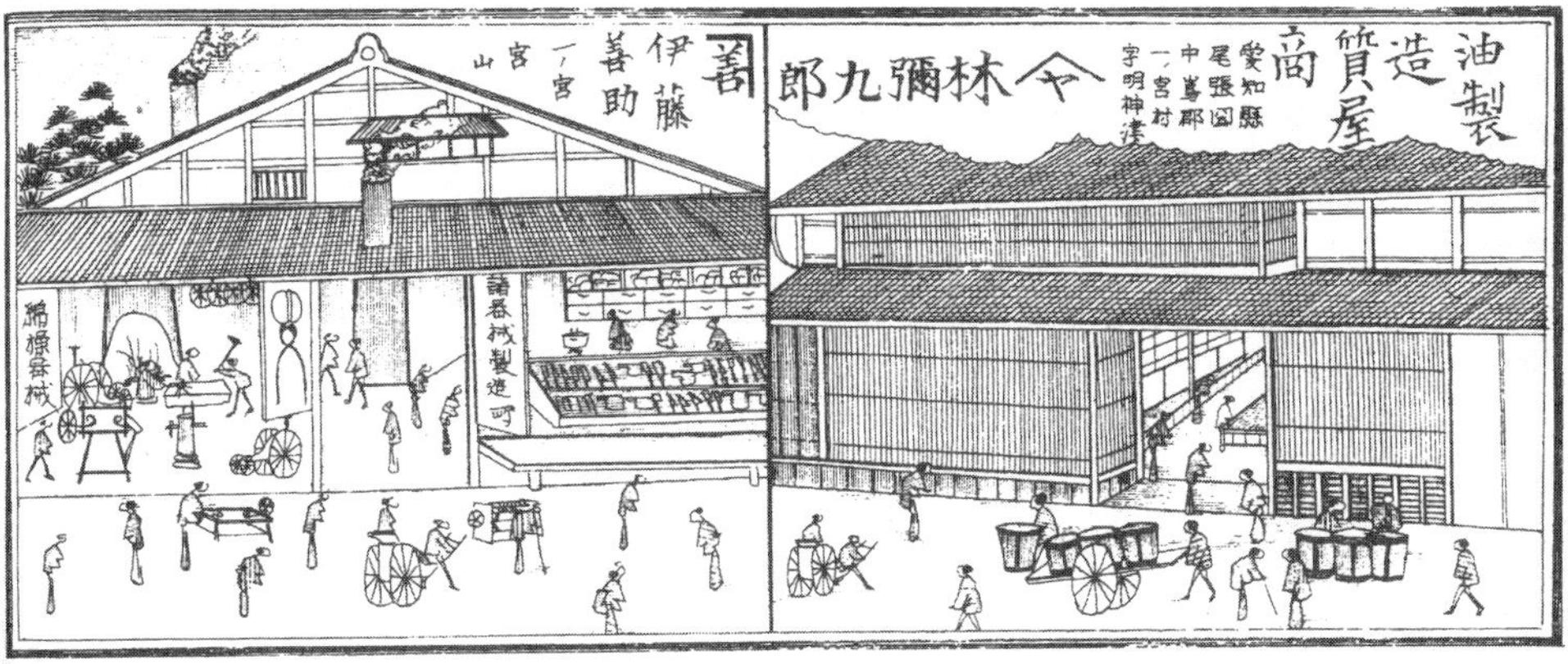

諸器械製造所 綿繰器械 伊藤善助

【一ノ宮宮山】

【絵解き】

上の左の図は、当時鍛冶屋と呼ばれた鉄工場で、左上の煙突の真下の店内で二人が向き合ってハンマーを振るっている（拡大してみると金属片から火花が飛び散っている）のが当店の主要工程である。軒看板に描いているる火造り用のヤットコ（カーペンタープライヤー）は鍛冶屋の象徴である。

ただ、店頭の右の看板には「諸器械製造所」、左端の看板には「綿繰器械」とあり、鍛冶屋自体が商売ではなく、「器械」メーカーであったことがわかる。器械は木製部が多い機械の呼び名である。消耗品的な金属部品は店の右側の陳列ケースに並び、店の左側や店の前では器械を組立て中である。本図によって、1880年代後期の綿繰り作業機械化の状況が判断できる。

【今昔を訪ねて】

日本では、本図が描かれた当時は機械紡績の発展期で、それに合わせて毛足が長い印度綿の輸入が増え、国内の綿作も綿織産地も急速にすたれ始めた時期であった。尾西地方も同じ波をかぶったが、一宮ではその10年ほど前から、現在名古屋に本社を置く毛糸・毛織物商の豊島（一宮出身）などが「羊毛織物」を研究中で、綿から毛への転換が始まっていた。そのさなか、1891年に濃尾大震災に見舞われ、甚大な被害を受けた。それを機に一挙に転換が進み、1900年代初頭には、尾西地方が日本最大の毛織物産地として再生・発展し始めていた。

コラム⑤……………電灯普及前夜

図❶は名古屋本町四丁目・時計商林市兵衛、❷は同広小路栄町・喜楽亭、❸は知多・亀崎町の伊東清酒醸造所、❹は知多・半田・榊原耕平店、❺は一宮・木村圓四郎肥料店、❻は豊橋・川岸下地・中川與七商店の図で、電線や電柱が描かれている。その他の地域では、『便覧』には電柱や電線が登場しない。

多くの書籍は、名古屋における電気の始まりを名古屋電灯会社（現中部電力）に求め、名古屋の伏見（現でんきの科学館所在地）で火力発電を開始した1889年を電灯使用の開始期としている。1889年は『便覧』が発行された翌年、図の多くが写し採られたと推察される1887年の2年後である。名古屋電灯は発電開始後も普及に苦労した経過があり、名古屋の中心部はあらかじめ電線を用意しつつあったと考える余地はあるが、熱田には届いていなかった様子であり、知多地域や豊橋は別系統と考えざるを得ない。とくに❹図は電線が途切れて、敷設中であることをうかがわせる図が描かれている。

これは、名古屋電灯会社以前から発電所が稼働していたことを示す。日本の電灯は「1885年に白熱電灯が東京銀行集会所開業式で点灯」が始まりとされ、その後、石炭を熱源とした輸入発電機による火力発電が普及した。当時は遠距離送電の技術が低くて送電中の電力減衰が激しく、発電所から500 m程度が採算限界であった。そのためかなり高額で、20ワット電球1個点灯の家が多かった。

（森靖雄）

三河の部

増山真一郎
堀江登志実
湯谷翔悟
神尾愛子
豆田誠路

煙草製造所　松下栄三郎

【豊橋関屋町】

【絵解き】

「登録有権・商標・刻煙草（きざみたばこ）巻烟草（たばこ）製造所」、また「松下烟草製造所」と看板を掲げる煙草工場。二階部分は作業場とみられ、長机の前に一人ずつ座って手を動かしている。格子がじゃましていてよく見えないが、一階の玄関より右手もまた作業場であろうか。車輪を使った器械のようなものも確認できる。一方、玄関の左手では、何組かの男たちが火鉢を囲んで商談中である。

【今昔をたずねて】

　戦前の豊橋の工業では、玉糸（複数の蚕が一緒に作った繭から取った節の多い糸）製造を特徴とした製糸業が有名であるが、明治30年代までその中心を担ったのが煙草製造業であったことは知られているとはいいがたい。1904年に民間での製造が終焉を迎えることによって、豊橋の主要産業の座を製糸業に譲ることになるが、1902年には生糸・玉糸あわせて34万円に対して、刻煙草45万円、巻煙草5万円と約1・5倍の生産額を誇った。

　豊橋（江戸時代は吉田と呼ばれた）で煙草の製造がはじまったのは天明の頃、18世紀後半のことで、その創始者は原田久左衛門と伝えられている。近隣に北設楽地方や信州飯田地方といった全国でも有数の葉煙草産地があり、信州中馬や豊川舟運による物流が発達していたことが「吉田煙草」として知られる製煙業がはじまった要因と考えられる。

　明治時代になって豊橋の煙草製造業者の中心となったのは、久左衛門

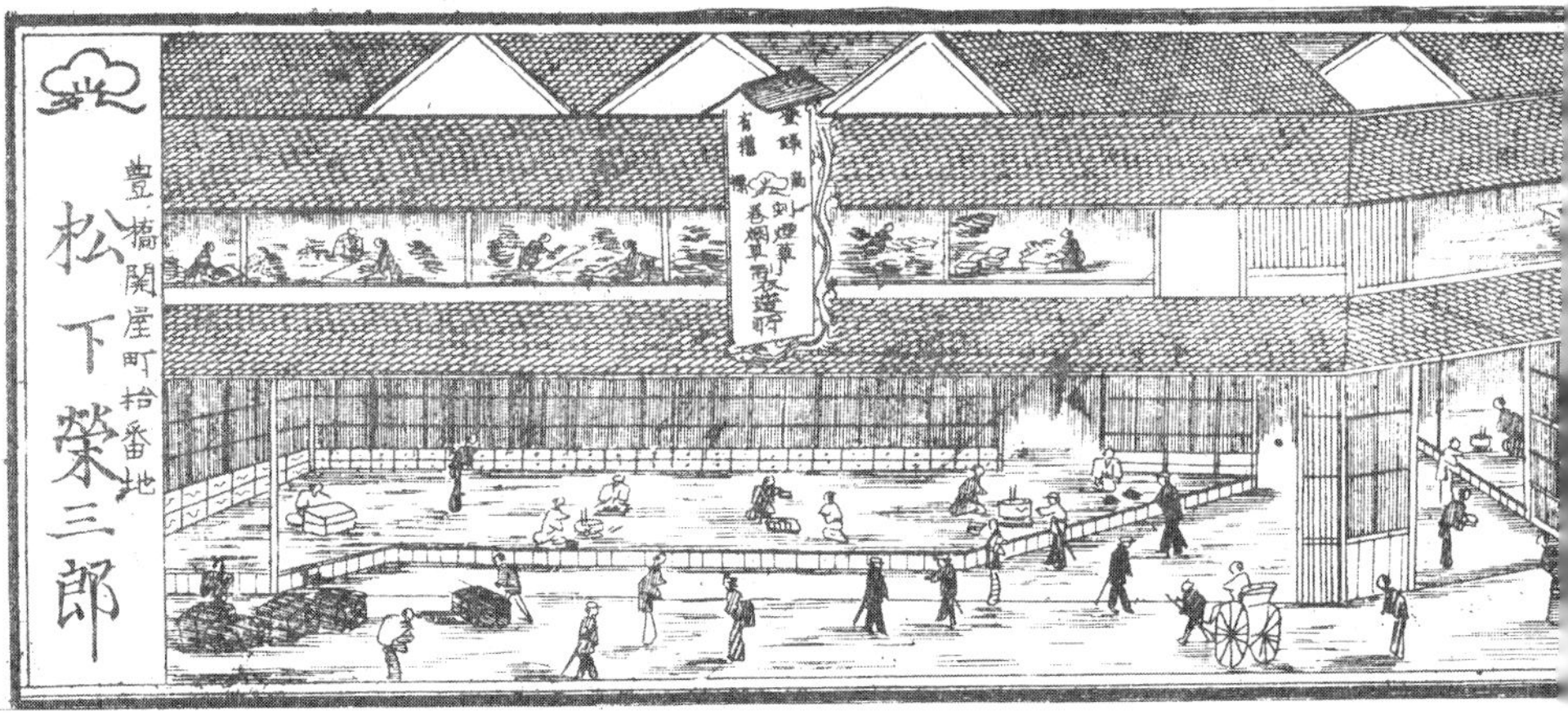

の孫、原田万久である。万久の工場は、専売に移る前年には約450人の従業員を抱え、刻煙草の製造高は全国一であった。1881年には同業組合「製煙社」を結成して製造方法の研究をおこない、社員製造の煙草に印を押すことで品質の向上を目指した。また、「国竹」「赤粉」などの銘柄を決め、等級を設けて定価販売をおこなった。

『参陽商工便覧』で紹介されている松下栄三郎も製煙社に参加したひとり。キセルに詰めて吸う刻煙草のほか、歩兵第十八聯隊（豊橋）、歩兵第三十四聯隊（静岡）へ「御用品」として紙巻煙草を納めていた。また1902年の新聞広告によれば、台湾にも煙草を供給していたようだ。（増山真一郎）

煙草包装紙「金桜」
（豊橋市美術博物館蔵）

料理商　百花園玉楼　伊藤倍蔵

【豊橋関屋町】

【絵解き】

江戸時代からの伝統がある花火で有名な豊橋祇園祭。最近では筒状の噴出花火を脇に抱えて揚げる勇壮な手筒花火が人気である。祭礼がおこなわれる吉田神社周辺が関屋町。吉田城三の丸の西端にあたり、大きく蛇行して流れる豊川に臨む社務所北側からの景観は美しい。

この豊橋市街随一の景勝の地といってもいい吉田神社の東（現在は国道一号線となっている）にあった料理屋の様子が描かれている。夕刻であろうか、徒歩で、あるいは人力車で、玄関へと向かう人々には酒宴が待っているのだろう。

【今昔をたずねて】

関屋はもともと武家屋敷地であった。１８７４年に関屋の地主中西健蔵らが豊川の岸に荷上場新設を計画した。江戸時代以来の荷上場に近い船町・湊町では権益を守るための反対運動が起こったが、関屋では事業を強行。河岸ができたことで数軒の問屋が開業し、やがて銀行や製糸工場、米穀取引所などができて新しい商店街を形成していく。

関屋の河岸には中西が造った花畑があった。１８７７年に関屋に転居してきた渡辺崋山の次男で画家の渡辺小華が、その花畑を「百花園」と名づけ、そこに至る細道も自然と同様に呼ぶようになったという。小華のほかにも、その道に面して佐野蓬宇（俳人）・石川米庵（茶人）・井村常山（画家・書家）・村雨案山子（自由党員）らの文化人が居を構え、のちに人々はこのあたりを「極楽町」とも呼ぶようになったらしい。

百花園という名が知られるようになると、豊橋札木町の貸座敷玉屋伊藤門蔵家の隠居倍蔵が料理屋を構えた。それがこの玉楼である。主人は茶人でもあり、渋い好みの料理屋で、客も風流人が多く、愛知県令（現在の知事）の視察の時には休憩所として使われたという。

百花園（個人蔵）

豊橋ホテル　絵葉書（豊橋市美術博物館蔵）

国会開設をひかえて自由民権運動が盛んであったころ、札木の寄席で豊橋で最初の政談演説会が開かれた。県内や地元豊橋の民権派による三夜連続の演説会終了後、百花園玉楼では懇親会が開催され、数十人が参加した。

その後、1910年には百花園跡に、当時豊橋財界の実力者であった遠藤安太郎によって豊橋ホテルが新築される。これは公会堂と料亭を兼ねたもので、百畳敷きの大広間は300人の宴会を開くことができ、講演会を開く時には付属の舞踏場が演壇となった。

現在跡地は国道一号線となって見る影もないが、吉田神社の一角に「百花園跡」の碑がひっそりとたたずんでいる。（増山真一郎）

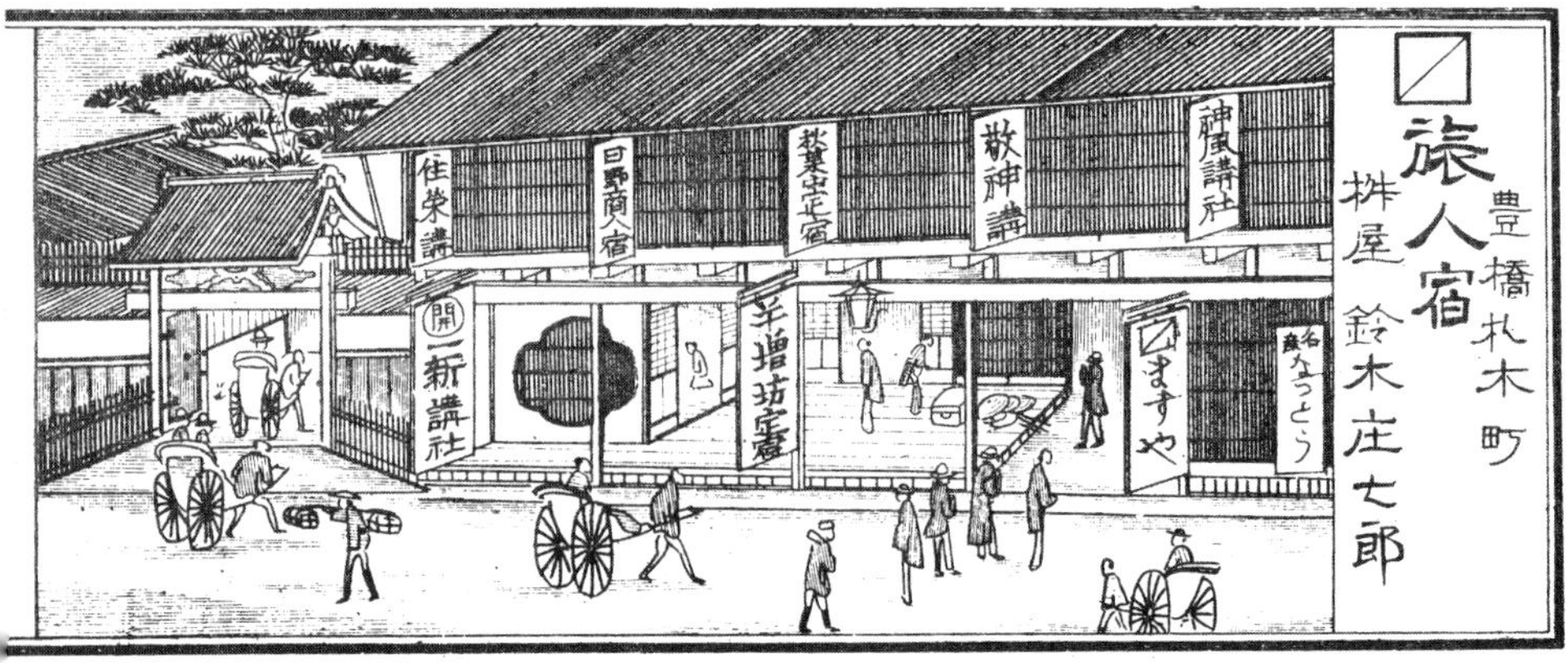

旅人宿 桝屋 鈴木庄七郎

【豊橋札木町】

【絵解き】

「一新講社」など多くの講の看板を掲げる旅館の図である。江戸時代には寺社参詣を理由とした庶民の旅がさかんになる。なかには強引な客引きをするような旅籠もあって、旅人との間でいさかいとなることもあった。そのため優良な旅館が協定を結んで、旅の安全を確保するための旅館組合である講を組織した。一新講社は、明治のはじめに東海道興津宿の脇本陣水口屋が組織したものである。

屋号や講の名を書いた看板とともに「名産なっとう」の文字もみえる。浜松や豊橋で作られている「浜納豆」であろうか。京都の寺納豆と同じようなもので、大豆に麹・塩・香辛料を混ぜて発酵させる。日持ちがするので、旅人の土産として販売していたのだろう。江戸時代後期の吉田藩士柴田善伸は、江戸の知人への贈物として納豆を送っている。

街道に面した板の間には徒歩で訪れたであろう旅人の笠や杖などが置かれる一方、人力車で乗り付ける人々も描かれている。

【今昔をたずねて】

桝屋のあった札木町は、江戸時代の東海道吉田宿の中心部。高札場があったことが町名の由来という。旅人や荷物を継ぎおくる問屋場があったほか、本陣が二軒、桝屋鈴木家が経営する脇本陣が一軒あり、数多くの旅籠が集中していた。

脇本陣は、幕府の役人や大名・公家などが宿泊する本陣を補助するもので、複数の大名が同じ宿場を利用する場合に使われるが、利用のないときには旅籠として一般の旅人を宿泊させていた。本陣は平屋建てが原則であるが、脇本陣は桝屋のように二階建てのところもあった。本陣と同じく表門や玄関を備えることが許可されていて、一般の旅籠屋よりも格式が高く、飯盛女を置くこともなかった。

明治時代になり、宿駅制度が廃止され、参勤交代の大名たちが往来することもなくなって、本陣・脇本陣はその役割を終える。旧吉田宿にあった二軒の本陣、清須屋と江戸屋のように廃業するところは多かったが、脇本陣桝屋はその建物を利用して一般利用の旅館として営業を続けた。少なくとも1894年までに、経営は鈴木氏から佐藤氏に変わっている。その頃から大正はじめの絵葉書からも、表門を備えた施設であることがわかる。

また、床の間を備えて他の部屋より一段高く、大名などが宿泊するための上段の間を写した絵葉書も残っている。明治時代の初期、皇后や明治天皇の嫡母英照皇太后もここ桝屋に宿泊した。（増山真一郎）

ますや旅館全景　絵葉書（豊橋市美術博物館蔵）

ますや旅館上段之間　絵葉書（豊橋市美術博物館蔵）

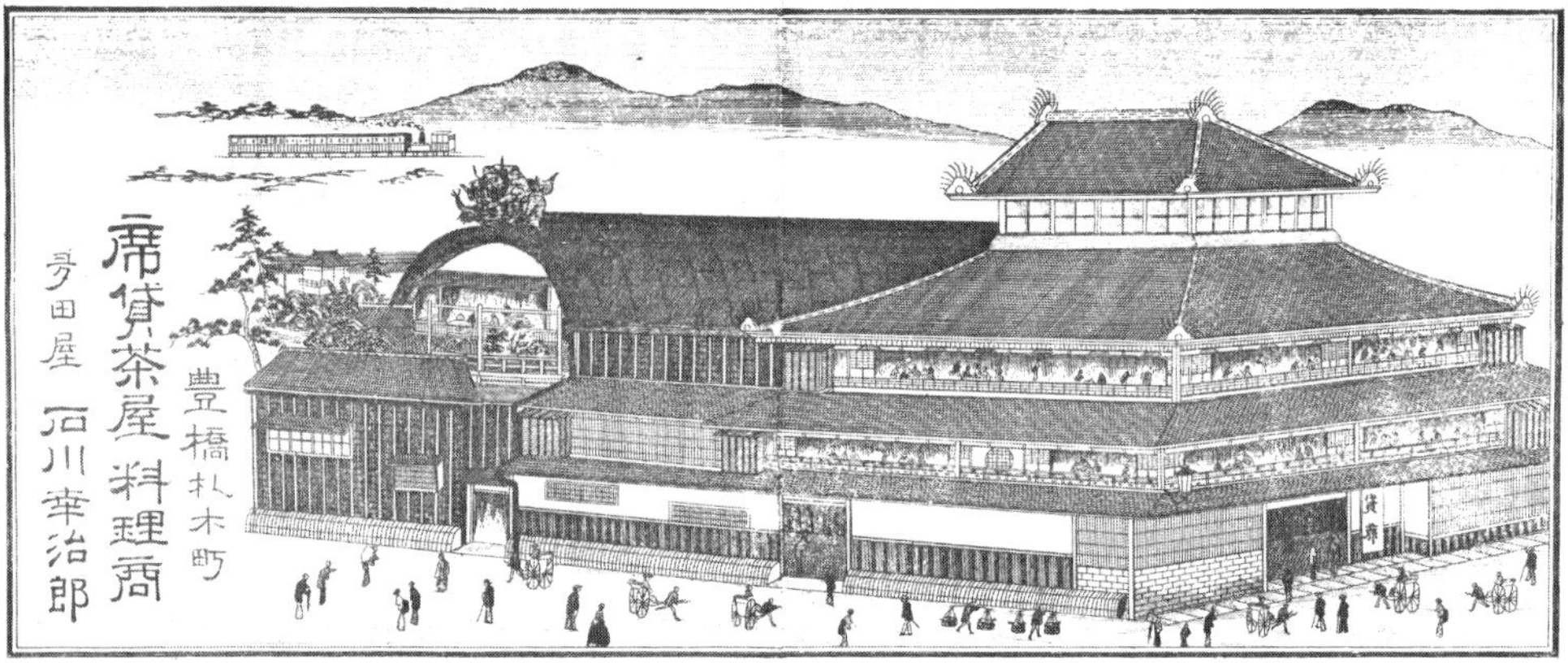

席貸茶屋料理商　多田屋　石川幸治郎

【豊橋札木町】

【絵解き】

札木町の旧脇本陣桝屋旅館から東へ5軒目、旧東海道と油瀬古といわれた脇道が交わる角地に多田屋があった。東海道に面し「貸席」と看板のある正面の建物は4階建ての威容を呈している。貸席、あるいは席貸とは貸座敷のことで、宴会や食事のために部屋を貸して賃料をとった。当時目立った存在であったことは、札木通りを撮影した絵葉書からもうかがうことができる（下図）。旅籠魚屋があったところが電信局となり、その跡地に上伝馬町の石川氏が新築開業したものという。

『参陽商工便覧』が刊行されるのと同じ年、1888年9月に東海道線の浜松・大府間が開通し、旧吉田城下町の西、渥美郡花田村に豊橋停車場が開業した。本図では遠景に汽車が走る姿を取り入れている。

豊橋札木町通り　絵葉書（豊橋市美術博物館蔵）

【今昔をたずねて】

江戸時代、宿場町の旅籠には飯盛女がいるところもあった。宿で給仕をする女性たちが遊女行為を強要されるようになったもので、幕府は宿場助成のために宿1軒につき2人の飯盛女を置くことを許可したが、飯盛女のいない宿屋に金銭を払って枠を買い取り、規程以上の人数を置く旅籠もあった。飯盛女を抱える旅籠は宿場に冥加金を上納したため、宿財政の助けとなったのである。また、客は旅人だけでなく、近在の住人も多かった。

吉田宿の飯盛女について詳細を伝える資料は残っていないが、「吉田通れば二階からまねく、しかも鹿の子の振袖が」（『山家鳥虫歌』1772年）など、狂歌や俳句、浮世絵の題材となっている（左図）。また、「吉田の飯盛、夏は越後ちぢみにおなじ縞の前垂をかけ、手に団扇を持ちて夜行す。吉田・岡崎とも妓はことごとく伊勢訛なり」（『羇旅漫録』1802年）の記述は彼女たちの様子を伝えるものである。

東海道五十三対　吉田
三代歌川豊国（豊橋市美術博物館蔵）

1872年に明治政府は芸娼妓解放令を出して人身売買を禁止するが、翌年には娼妓を許可し、愛知県は名古屋に続いて、豊橋の札木・上伝馬を遊廓の地に公認、芸妓（歌舞音曲をおこなう芸人）と娼妓（遊女）の違いを規定した。多田屋もこの頃営業をはじめた一軒である。1890年代前半には、40軒ほどの置屋や貸座敷があり、芸妓70人・娼妓160人ほどがいた。多田屋にも4人の芸妓が在籍し、宴席を盛り上げた。

多田屋では旧東海道に面した4階建てに加えて、油瀬古側に5階建ての建物を新築しようとした。1891年のことである。その時台風による暴風雨によって建築中の建物がすべて倒れるという事故が起こった。油瀬古をはさんで向かいにあった団子屋2軒・豆腐屋・米屋・うなぎ屋の5軒が潰され、4人が犠牲になった。危ぶまれた4階建ての建物は倒れることなく、太平洋戦争末期の豊橋空襲で焼失するまでその姿を保った。

明治時代の終わりには豊橋南郊外の高師村に陸軍の一師団が設置されることとなったため、1910年に東郊外の東田（あずまだ）が認可地となって、遊郭は拡張移転した。指定地から外される札木・上伝馬の業者からは反対運動も起こった。東田遊郭に移転するものもあったが、多田屋は町内に留まり料理屋として営業を続けた。

（増山真一郎）

萬國書籍類　豊川堂　高須廣治

【豊橋呉服町】

【絵解き】

旧吉田宿の東海道筋、呉服町の書籍商店頭で、看板に「豊川堂（ほうせんどう）書籍店」とある。主に書籍の出版販売を手がけ、向かって左部の店舗の棚には数多くの本を平積みにする様子が見られる。和本は積んで保管するのが基本である。

看板には和綴じ本と共に印顆や硯・筆の絵も描かれている。「印判版木彫刻所」とあるように、木彫という点で技術的に共通点があることから印も作ったのだろう。出版が木版印刷から活版印刷に変わると、判子屋として独立していった職人もあったという。左から三番目の看板に描かれているのは、学校で使われた体操用具である。1878年に体育教員を養成するための体操伝習所ができ、アメリカ人リーランドが亜鈴・球竿・棍棒などを使用した「軽体操」を教えた。体格的に西洋人に劣る日本人に合った体操であったといい、全国に普及していった。このように、書籍ばかりでなく、関連する書斎周りや学校などで使用する品々をあわせて商っていた。

また、向かって右の別棟に陳列されているのは、ランプや洋傘・帽子などの「西洋小間物類」であろう。

【今昔をたずねて】

豊川堂は今も営業を続ける豊橋の老舗書店である。江戸時代の豊橋（吉田）には目立った活動をする本屋は少なく、吉田藩士の家に名古屋の書籍商が営業にくることもあった。高須家は元々呉服店を営んでいたが、1874年、十代又八の時に書籍商に転業、1879年に隠居して十一代広治が後を継いだ。明治のはじめのことである。

　商売替えをしたのは、学制が発布された2年後のこと。江戸時代に子供たちが学んだ寺子屋の手習い（習字）は、「いろは」からはじめて、近隣の地名や村内の人々や筆子仲間の名前、東海道の宿場や「三河国」など国の名前を覚えてから、男の子は「商売往来」、女の子は文学的な「都往来」などの往来物へと進んだ。寺子屋師匠が数枚ずつ書き与えたものを手本にして、筆子たちは何度も書き写して覚えていった。読み書きを個別に教えていたものが、学制発布以降は、村々に小学校が設置され、欧米を手本にした一斉教育がおこなわれるようになった。

　小学校設立当初は、『日本外史』や『西洋事情』など市販されていた本や、江戸時代以来の往来物が教科書として使われていた。その後、文部省や師範学校で編集した教科書を各地で出版させることによってその普及がはかられ、この地方では名古屋を中心に教科書が出版された。一方で愛知県や東三河地方各郡の地誌や、近隣の村名を覚えるための『村名附』など、地域独自の教科書も編集出版された。豊川堂は、教科書のほかにも、左図の『小学教授入門』にみられるような教師用教書や掛図の出版活動をおこない、当地方の学校教育普及に貢献した。

（増山真一郎）

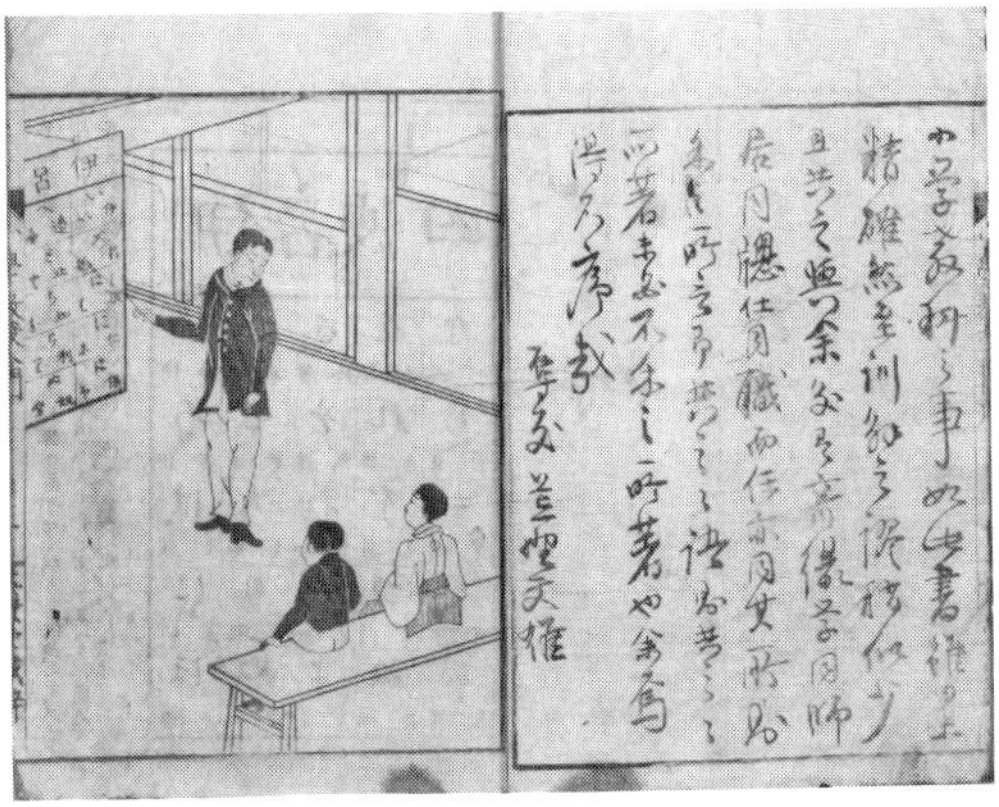

小学教授入門　明治８年（豊川堂蔵）

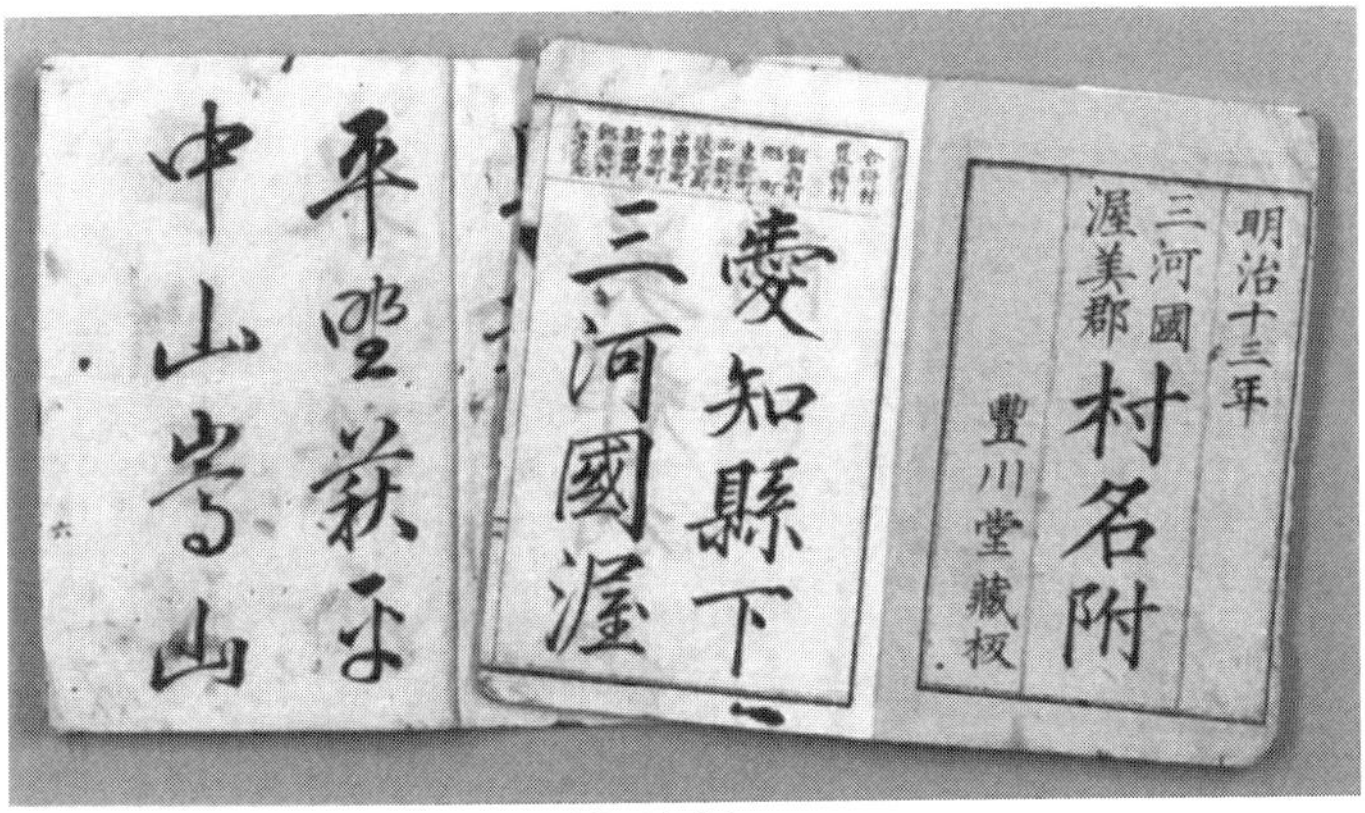

愛知県渥美郡村名附　明治 13 年（豊川堂蔵）

寫真師　織田清

【豊橋西八町】

【絵解き】

写真館の店頭である。表の格子には見本の写真を展示しているのであろう。指をさしながら眺める人もいる。西八町とあるが、確認できる範囲では、店舗は旧吉田城大手門を通る大手通、現在の豊橋市役所前郵便局のあたりにあった。

【今昔をたずねて】

豊橋ではじめて写真術を学んだのは、渡辺小華に師事して画も嗜んだ元吉田藩家老深井清華といわれる。唯一残っている吉田城の写真も彼の撮影とされる。深井家の写真館も同じ大手通に店を構えていた。旧吉田城址の兵舎にいた軍人たちや、札木などの芸娼妓たちの需要に応えるのには都合のいい立地であったのかもしれない。

二枚の写真は、「織田清 Sei Ota」と印刷された台紙に貼られたものである。同じ背景を使っているので、織田のスタジオで撮影されたものだろう。彼は政治にも関わり、最初の豊橋市議のひとりになっている。

（増山真一郎）

女性二人
（豊橋市美術博物館蔵）

若い軍人二人
（豊橋市美術博物館蔵）

【豊橋魚町】

紙卸賣商　杉本屋　斎藤彌八

【絵解き】

「大福帳」「諸国蚕原紙売捌所」「金銀箔」と看板を掲げる紙商の店頭である。ほかにも筆・墨・硯といった文房具や蝋燭なども取り扱っていたようだ。「蚕原紙」は、蚕卵台紙と呼ばれる蚕に卵を産み付けさせる和紙であろう。奥に蔵が三棟描かれているが、店舗ともども太平洋戦争末期の空襲によって焼失した。

【今昔をたずねて】

魚町はその名のとおり江戸時代から魚市で栄え、明治になっても豊橋の商業における中心地のひとつであった。

魚町の通り北側に杉本屋が店を構えたのは、幕末とも明治初めともいわれる。時代は下るが、1922年には豊橋の紙商10人中トップの営業税を納め、印刷部を設けて活版印刷もおこなっていた。

余談であるが、1878年北陸東海巡幸の時、八町学校の生徒であった杉本屋の娘かやは、明治天皇の宿泊所となった悟真寺で本を読んだという。（増山真一郎）

豊橋市街地図　昭和初期　杉本屋紙店発行
（豊橋市美術博物館蔵）

農道具 萬鉄物 鎌製造所 彦坂佐平

【豊橋鍛冶町】

【絵解き】

鍛冶町は旧吉田宿内東側、東海道沿いの町で、その名のとおり鍛冶屋が多く、行き来する旅人の耳にも鉄を打つ音が響いていた。農具を作る野鍛冶で、鎌が有名であった。『参河国名所図絵』に「吉田鎌、当駅鍛冶町にて之を鍛ふ。当所の鎌は薄口を以て巧手とす」とあり、名品であるとする。彦坂佐平の店頭でも鎌を描いた大きな看板を掲げているが、吉田鎌の実物が確認できていない現状では、その形態を伝える資料として貴重である。店内には鎌や包丁がディスプレイされている。

上半分は多くの人々が働く作業場の様子。徒弟制度が残っていた時代で、弟子たちは年期奉公で働き、仕事を覚えて独立した。1885年に鍛冶屋仲間で決められた「鍛冶職弟子奉公人取締規則」によると、年期は基本的に9年で、最初の1年は小づかいもなく、3年は着物も寒暑を凌ぐだけの質素なものとする、あるいは病気になったら親元で療養するなど細かい取り決めがあった。

【今昔をたずねて】

鍛冶町の職人の先祖は、牧野古白が今橋（吉田）城を築くときに城下に移住させた牛久保村（豊川市）の鍛冶職人たちといわれる。江戸時代中期の1750年には、町内の戸数62軒に対し、45人が鍛冶屋を営んでいた。彼らは株仲間を組織して利便を図るとともに同職の増加を制限した。鍛冶屋の仕事は新しい道具を作るだけでなく、すり減ってしまった刃先を付け直す「才掛け」も重要な要素である。牟呂村など近隣の村々へ出向いて農具の修理をしていた他町の鍛冶屋と争論になることもあった。1960年代の半ばには一軒もなくなってしまったが、明治時代には数多くの鍛冶屋があり、1887年に鍛冶仲間で結ばれた「規約」には27人がサインしている。これ以前の鍛冶町では、遠方に出向いて修理などの仕事をする出鍛冶は認められていなかった。近在の農家の人たちは、持ち込んだ鍬の修理が終わるまで鍛冶屋に寝泊まりし、その間に芝居小屋や遊廓で遊ぶのを楽しみにしていたという。

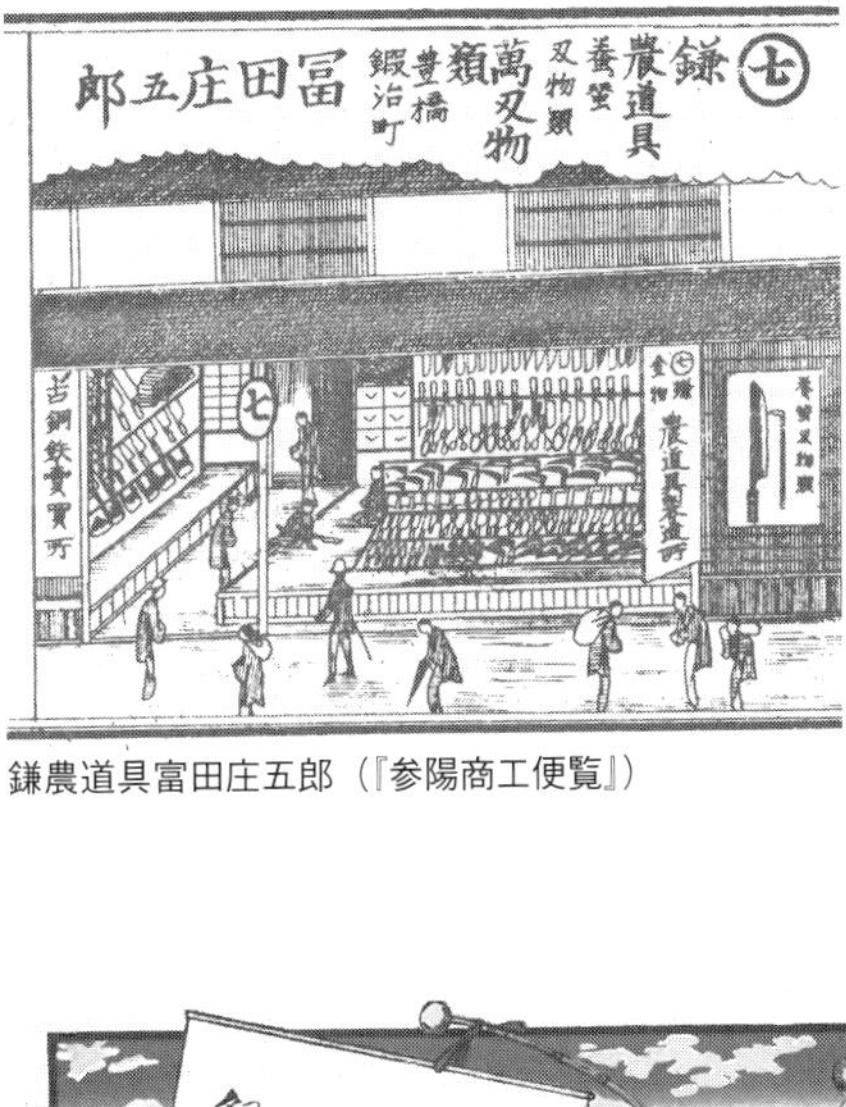

鎌農道具富田庄五郎（『参陽商工便覧』）

『参陽商工便覧』に掲載される鍛冶町の3軒は、すべて鍛冶屋である。富田庄五郎の店頭の看板には「養蚕刃物類」として桑切包丁や桑切鎌の絵が描かれている。農家の副業として当地方でもさかんになってゆく養蚕関連の刃物類にも力をいれていたようだ。（増山真一郎）

引札「豊橋鍛冶町彦坂豊次」（豊橋市美術博物館蔵）

書林　伊藤小文司

【岡崎連尺町】

【絵解き】

「書林　伊藤小文司」とあり、岡崎連尺町にあった書店を描く。同店はのちに「ほんぶん」と呼ばれた本屋である。江戸時代の1856年（安政3）に名古屋で出版された『大日本開闢由来記』に、「連尺町　本屋　伊藤文吉」の名が見られる。伊藤文吉は碧海郡上和田村（現岡崎市）の生まれで、江戸に出て奉公し、貸本業を覚えて帰郷し、はじめ伝馬町、のち連尺町に本屋を開業した。1867年（慶応3）に名古屋の佐藤晧月堂から養子を迎えたが、これが二代目伊藤小文司である。小文司は「環翠堂」を屋号として出版業にも力を入れた。図の軒先に掲げられた「環翠玉篇大成」は内田不賢が編輯し本店の伊藤小文司が1883年に出版した辞書である。同書は紙数473丁の大冊辞書で好評を博し版を重ね、全国132の書店がこれをとり扱った。このほか、修身・地理などの教科書や参考書・習字帖・詩歌狂俳集・真宗関係宗教書・図案集・画譜・地図など、多岐にわたる出版を手掛けた。環翠堂の出版物はほとんどが木版印刷であり、明治後半期の活版印刷の発展、教科書の国定制度などの状況のもとで出版業から遠ざかり、新刊書小売業専門に向かったとされる。

【今昔を訪ねて】

図の店舗は連尺町の西寄りの北側に位置していたが、戦後の区画整理が進むなかで南北の本町通りに移転。さらに岡崎市六名に移転したが現在は店舗を閉じている。（堀江登志実）

挍油商 近藤東右エ門

【額田郡米河内村】

【絵解き】

「額田郡米河内村近藤東右エ門、挍油商水車場」とあり、岡崎市米河内町の油商近藤家を描く。家の前を流れる川は青木川である。この川の水流を利用する水車で綿実を挽く絞油をおこない、油を売っていた。絵には水車は描かれていない。油は燈明などに使われたものである。青木川水系の東阿知和村では近世後期から水車による絞油業がおこなわれている。近藤家の絞油業もこの伝統を引き継ぐものであろう。

近藤東右衛門は、1879年5月第一回愛知県会議員に当選して以降、当選回数7回、通算16年11カ月にわたり愛知県会議員を務めた。1920年4月に死去し、翌年に村内（八幡宮境内）に志賀重昂篆額、愛知県立第七中学校教諭古橋三男撰並書の「近藤翁の碑」が建立された。同碑には、愛知県会議員のほか、森林会議員、その他郡村公吏を前後40年勤めたこと、米河内村から岡崎市街に通ずる大沼街道の開発、植林事業などの業績が刻まれている。

【今昔を訪ねて】

絵に描かれた昔ながらの家が残されている。ただ、川に沿うのでなく15mほど南へ家が曳かれている。移転は1997年という。邸内には近藤東右衛門から四代目で、愛知教育大学で教鞭をとりながら、工芸作家としても活躍された鎰郎氏の作品が随所に置かれている。

（堀江登志実）

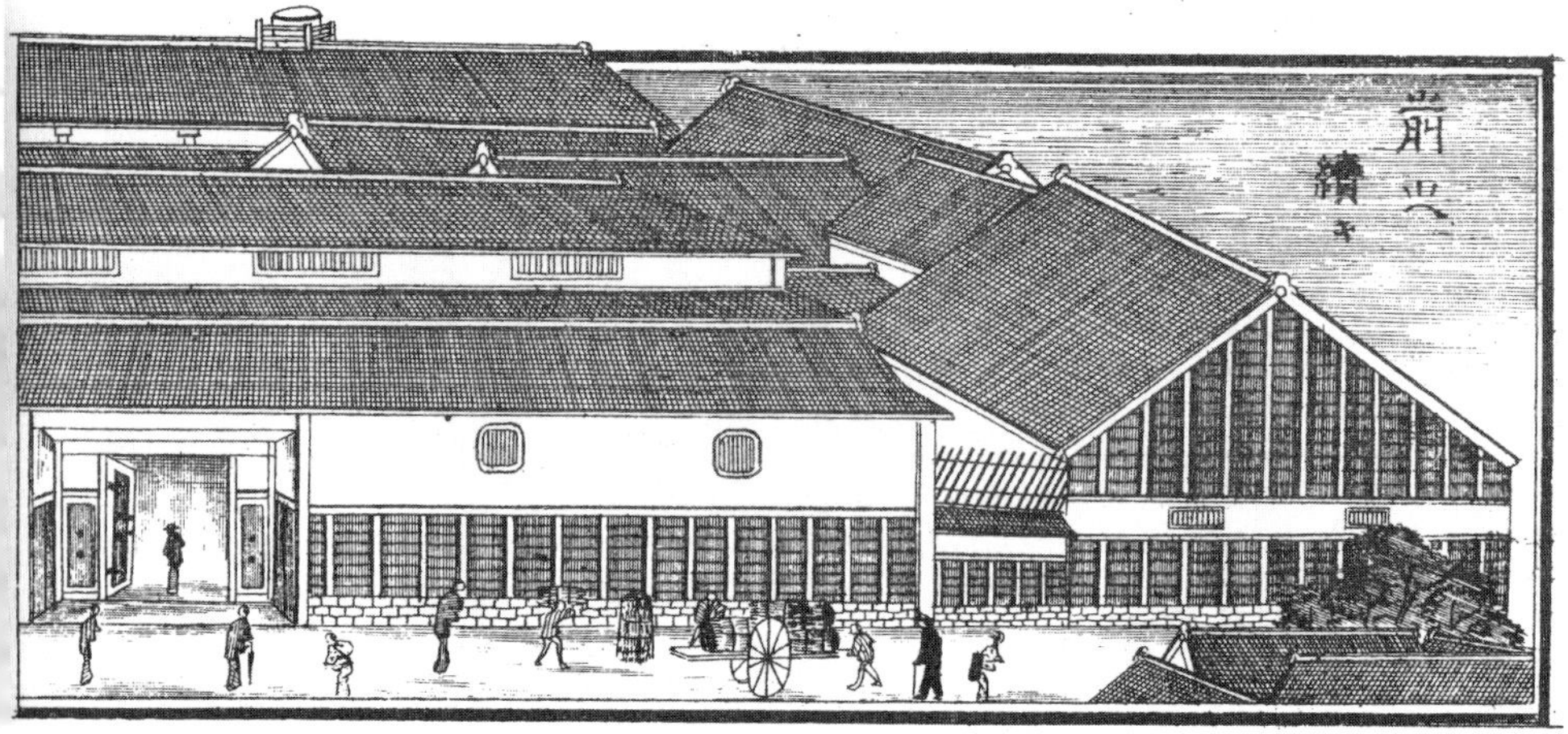

鍋釜製造所　木邨善助

【岡崎十王町】

【絵解き】

「木邨（村）善助家宅之図」とあり、鋳物師木村家の屋敷を描く。屋根上には鋳物業として火を使用する関係から雨水を貯めておく天水桶が見られる。本図の前ページには「岡崎十王町百九番地　鋳物師　大保堂　木村善助」とあり、鋳物師としての由緒が書き留められる。木村家に伝わる史料によると、同家の祖は近江国辻村の冶工といい、近江から三河の矢作勝蓮寺西の金屋小路に移住したのが1665年（寛文5）で、ついで1689年（元禄2）に祐金町の鋳物師安藤家の屋敷に引っ越して商売を始めたという。十王町に屋敷を構えるのはこの後であろう。幕末期の木村家十一代当主は近江国辻村の木村家から養子で入った人物で、善平、逸作、九平治、宗全と称し、岡崎藩の御用達を勤め勘定奉行格までなったという。岡崎藩・田原藩・明石藩・鳥取藩・尾張藩寺部陣屋の大砲を鋳造している。このあとを継いだのが十二代善輔（助）である。同氏の功績として伝えられるのが1881年、渭信寺（岡崎市上衣文町）の大鐘鋳造である。目方およそ7000斤、約4200kgもある大鐘で、同寺に現存する。山腹の斜面を利用して梵鐘を鋳造する図が木村家に残されている。

岡崎の鋳物師では安藤氏が知られるが、安藤氏の活動が梵鐘を中心としたのに対し、木村家は鍋釜鋳造など日常生活品を製造した。八丁味噌醸造の早川家には大豆を蒸すのに使用した木村善助製造の大釜が残され

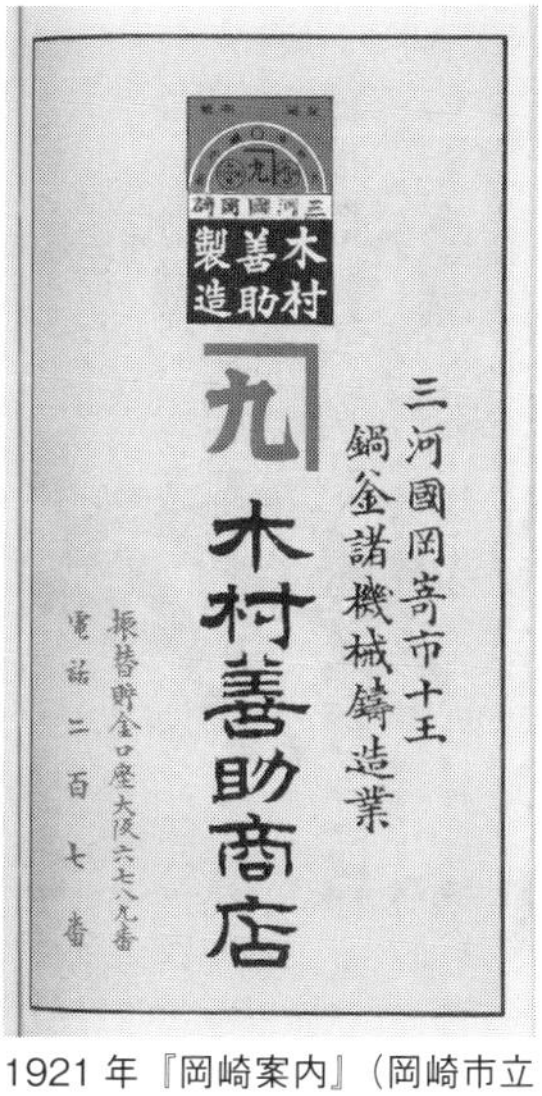
木村善助製造
九
三河國岡崎市十王
鍋釜諸機械鑄造業
木村善助商店
振替貯金口座大阪六七八九番
電話二百七番

1921年『岡崎案内』（岡崎市立中央図書館蔵）の広告

カクキュウ八丁味噌史料館に展示された木村善助製造の大釜

ており、「三州九」の銘がある。1877年の内国勧業博覧会への木村善助の出品作も「鍋釜等」である。1921年発行の『岡崎案内』の広告に「三河国岡崎市十王、鍋釜諸機械鋳造業　木村善助商店」とある。

【今昔を訪ねて】

木村家の鋳物業は明治・大正期にも繁昌したが、昭和初期の大恐慌のあおりなどを受けて、1930年に廃業したという。昭和初期の岡崎市街地図に「木村鋳造株式会社」が記される。その位置は、現在の岡崎市役所のあたりである。なお、木村家の後裔に遺伝学者の木村資生（もとお）、化学者の木村克美の両氏がおり、資生氏については岡崎市役所近くの旧額田郡公会堂の前に銅像が立てられている。

（堀江登志実）

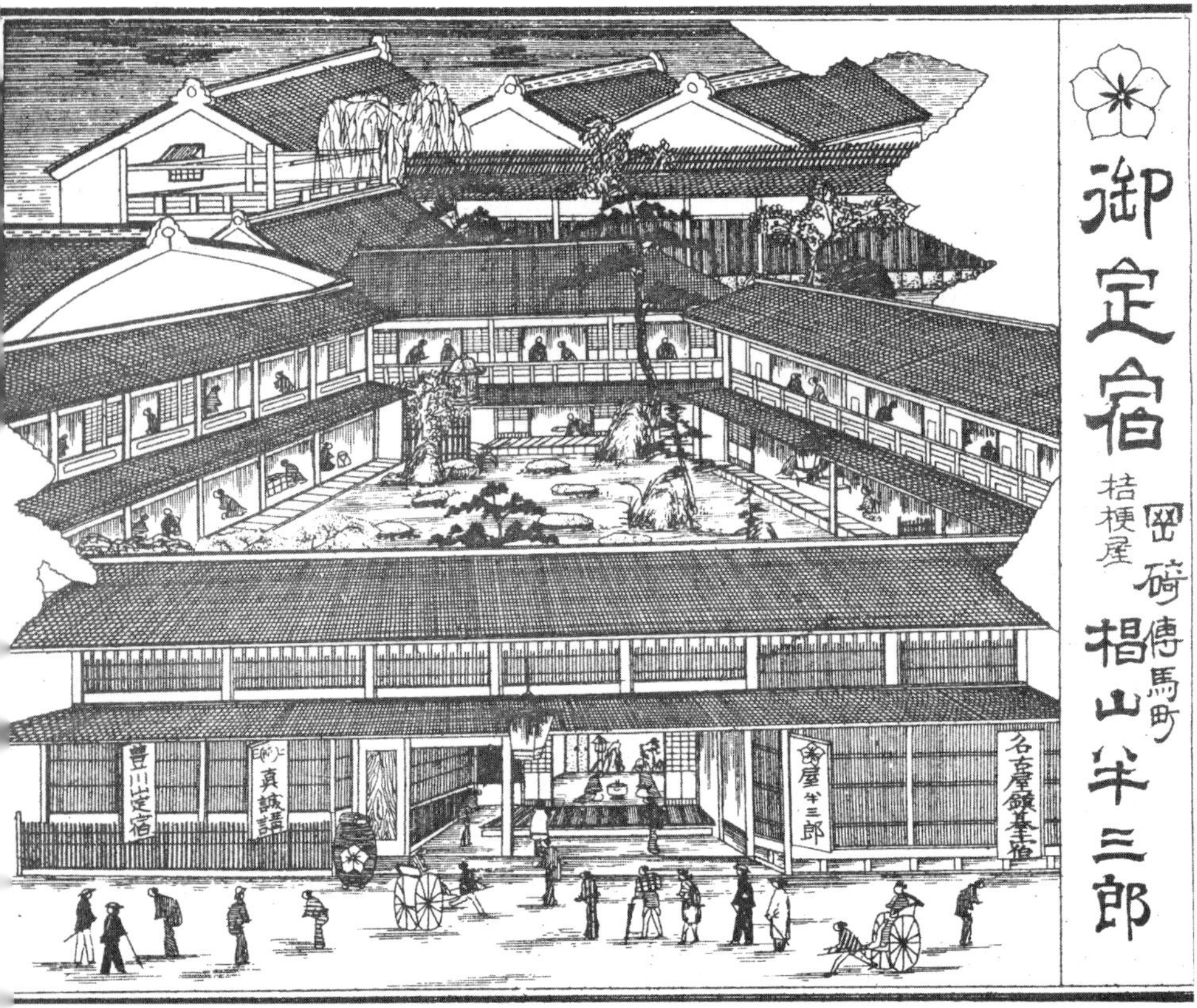

御定宿 桔梗屋 椙山半三郎

【岡崎傳馬町】

【絵解き】

岡崎伝馬町にあった旅館の桔梗屋椙山半三郎を描く。伝馬町の表通りから奥へ二階建ての建物が廻廊のように展開し、中庭が設けられている。入口には屋号の桔梗の花を描いた看板が掲げられる。この看板は現存している。同家は江戸時代には岡崎宿の旅籠屋であった。その先祖は元文年間（1736〜41）に加茂郡西広瀬村から岡崎伝馬町に出て旅籠屋商売を始めたとされる。1828年（文政11）には脇本陣を命じられている。脇本陣は大名ほか庶民の旅宿にも対応する旅宿である。1843年（天保14）当時、間口7間、奥行17間、総坪119坪、建坪85坪とある（『歴史の道調査報告書』東海道）。

店先の通りには往来する人の姿や

人力車が見えるが、この通りが旧東海道である。東海道は東西交通の幹線道路であり、岡崎においては、1933年に完成した現在の国道一号線ができるまで、交通の大動脈であった。旧東海道岡崎宿の町のなかでも宿泊機能を担っていたのが椙山家の位置した伝馬町である。1861年（文久元）の伝馬町家並図によると（『新編岡崎市史』7）、伝馬町には大名などの宿泊を担う本陣が3軒、脇本陣が3軒あり、脇本陣以下は大宿22軒、中宿33軒、一人宿24軒に分けられ、合計で79軒の旅宿がみられる。脇本陣桔梗屋半三郎も大宿として記される。

図では、軒先に「名古屋鎮臺宿」、「○○真誠講」、「豊川山定宿」の看板が掲げられている。真誠講は内国通運会社が1874年に優良な旅館を組織したもので、旅人が安全に宿泊できるように協定した講組織である。加盟旅館の軒先にはこの看板が掲げられていた。「豊川山定宿」というのは、豊川稲荷参詣を目的とする講の定宿を示すものであろう。杉山家の1844年（天保15）の「御客定宿扣帳」には神社・仏閣・霊地に参拝する講元が記され、桔梗屋を定宿とする講を知ることができるが、そのなかで最も多いのが豊川稲荷参拝の講である。明治になってもこの伝統が続いていることがわかる。

【今昔を訪ねて】

本陣は大名や幕府要人を対象とした宿のために、明治になると経済的基盤を失い廃絶するが、脇本陣は庶民も対象としていたために存続するところが多いとされる。椙山半三郎家の旅館がいつまで営業していたかは不明であるが、同じ岡崎宿で脇本陣を勤めた鍵屋定七（小幡家）は戦前まで旅館を営業し、脇本陣以来の建物が残されていたが、戦災により焼失している。文久年間の「伝馬町町並図」（『新編岡崎市史』20）によると、脇本陣桔梗屋半三郎は、本陣服部専左衛門の斜め向かいの同町南側に位置している。子孫にあたる杉山家が同所で薬局を開いていたとされるが、現在その場所は中根仏壇店となっており、仏壇店の南側に杉山家の居宅が位置している。

（堀江登志実）

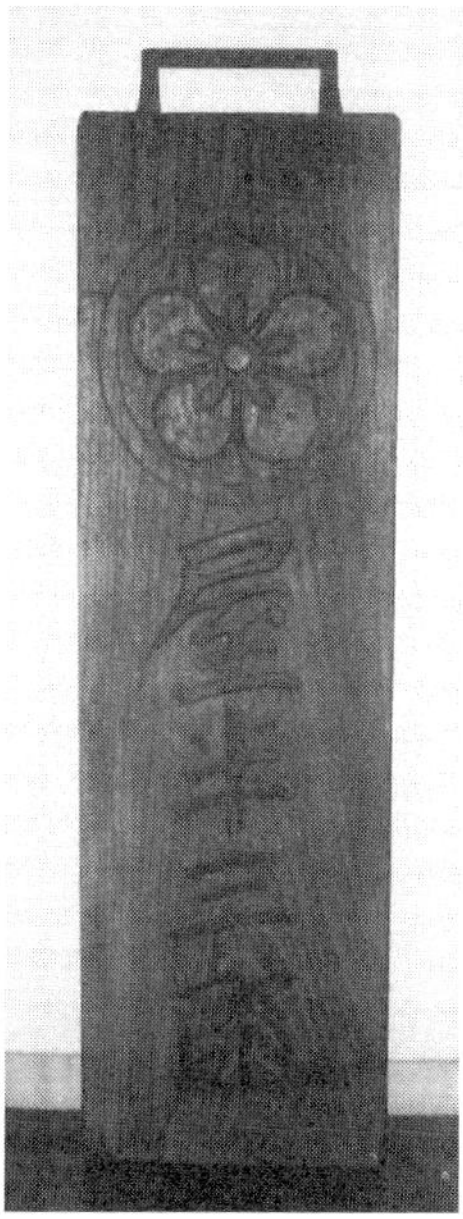

桔梗屋半三郎の看板

石造販売所　嶺田久七

【岡崎裏町】

【絵解き】

「石造販売所　岡崎裏町嶺田久七」とあり、通りの両側に位置する石屋嶺田久七家の店先を描く。裏町は東海道の通りである伝馬町の北裏に位置したことにちなむ名称である。『参河国名所図会』に「伝馬町北裏にあり、石切町と云う、両側ともに石工立ち並びて数十軒あり、その製する所、当所を以て最上とす」とあり、石切町とも呼ばれ、岡崎の石工たちの多くが裏町に住んでいた。

『石都岡崎、石と共に生きる』（岡崎石製品協同組合連合会、1986年）によると岡崎石工業の始まりは、1590年（天正18）に岡崎城主となった田中吉政が石垣築造に必要な石工を河内・和泉（現大阪府）から招いたことによるという。以後、17世紀半ばにかけて岡崎城の石垣整備がされ、その技術が石垣以外の燈籠・墓石・鳥居などにも援用されて石工業が発展した。岡崎近郊に豊富な花崗岩（御影石）を産出したことも発展の要因であった。

岡崎石工の名前が石造物に刻まれるようになるのは元禄期（1688～1704）からである。菅沼・青山・石原の苗字をもつ石工が元禄期から見られるが、嶺田姓の石工銘が登場するのは江戸時代後期である。前掲書によると、嶺田久七の先祖は三州設楽郡杉平村（作手村）より岡崎裏町に出て石工業を始めたとされる。久七の名は岩津天満宮の1850年（嘉永3）年の鳥居や豊川稲荷に立つ1862年（文久2）の鳥居などに見ることができる。

明治になると、岡崎の石工業は政府の勧業政策もあり成長を遂げる。本図には1877年内国勧業博覧会への出品に対する褒状が書き込まれている。1884年には岡崎石匠組合が設立されるが、その初代組合長は嶺田久七であった。当時、石工業者は33軒あったという。1910年刊行の『岡崎案内』には「嶺田久七」店の広告が掲載されている。同書には、住宅と売場が裏町35番地、石製造場が同34番地、燈籠置場が同36番地、砕石置場が同40番地、庭石置場が同33番地とあり、裏町一帯に売場、作業場、石置場、が併存している様子がうかがえる。

1940 年頃の花崗町（『ふるさと想い出写真集　明治・大正・昭和　岡崎』から）

現在の花崗町

【今昔を訪ねて】

嶺田久七が店を構えた裏町は1917年に花崗町(みかげ)と改称された。裏町の石工たちが用いた花崗岩（御影石）による商品が、町内に多くある石屋の店頭を飾っていたことによる。花崗町は市街地であるため、細工作業による騒音と粉塵が問題になり、1967年上佐々木町、1976年稲熊町にそれぞれ「石工団地」が造成されて、石屋が郊外に移転した。現在の花崗町は一部の石屋が店を構えるが、石切町としての往時の景観は失われている。嶺田久七家の後裔で石屋の活動を続けているのは嶺田力石材店のみで、稲熊の石工団地に移り営業を続けている。裏町で培われた嶺田氏らの石工技術は、現在の岡崎の石工業に引き継がれ、その発展を支えている。

（堀江登志実）

稲熊石工団地内の嶺田力石材店

度量衡三器 銃砲 弾薬売捌処 大黒屋 小野權右ェ門

【岡崎傳馬町】

【絵解き】

岡崎伝馬町の商家大黒屋小野権右衛門家を描く。「度量衡三器・銃砲弾薬売捌処、岡崎伝馬町中之切、大黒屋小野権右エ門」とある。店先の看板に「銃砲弾薬免許商」とある。当店の銃砲弾薬の商売は近代に入ってからのものである。

小野家は江戸時代から伝馬町のほぼ中央に店を構え、質・米・薬種商を営んだ商家で、屋号を「大黒屋」と称した。『新編岡崎市史』20によると、江戸初期に岡崎に来住し、元禄年中（1688～1704）に梅園北裏山上にあった石山稲荷社の地を買い求め、荒廃していた稲荷社を復興したという。これからすると元禄期には伝馬町に居住していたことになる。1775年（安永4）には薬種店を開業し、1790年（寛政2）頃からたびたび伝馬町の庄屋を勤めている。同家に伝わる伝馬町の記録を綴った「庄屋役諸事陶」は町の歴史を伝える重要な資料である。江戸後期には苗字帯刀を許され、岡崎藩の御用聞として活動する。1803年（享和3）に刊行された『東海道人物志』岡崎駅の項には、碁の名人として名前があげられており、文化人としても知られていた。1826年（文政9）の伝馬町家順間口書（『岡崎市史』第3巻）には、同町上中切北側に間口5間6歩6厘「小野権右衛門」、文久年間（1861～63）頃と推定される伝馬町絵図には、「薬・質商、大黒屋権右衛門」と明記される。

権右衛門は大黒屋小野家当主の通

称で、本図の小野権右衛門は、豊橋の兼子家の三男で1880年（明治13）に小野家の養子となった人物である。相続により、薬種・鉄砲弾薬商のほか、1886年6月から度量衡の売捌商も営んだ。本図にも店先に「度量衡三器売捌処」の看板が掲げられている。また、愛知県会・岡崎町会の議員をつとめ、1881年、深田三大夫とともに岡崎貯金会社（のちの岡崎銀行）の創設にも参画している。

【今昔を訪ねて】

大黒屋は旧店舗を解体して北側に移転し、現在は鉄筋コンクリートのビルとなっている。旧店舗跡は駐車場などになっているが、そこには旧店舗の位置を示す石碑が建てられている。小野家は「大黒屋」の屋号で現在も産業用火薬や台秤などの計測器を販売している。火薬は、岡崎の石工業における石材採掘の発破や花火の煙火など、地場産業でも利用される。

なお、伝馬町の旧店舗に隣接して、「大黒屋」の屋号で漢方薬・医薬品の営業を続ける店は、小野権右衛門家から暖簾分けした店である。小野権右衛門家が明治に火薬・銃を扱うようになり、従来の営業であった薬種商を番頭に譲った。

大黒屋の屋敷内には、宗徧流茶道の重鎮であった不蔵庵龍渓が設計した、1833年（天保4）建立の茶室「等澍庵」があったが、現在は東公園に移築されている。

（堀江登志実）

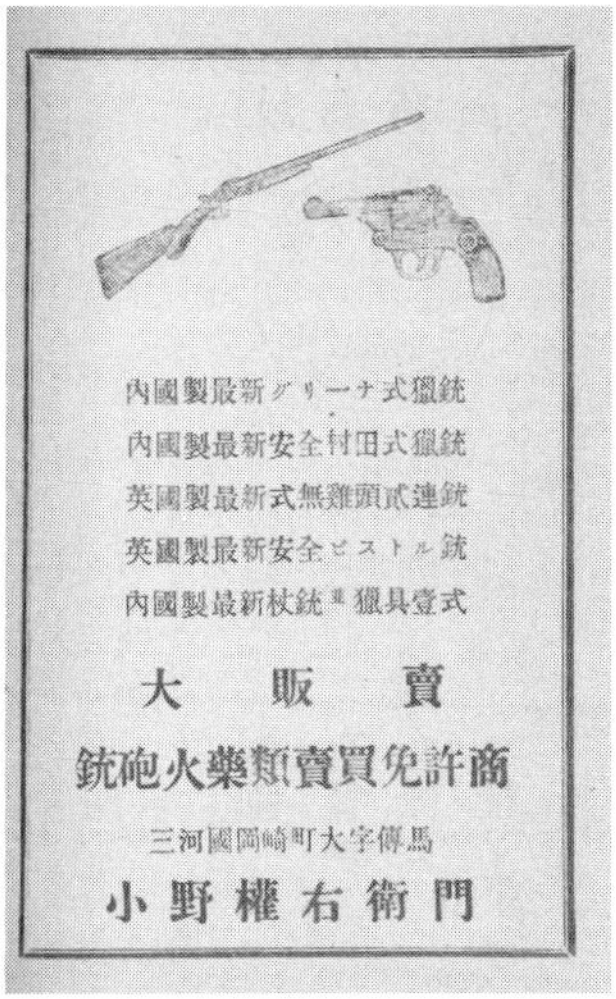

1904年発行『岡崎鑑』（岡崎市立中央図書館蔵）に掲載される小野権右衛門店の広告

大黒屋権右衛門家の旧店舗の場所（駐車場のあたり一帯）

小野権右衛門屋敷跡の碑

薬舗　大山甚八郎

【岡崎連尺町】

【絵解き】

岡崎連尺町の大山薬局の店舗を描く。「内務省免許薬舗　岡崎連尺町大山甚八郎、売薬・請売・西洋酒類・医用諸器械所」とある。

薬舗というのは今の薬局のこと。1889年「薬品営業並薬品取扱規則」（薬律）が成立。薬舗を薬局、薬舗主を薬剤師と改称し、薬剤師制度や薬局制度が制定された。1904年発行の『岡崎鑑』（中尾小源次著）に、本店舗の広告が掲載されているが、これには「屋號吉文字屋　大山薬局」「薬剤師　大山甚八郎」「薬剤師　大山保吉」とある。同店の屋号は吉文字屋で、軒先などにその文字やそれを象ったマークが示される。

店舗は二棟が続いているようで、右側の店舗には「売薬請売」、「洋酒販売所」、「医用器械所」とある。左側の店舗が中心のようで、入口左に「薬種（やくしゅ）」とともに、「薬用阿片売捌所」の表示がある。薬種商は薬を販売する薬屋のことである。また、入口上部の二階の庇には「ビットル散」の看板が掲げられている。ビットル散は、大坂江戸堀の猪飼史郎薬房が、明治から大正に製造・販売していた健胃剤である。

本店は1822年（文政5）の創業である。店の位置する連尺町は旧岡崎城下町の中心であり、東海道の往還に沿った町である。店の表通りが旧東海道の往還通りで、左側の図に見られる通りは東海道から北に入る道である。店はこの南北の交差する道の北東の角に位置した。

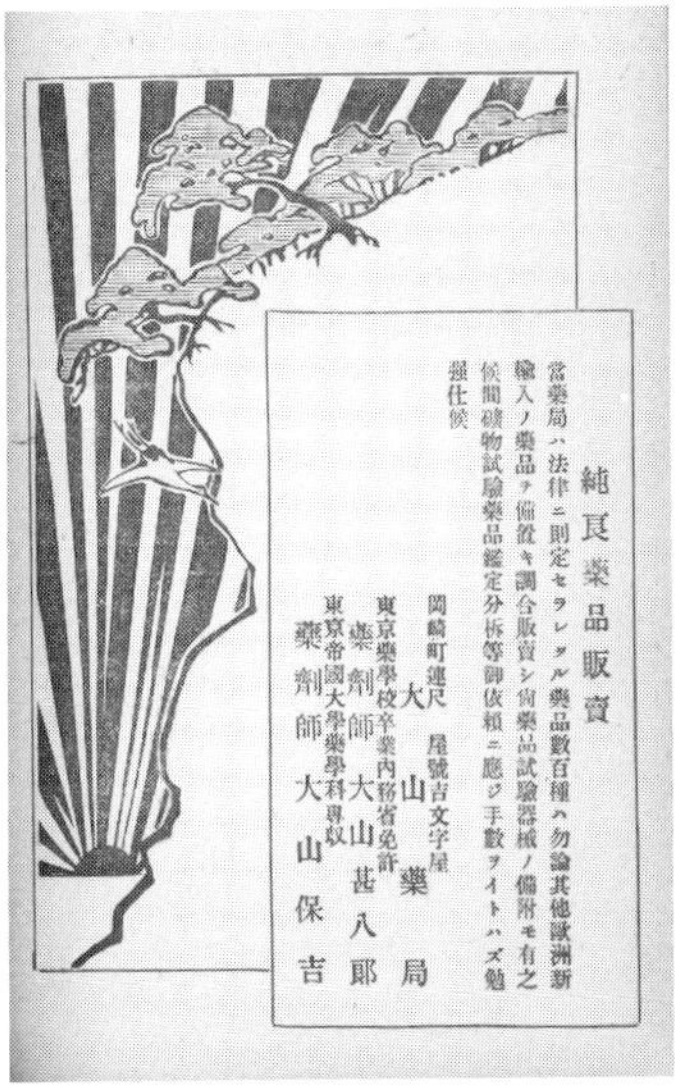

1904年発行『岡崎鑑』（岡崎市立中央図書館蔵）に掲載された大山薬局広告

連尺町は、1801年（享和元）の書上げ（『岡崎市史』第3巻所収）によると、薬種屋が4軒あることが記されている。岡崎藩士と城下町の人々の健康保持に貢献しており、本店もその伝統を引き継いだ店といえよう。

【今昔を訪ねて】

第二次大戦の戦災で連尺町一帯は焼失した。『岡崎市戦災復興誌』によると、戦後、本店舗の前の通りは北側へ、北に入る道も東側へ道幅が拡幅された。ほぼ往時の場所（現在の連尺通2丁目1）に「大山薬局」として営業を続けている。屋号の吉文字の名称も続いている。東西交通の幹線道路であった店舗前の旧東海道は生活道路となっている。

（堀江登志実）

現在の大山薬局

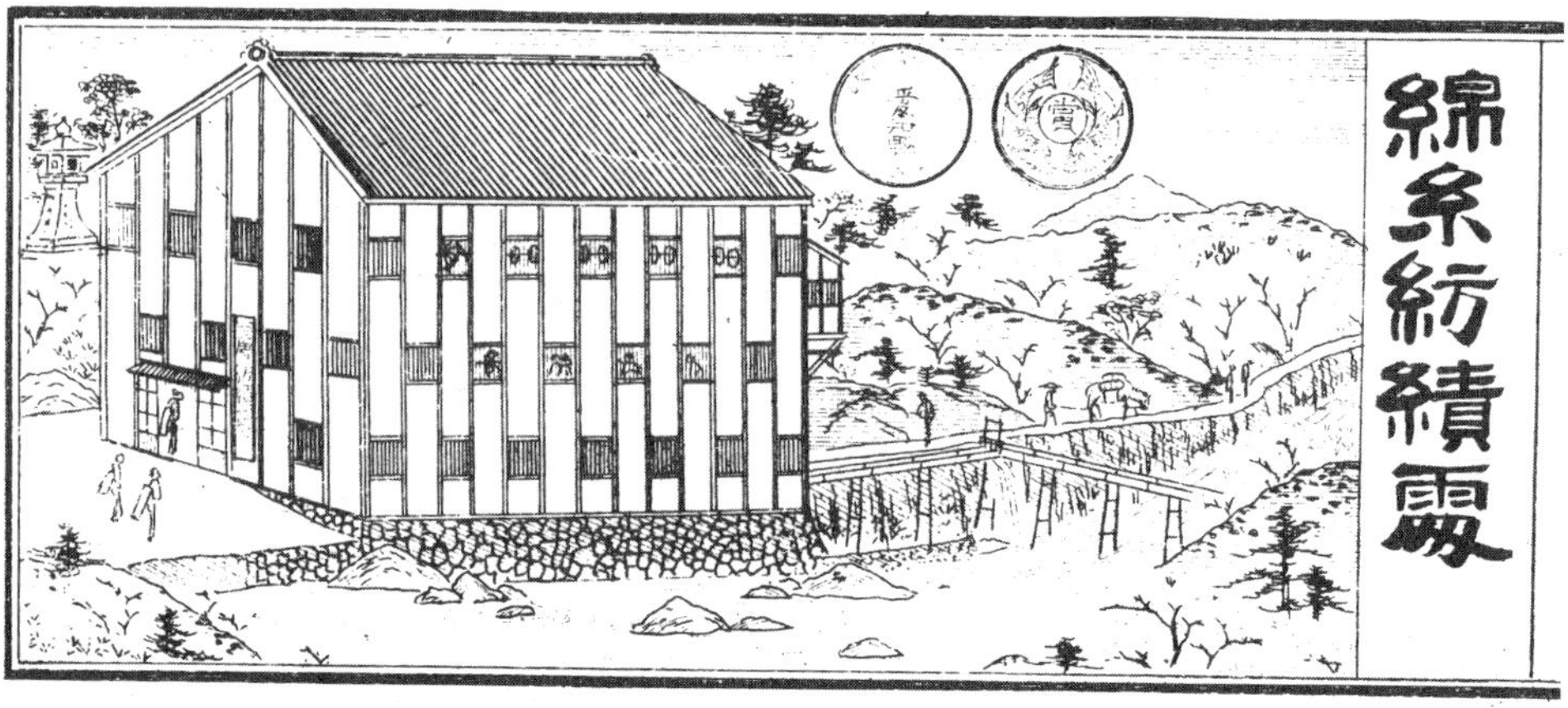

綿糸紡績処　甲村瀧三郎

【額田郡瀧村】

【絵解き】

三河で生産される木綿は三河木綿として知られ、江戸時代にはおもに江戸に向けて出荷されていた。明治初年までは、原料の綿花から糸を紡ぎ、綿布を織り出すまで、すべて農民の手作業でおこなわれていた。

この木綿製造のあり方に大きな画期が訪れる。

1877年第一回内国勧業博覧会で、長野県の発明家臥雲辰致（がうんときむね・たっち）がガラ紡機を出品し、鳳紋賞を受賞した。機構が簡略にも関わらず、省力で多量の綿糸が生産できるガラ紡は、「本会第一の好発明」と称賛され、即座に全国に広まった。三河も例外ではなく、西三河を流れる矢作川水系の水流を動力として、額田・幡豆・碧海郡を中心に、ガラ紡を用いた紡績が普及した。

滝村（岡崎市）でも、村内を流れる青木川の水車を動力としてガラ紡が導入された。1887年ころにはこの地域だけで50の紡績業者が軒を連ね、一大紡績地域に発展した。

そうした発展を受けて、1880年には滝井組合、1884年には額田紡績組合が結成された。甲村瀧三郎はそれらを主導した人物で、1888年には臥雲辰致を招き、ガラ紡の技術指導を受けている。さらに1889年にガラ紡が特許を得た際の特許証には、臥雲らとともに甲村の名も記されており、名実ともに三河におけるガラ紡普及の指導者であった。

ガラ紡による紡績は、1888年頃まで盛んにおこなわれていたが、

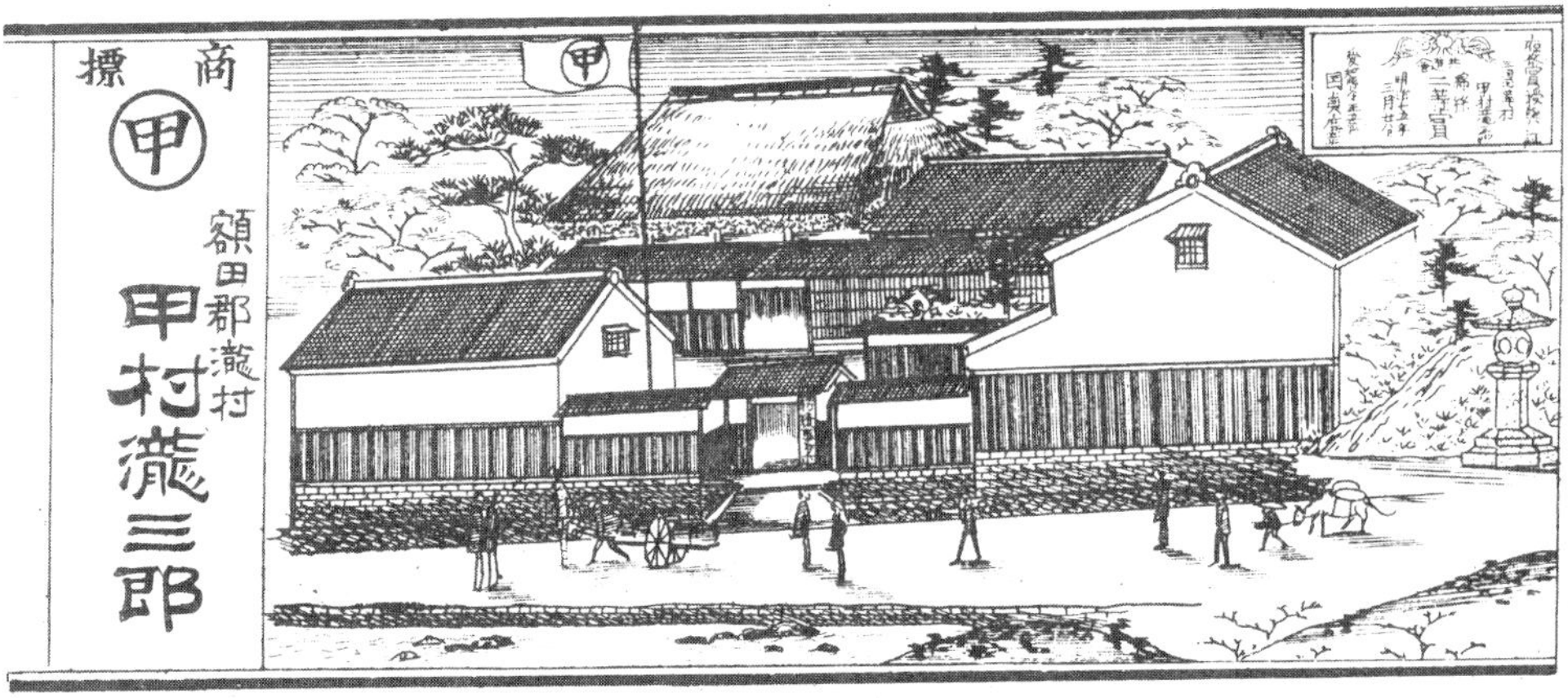

洋式大規模工場による綿糸生産の進展普及もあり、1891年にはピークの4分の1以下に落ち込むなど、一時急激に衰えた。しかし、1893年ころから、洋式紡績の細糸とは異なる太糸生産に活路を見出し、回復を果たした。

青木川の水車堰堤の遺構

この『参陽商工便覧』には、同じく滝村の野村茂平次らの天星組綿糸紡績所と滝井紡績所が掲載されている。このことからも、当時この地でガラ紡による紡績業が盛んにおこなわれていたことがうかがえよう。

【今昔を訪ねて】

太平洋戦争後に、簡略で安価なガラ紡は貴重な産業として復興を支え、最盛期には94の工場を数えた。しかし伊勢湾台風の被害や産業構造の変化などにより、現在はこの地域でガラ紡による製糸は営まれていない。青木川に残る三段に連なる水車用堰堤に、往時の姿が偲ばれる。また岡崎市郷土館の前には、1921年に三河紡績同業組合が建立した臥雲辰致の顕彰碑が立っている。台座と本体合わせて約4mに及ぶ立派な石碑で、この地における臥雲辰致とガラ紡の功績を今に伝えている。

（湯谷翔悟）

煉化石　瓦製造処　西尾士族生産所

【三河国幡豆郡】

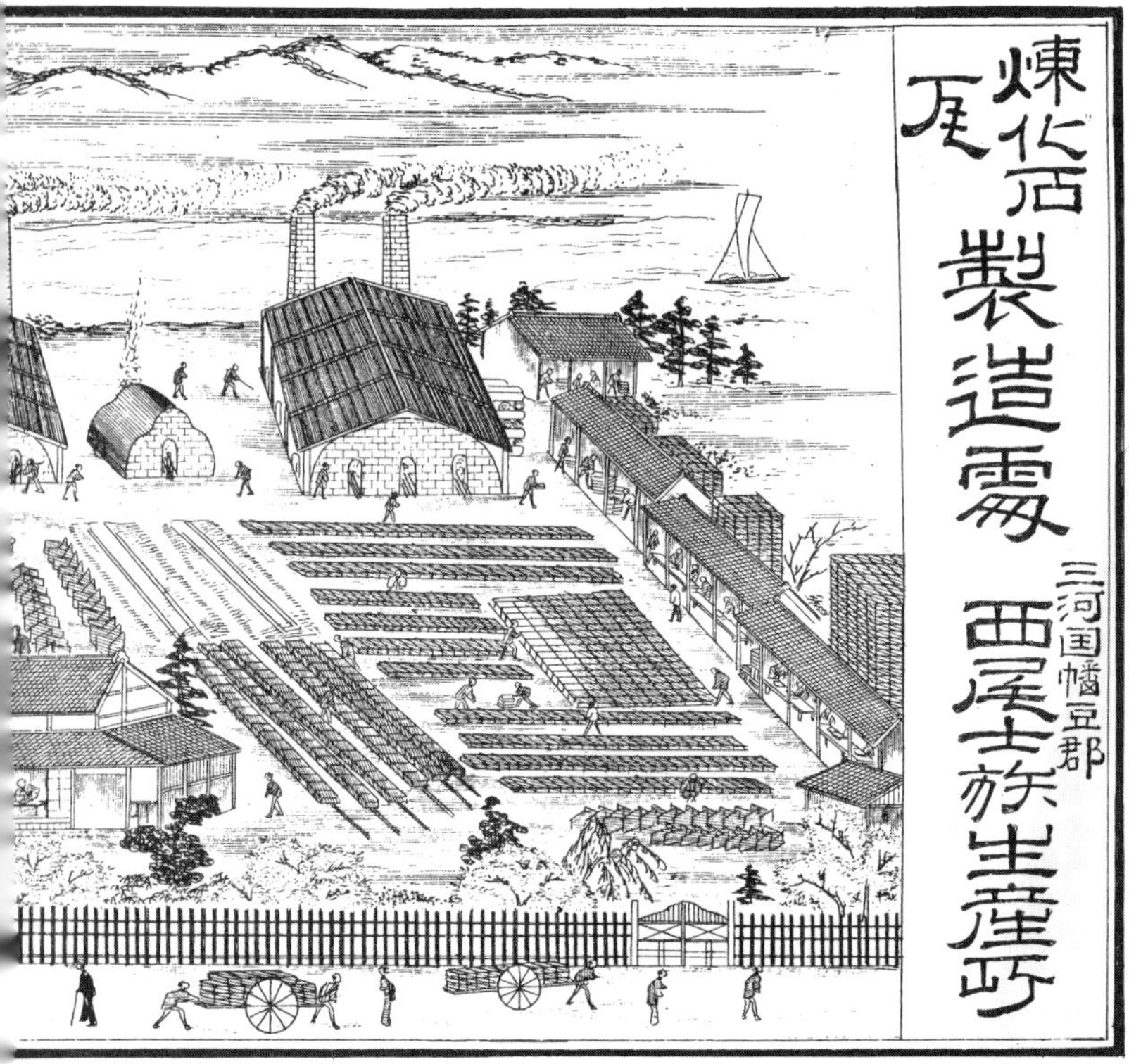

【絵解き】

現在の西尾市米津町～上町にあり、煉瓦(れんが)(図では「煉化」)や瓦を製造した西尾士族生産所を描く。矢作川に面した2町4畝余の敷地には、煉瓦を焼く2本煙突の登り窯が4棟、瓦を焼くダルマ窯が3棟見える。敷地内では成形した煉瓦や瓦が天日乾燥され、多くの職工が働いている。左上には粘土置き場があり、燃料の薪や釉薬の甕らしきものも見える。矢作川の右手は上流の岡崎方面へ、左手は三河湾へと通じており、製品や材料、燃料の運搬に便利な場所である。

【今昔を訪ねて】

明治維新によって生計の手段を失った士族たちの就業と自立は全国的に重要な問題であった。愛知県でもさまざまな授産事業がおこなわれ

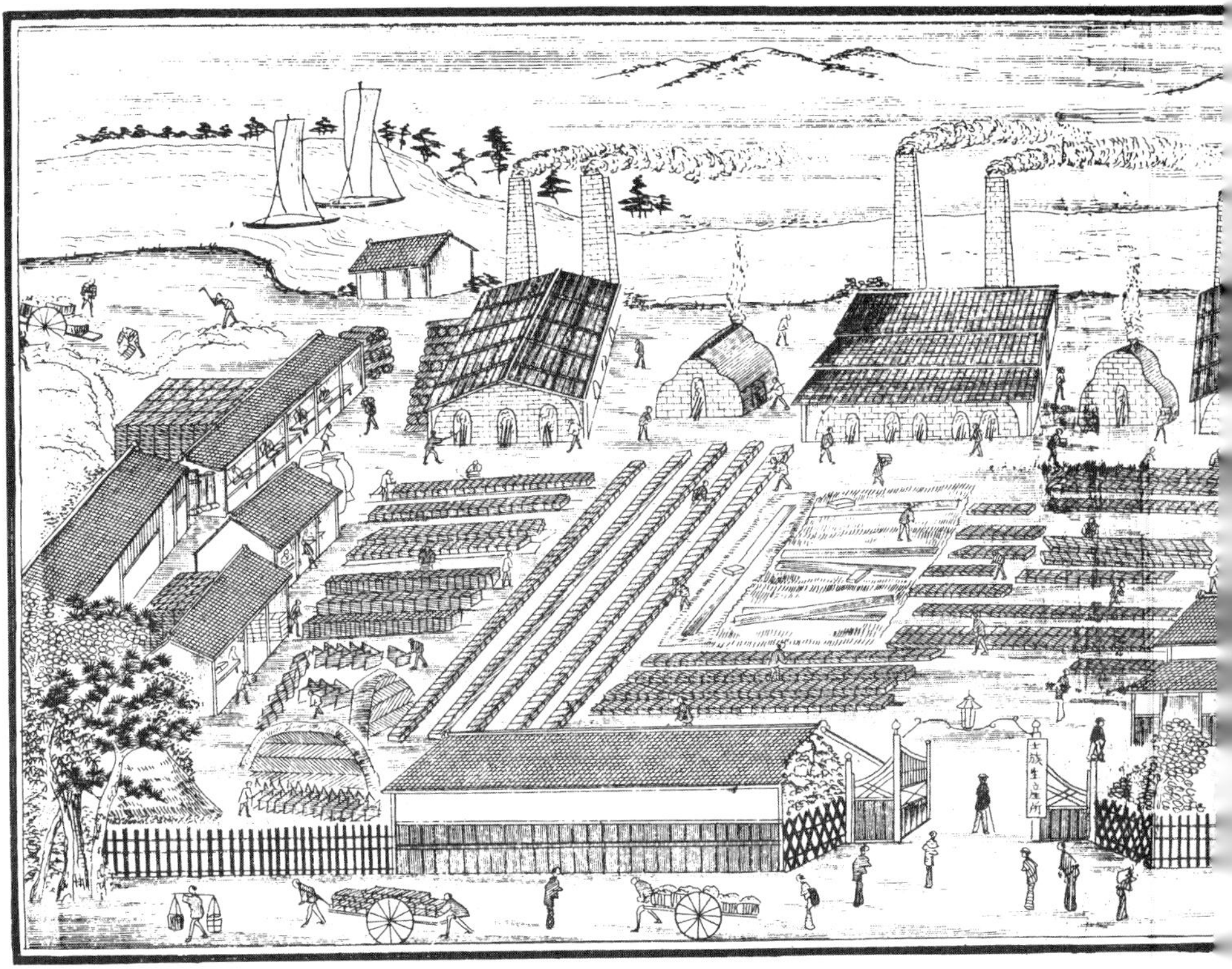

たが、1882年に士族授産を目的とする東洋組が設立され、西尾にも、陸軍の砲台建設用煉瓦を生産する「東洋組西尾分局」が置かれた。この地域には三州瓦の伝統と良質な粘土、水運の利があり、煉瓦生産には好適と期待された。県からの融資のほか、華族や旧藩主家、士族らが出資し、旧西尾藩士をはじめ県下の士族340人余りが就業した。生産された煉瓦は東京湾の猿島要塞（横須賀市）などで実際に使用された。

しかし、砲台建設が中止されると東洋組は経営難となり、曲折の後、西尾分局は旧西尾藩主松平家の援助を得て1886年に「西尾士族生産所」として再出発した。鉄道用の大型煉瓦や瓦、土管の製造に取り組んだが、職工の不足や、矢作川の水位低下によって燃料の運搬に支障をきたすようになり、1892年頃に廃業した。士族たちは別の道を探さざるを得なくなったのである。

（神尾愛子）

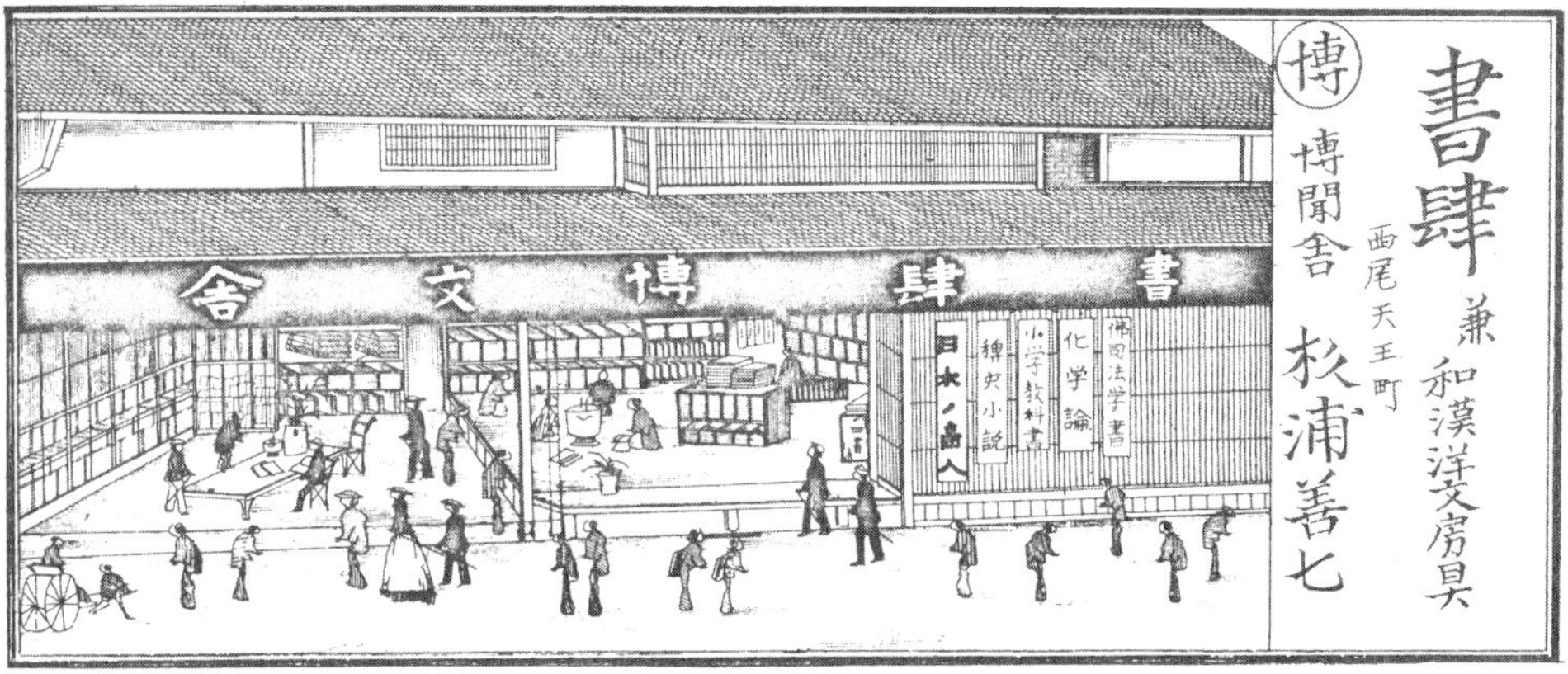

書肆兼和漢洋文房具 博聞舎 杉浦善七

【西尾天王町】

【絵解き】

旧西尾城下の天王町にあった書肆兼文房具店の博聞舎。書肆とは現在の出版社兼書店のこと。看板には、「仏司法学書」「稗史小説」「日本ノ商人」「小学教科書」「化学論」とある。「稗史」は、中国の民間の歴史書のことで、転じて伝奇小説の類。硬軟併せた品揃えとみえる。店内には和本や洋装本が並び、大きなテーブルと椅子が置かれ、腰掛けて本を読む人もいる。

【今昔を訪ねて】

天王町は城下の産土神である伊文神社（伊文天王社）に近い通りで、雑多な商店が並んでいた。博聞舎は、杉浦善七（1849－1900）が明治初期に開店し、出版物としては、1879年の『愛知県三河国幡豆郡全図』『三河国幡豆郡里程便覧』（幡豆郡役所編）などが知られている。

また善七は、隣接する一色村の太田松次郎や中町の鳥山利平らとともに自由民権運動にも力を入れ、自由党の機関紙『自由新聞』の地方通信員も務めた。1882年3月には三陽自由党の結党に参加し、翌年には太田らとともに、伊文町に私立英語学校を開校した。この学校は、英書を使って幅広い教科を学び、西洋的教養を身に付けようという先進的なものであったが、経営難のため1887年に廃校。大きな借金が残った。このため、善七は1890年に東京へ移住し、博聞舎も閉店したとみられる。（神尾愛子）

コラム⑥…………たくみな人物描写

『便覧』には、街を歩く多様な人々が描かれている。説明するよりも写真で見ていただこう。和・洋・中の服装が入り混じった遷移期であった。（森靖雄）

萬金物 畳表商 辻利八

【西尾須田町】

【絵解き】

旧西尾城下の須田町（すだちょう）で、金物を商う鍋屋（なべや）・辻利八（つじりはち）家を描く。通りの両側に二階建ての大店を構え、向かって左が本店、右が前店である。ともに瓦屋根と格子窓の伝統的な町屋建築であるが、二階の窓は洋風のアーチ形のデザインが取り入れられ、軒先には硝子（ガラス）灯が付いている。右端には金属製の柵も見えるが、これは商品かもしれない。「ガラス」「郵便切手売下所」の看板が掲げられ、店の前には、巨大な釜（看板兼天水桶として使用か）や、出荷を待つ畳表、釣鐘も描かれる。

実際には、本店の正面には薬師寺があるが、本図はわかりやすさ優先で描いたのであろう。

昭和初期の道路拡張工事中の須田町。街路灯が設置され、街路樹の銀杏が植えられた

【今昔を訪ねて】

須田町は、西尾城下の中でも隣接する本町と並び、豪商が集まる通りであった。郊外の農村地帯へと続く須田門に近いせいか、肥料商が多く、岩瀬文庫の創設者である岩瀬弥助の山本屋もあった。

辻家は、近江国栗田郡（滋賀県栗

戦前の鍋屋。1階はガラスのショーウインドーに改築した

現在の須田町（図とは反対方向から）。右がナベヤ金物店。店の前には銀杏の木が残る

西尾市歴史公園内の尚古荘に残る辻家の茶室「不言庵」

東市）出身で、１６９１年（元禄４）に西尾城下の須田町へ移り、金物屋を創業した。同じ近江出身の平坂の鋳物師太田家から鍋釜などの金物を仕入れ、幕末以降は牛久保（豊川市）の中尾家とも取引した。四代目以降は代々利八を襲名し、藩御用達や町庄屋などを務めた。呉服や酒、鉄砲、火薬等を商い、木版印刷もおこなっていた。１８４６年（弘化３）には、尾張の絵師小田切春江に依頼し、錦絵「西尾八景」を版行。１８８７年には、旧西尾藩士の矢島貞廉とともに活版印刷の利貞社を開業した。また、本図からは明治期には、畳表やガラスも主力商品となっていたことがわかる。畳表の材料のイ草もやはり近江の特産である。

『参陽商工便覧』刊行時の当主は九代目利八（和平）である。和平は、本店の背後に続く西尾城の帯曲輪、堀、東之丸、馬場の跡地を購入し、広大な屋敷と茶室や庭園を備えた別邸を建てた。和平や辻家の女性たちは伊勢の歌人佐々木弘綱・信綱親子に和歌を学び、この別邸でたびたび歌会や茶会を開いた。また一方で、和平は西尾町の収入役や１８９１年開園の私立西尾幼稚園の園主を務めるなど、社会事業にも取り組んだ。

現在の須田町は、道路拡張によって商店は少なくなったが、あちらこちらに古い建物が残り、往時の面影を感じることができる。辻家も、今も同じ場所でナベヤ金物店として営業を続け、十四代目となる千尋氏が店を守っている。（神尾愛子）

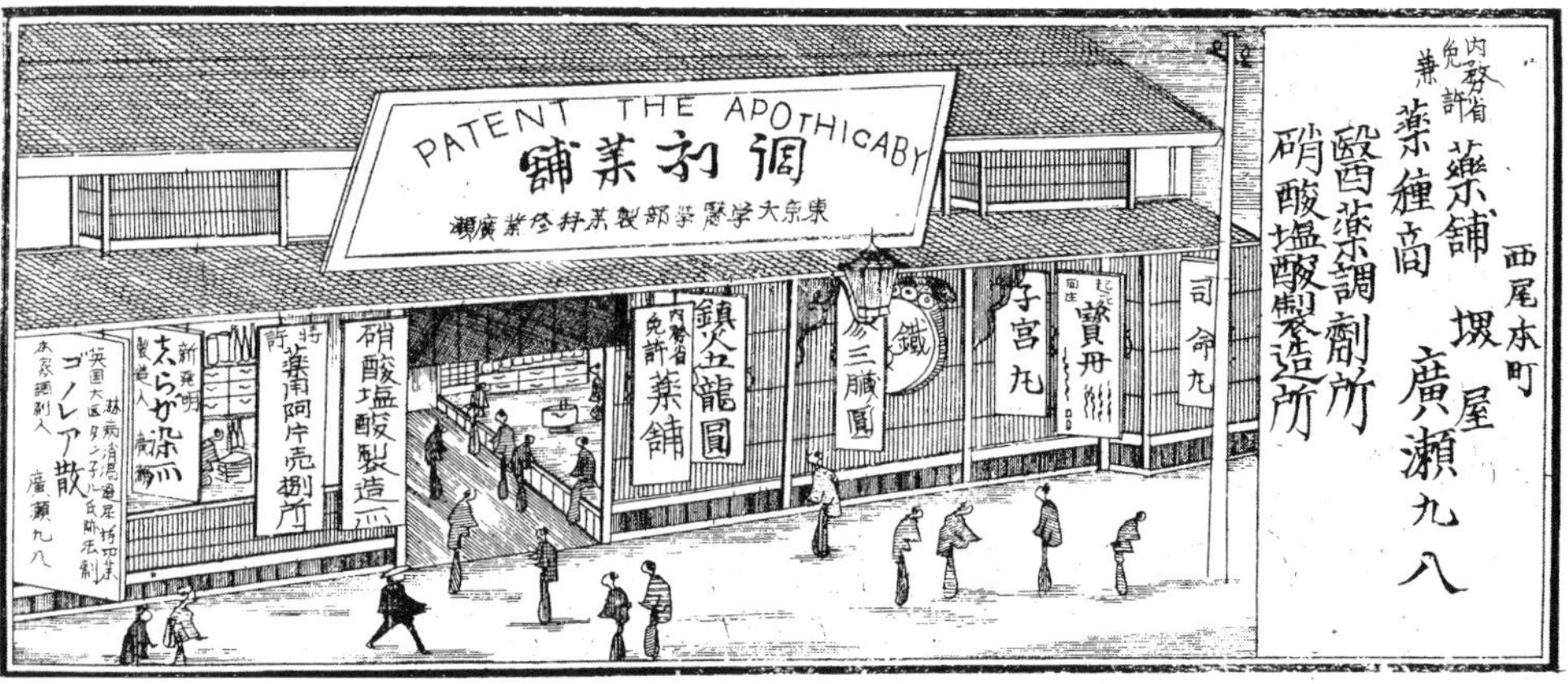

薬舗兼薬種商　堺屋　廣瀬九八

【西尾本町】

【絵解き】

旧西尾城下の本町通りにある老舗薬店、堺屋（さかいや）の店頭を描く。看板には、「PATENT THE APOTHICABY　調剤薬舗　東京大学医学部製薬科修業広瀬」「内務省免許　薬舗」とある。「apothicaby」は、正しくは「apothicary」で、薬屋、薬剤師の意味。「司命丸」「宝丹」「子宮丸」「鎮火五龍圓」「人参三臓圓」は、いずれも江戸時代からある有名な漢方薬。「薬用阿片」は、医師向けに鎮痛剤として販売していた。「硝酸（肥料、火薬、染料に使用）」「塩酸（化学工業、染料、医薬品などに使用）」「しらが染処」、イギリスの医師タンネル処方の「ゴノレア散（性病薬）」は、店主である広瀬九八（くはち）が調剤している。店内には、薬箪笥や薬瓶などが見える。

昭和初期の拡張工事後の本町通り

【今昔を訪ねて】

堺屋広瀬家は、古くは大和国（奈良県）広瀬の出身で、初めは医業を営み、1673年（延宝元）に薬店を開業したと伝えられる。「薬王軒」とも称し、薬の調製で名を馳せ、尾張藩医からの調剤注文を受けるほどであった。原料となる薬剤は、長崎から唐船や紅毛船（オランダ）で輸入される漢方薬、西洋薬も取り寄せていた。

当主は代々九左衛門（きゅうざえもん）を名乗り、町庄屋などを務め、1864年（元治元）の「御用達順名前帳」には苗字御免の御用達として名を連ねている。

現在の本町通り。右端がさかいや薬局

現在のさかいや薬局の店内。九八時代の看板も掛かる

九八は十一代目にあたり、『参陽商工便覧』が刊行された当時は20歳頃である。創立間もない東京大学（のちに東京帝国大学と改称）の医学部製薬学科を卒業し、西洋薬の調剤もおこなった。当時は薬剤師（当初は製薬士）の有資格者が少なかったため、裁判所からの依頼で毒物の鑑定をしたこともあったという。

堺屋がある本町は、旧西尾城下町のほぼ中心にあり、有力な商家が並んだ通りである。『参陽商工便覧』にも、もと藩御用達の阿波屋碓井家（糸物類・古道具）、升屋彦坂家（味噌醤油）、はと屋鳥山直平（醤油）をはじめ8軒が掲載されている。昭和6～8年には内務省の技師で地方都市計画の第一人者である石川栄耀（ひであき）の指導を受け、道路の拡張工事をおこなった。これは歩道や街路樹、街路灯を備え、電灯線を地中化するという先進的な造りであった。なお、石川は名古屋の都市計画の基礎をつくった人物である。

現在の本町通りは、時勢に応じて閉店したり、業種を変えたりした商店も多いが、堺屋は同じ場所、同じ職種でのれんを守り続けている稀有な例である。現在の店主は十三代目にあたる広瀬紘一（こういち）氏で、漢方薬と中国医学専門の相談薬局として営業している。（神尾愛子）

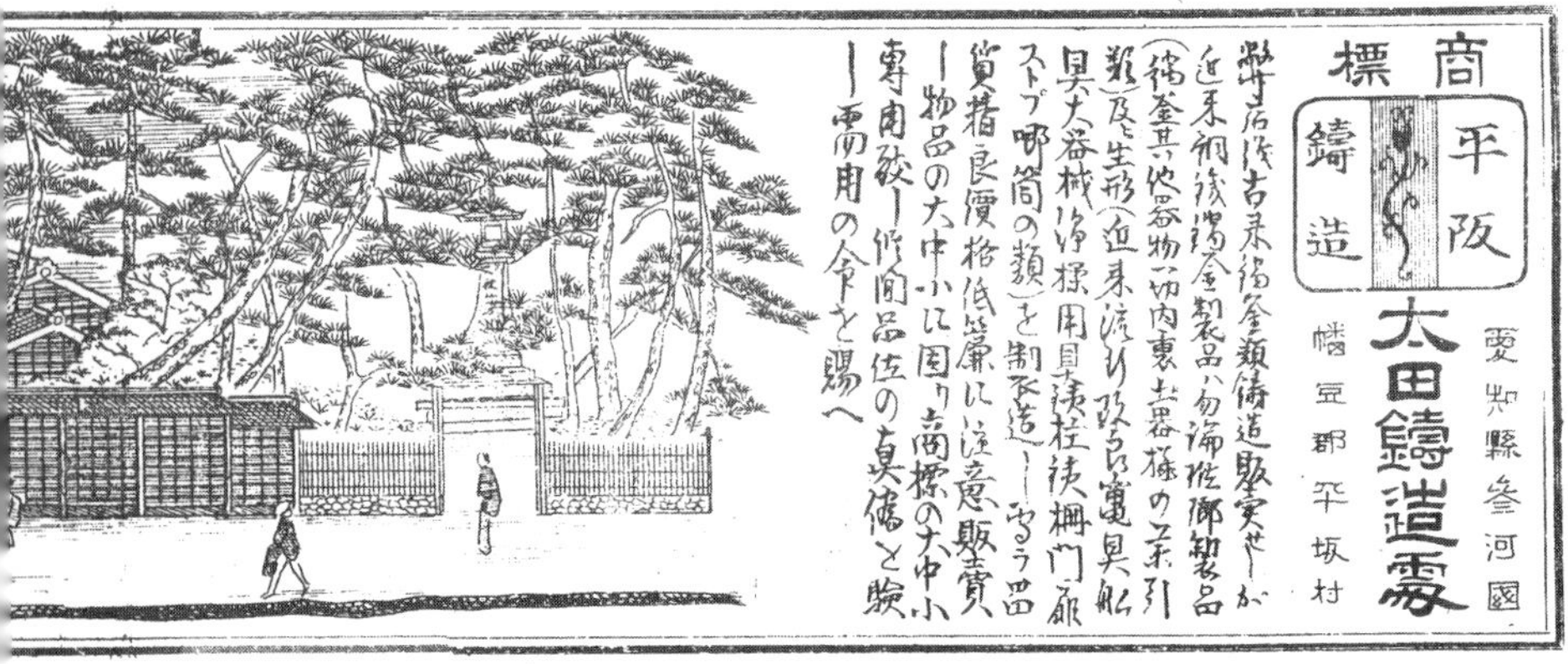

平坂鋳造　太田鋳造処

【愛知県参河國幡豆郡平坂村】

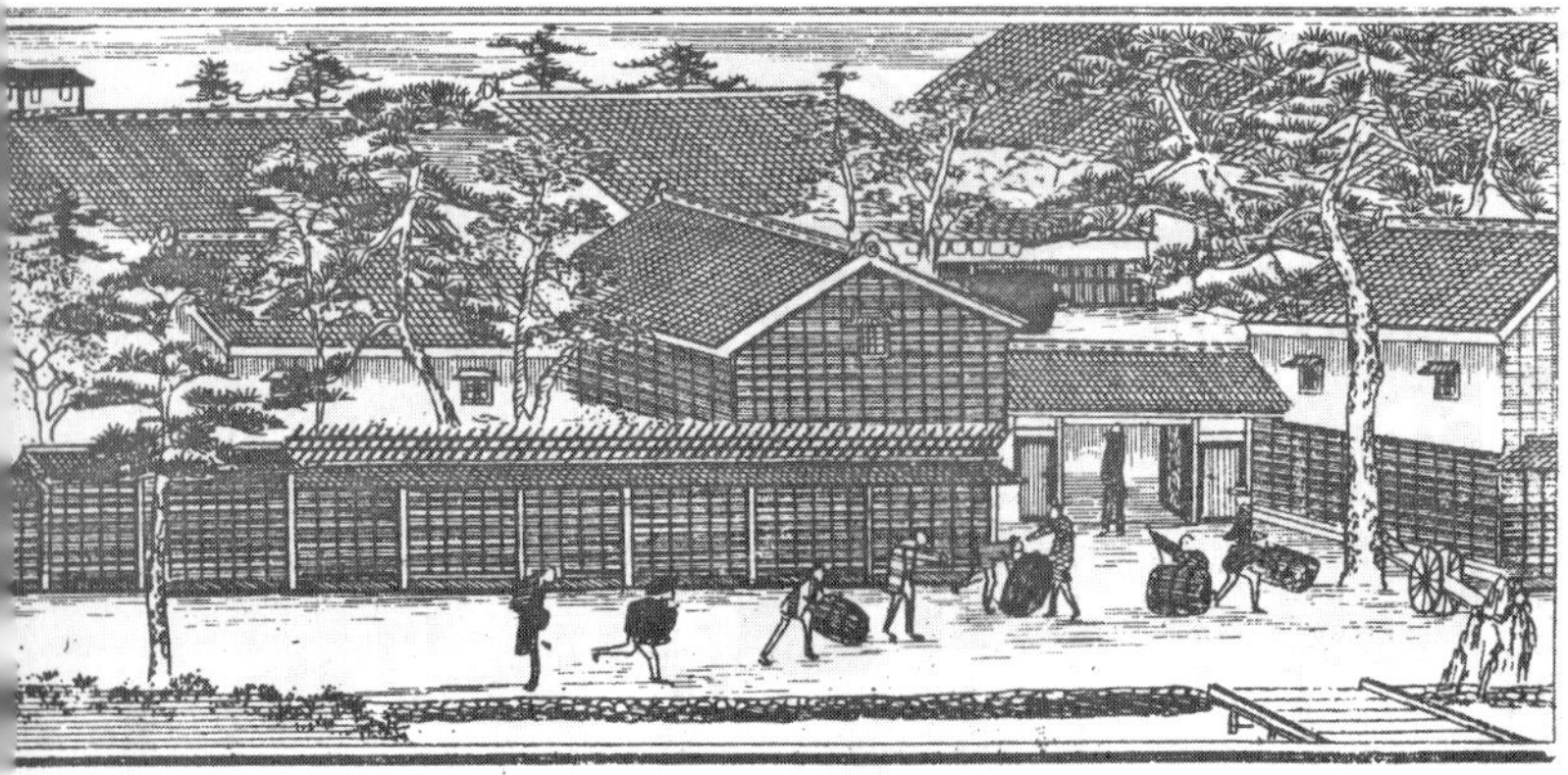

【絵解き】

上の四連図は平坂村と楠村にまたがる広大な工場を構えた太田鋳造所。塀に囲まれた敷地には立派な松が茂り、多くの建物が並んでいる。1884年の楠村「建屋帳」によれば、1町1畝23歩の敷地に、二階建ての本屋（母屋）、複数の細工所（工場）、門、蔵、物置、灰屋、座敷など37もの建物があった。本図では、屋根に火袋を載せた細工所が3棟描かれている。右端に火伏神である秋葉山の常夜灯が見えるのは、仕事で火を常時使うためであろう。中央の門は、「槍を抱えた人が乗馬のまま通れた」と伝えられる大きなもので、その奥には巨大な釜が置かれている。敷地北側には小運河があり、工場から直接荷物の積み下ろしができたという。

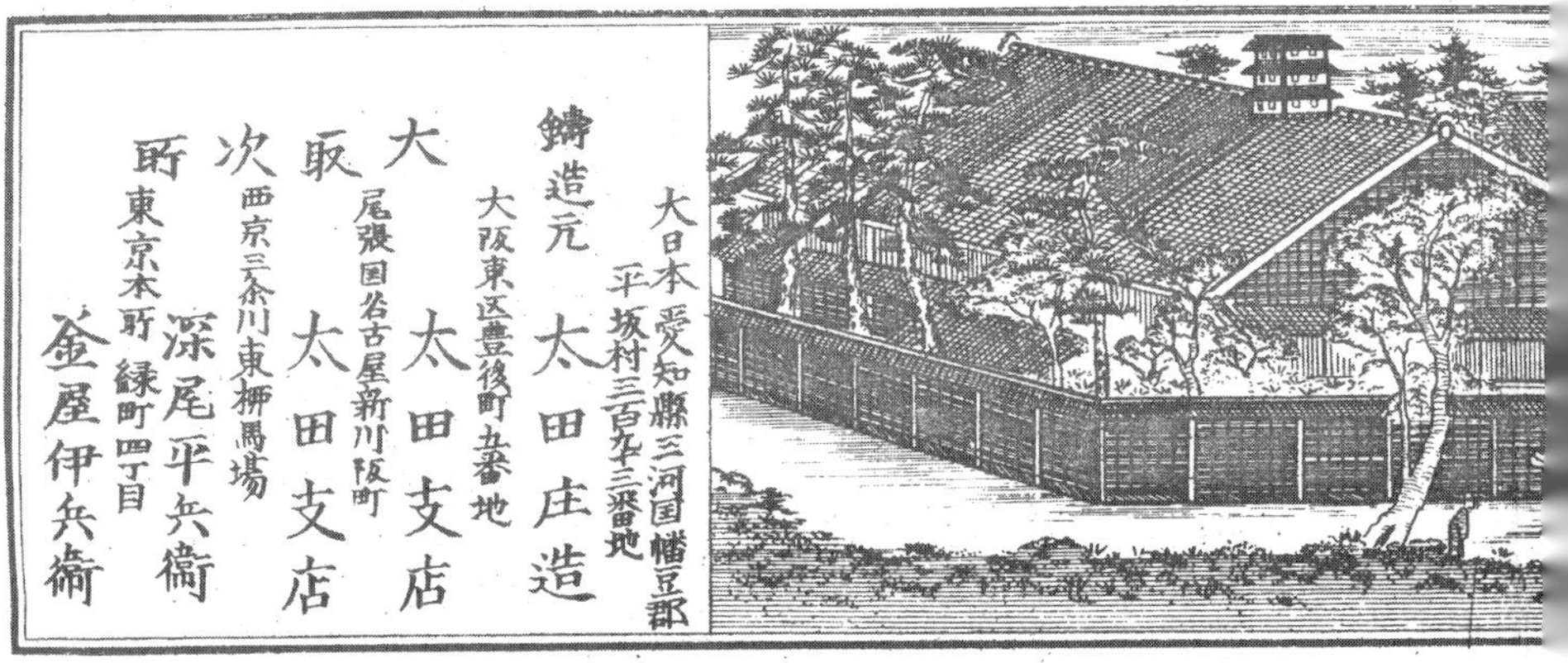

【今昔を訪ねて】

太田庄兵衛家は、江戸時代中期に江州辻村（滋賀県栗東市）から平坂村へ移り、代々西尾藩の御用達を務めた鋳物師（いもじ）である。同郷の太田甚兵衛家とともに朝廷蔵人所舎人（くろうどどころとねり）の真継家から免許状を受けた「勅許鋳物師」として、寺院の鐘や鍋釜などを鋳造した。平坂は、鋳型に使う良質の川砂を産する矢作川や、材料と製品の運搬に便利な平坂港が近く、鋳物師にとって好適地であった。

明治期になると、琺瑯（ホーロー）製品や鉄製のかまど具、船具、綿繰用具、鉄柱、鉄柵、ストーブなどの新製品も手掛け、名古屋、東京、大阪、京都へと販路を拡大した。

太田鋳造所は1894年に廃業したが、平坂鋳物の伝統は後世へと引き継がれ、現在もこの地域には自動車部品や金型などの「金属部品」を製造する企業が多く集まっている。

（神尾愛子）

清酒醸造所　国産繰綿　生白木綿問屋　青山作平

【幡豆郡熱池村】

【絵解き】

幡豆郡熱池村(にいけ)で清酒の醸造、繰綿と白木綿の問屋を営んだ青山作平(さくへい)家。敷地の周囲をぐるりと蔵が取り囲んでいるが、中央の門を入って右側と奥にある小窓が多数付いている建物が酒造の蔵で、左側が木綿の蔵であろう。敷地内には巨大な酒樽が置かれており、木綿を大八車で運ぶ様子も描かれている。

なお、「繰綿(くりわた)」とは、綿の実を綿繰機にかけて種を取り去った精製前の綿のことで、「生白木綿(きじろもめん)」は染める前の綿布のこと。

【今昔を訪ねて】

熱池村（西尾市熱池町）は、もとは「贄(にえ)池」と表記され、その由来は859年（貞観元）に清和天皇の大(だい)嘗祭(じょうさい)の悠紀斎田(ゆきさいでん)としてこの地が選ばれたことによるという（贄＝神や天皇へ捧げる食物）。また、2・5㎞ほど南東には、平安時代に綿の実を携えた異国人（崑崙(こんろん)人）が舟で漂着したという「綿作発祥の地」天竹(てんじく)村（西尾市天竹町）がある。

青山作平家は、江戸時代に西尾藩の御用達や郡中総代、1876年頃には幡豆郡の酒造取締役を務めた。1880年の「商営業人名簿」には、「〆粕小売商　兼業　溜リ小売商（略）一ヶ年税金拾円也」とある（木綿問屋としては載っていない）。1909年頃に幡豆郡の醸造業の組合「醸正組」ができると評議員となった。当時郡内には清酒やみりんの醸造家が16軒あり、青山家の銘柄は「清酒　豊盛」であった。しかし、郡内の酒造の規模は小さく、販売先

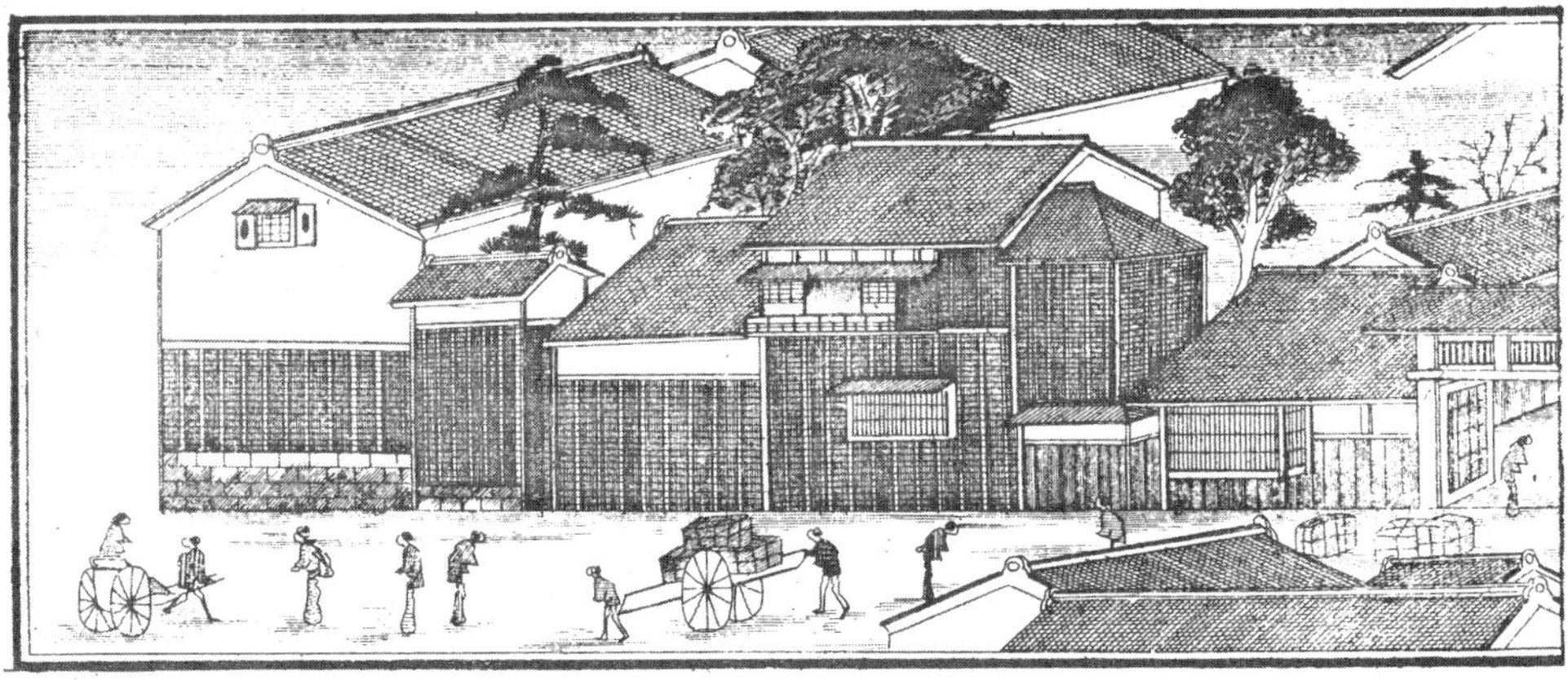

天竹神社　棉祖神（崑崙人）を祀る

秋の棉祖祭では伝統的な綿打ちの儀式がおこなわれる

矢作川に浮かべた船をガラ紡工場にした「ガラ紡船」。昭和初期の西尾市中畑町の風景

は近隣が中心であったとみられる。

一方、青山家の木綿問屋としての商いについては資料が少ない。西三河地方は、江戸時代には全国有数の綿花の産地であり、農家が手紡ぎ、手織りした綿布は、「三河木綿」として好評を博してきた。しかし、1880年代に矢作川の水流を動力に使って綿を紡ぐ〝ガラ紡（ぼう）〟が盛んになると、問屋がガラ紡糸を農家へ提供し、これを農家が綿布に織って問屋へ納めるという新しい仕組みが主流となった。青山家もガラ紡工場へ繰綿を卸し、農家へ綿布の賃織りを委託する形態であったと思われる。

また、1883年頃にこの地の綿作が塩風害で被害を受けたことを機に、ガラ紡の原料に輸入綿花も使用されるようになった。「国産」と謳っているのは、こうした時流を反映したものだろうか。（神尾愛子）

白木綿問屋 糟谷縫右エ門

【幡豆郡荻原村】

【絵解き】

幡豆郡荻原村の豪商、豪農であった糟谷縫右衛門家を描く。図に描かれた主要な建物は今も現地に残っており、主屋（みせ部・座敷部・数寄屋部）、長屋門、土蔵2棟、屋敷神が県の文化財に指定されている。

正面の長屋門は、荻原村領主の大多喜藩（千葉県）の出張役所である小牧陣屋（西尾市吉良町）から移築されたと伝えられる。正面奥が商売をおこなう「みせ部」で、1763年（宝暦13）の祈祷札があることから、それ以前の建築と考えられている。その左（西）が糟谷家の家族や雇人の居住空間である「座敷部」で、さらに西に茶室や客間などの「数寄屋部」がつながる。数寄屋部と南側のよりつき、庭園は、明治初期に茶道久田流の久田栄甫の指導によって建てられた。左手前（南）の30畳敷きの大座敷は現存しない。戦前まではこの周囲を10棟を超える土蔵が取り囲んでいた。

現在の糟谷邸（上空より）
中心的な建物が現存している

糟谷邸は、幕府が将軍の代替わり

ごとに派遣した巡見使の宿舎として6度使用され、昭和初期には親族の恩師であった新渡戸稲造がアメリカ人の夫人とともに宿泊した。

【今昔を訪ねて】

糟谷家当主は、代々縫右衛門を名乗り、江戸時代には大多喜藩の御用達頭取として名字帯刀を許されていた。商売の中心は三河木綿の買継問屋で、西三河各地の農家が織った綿布を仲買商を通じて仕入れ、平坂港から自ら出資した船に載せ、江戸の木綿問屋へ送った。このほか、干鰯(ほしか)（鰯の搾り粕を干した肥料）や藍玉、米、煙草、味噌、酒、薬を販売し、金融業も営んでいた。

しかし、明治になると輸入綿に押されて三河木綿は販売不振となり、糟谷家は木綿業を縮小し、ニシン粕の卸・小売業や山林経営に取り組んだ。『参陽商工便覧』には「白木綿問屋」として載っているが、当時は十三代当主重徳の時代で、弟の徹三郎が肥料業、末弟の定吉が三重県北牟婁郡の山林経営を担う多角経営であった。1909年には、名古屋の納屋町（名駅南一丁目）に肥料部の支店を開業。1915年の大正天皇の大嘗祭では、六ッ美村（岡崎市中島町）に悠紀斎田が定められ、その肥料の調製を糟谷肥料部がおこなった。

このほかにも銀行経営や鉄道への投資などでも成功を収めたが、昭和初期の不況によって事業から撤退した。糟谷家の土地と建物は、1981年に吉良町が譲り受け、現在は西尾市の施設「旧糟谷邸」として一般公開されている。（神尾愛子）

右がみせ部。左が座敷部

みせ部の内部

庭園

［旧糟谷邸］
西尾市吉良町荻原大道通 18
電話：0563-32-4646
開館時間：午前 9 時～午後 5 時
（入館は 4 時 30 分まで）
休館日：月曜日（祝日の場合は開館）、
年末年始
入館料：300 円
（隣の尾崎士郎記念館と共通）

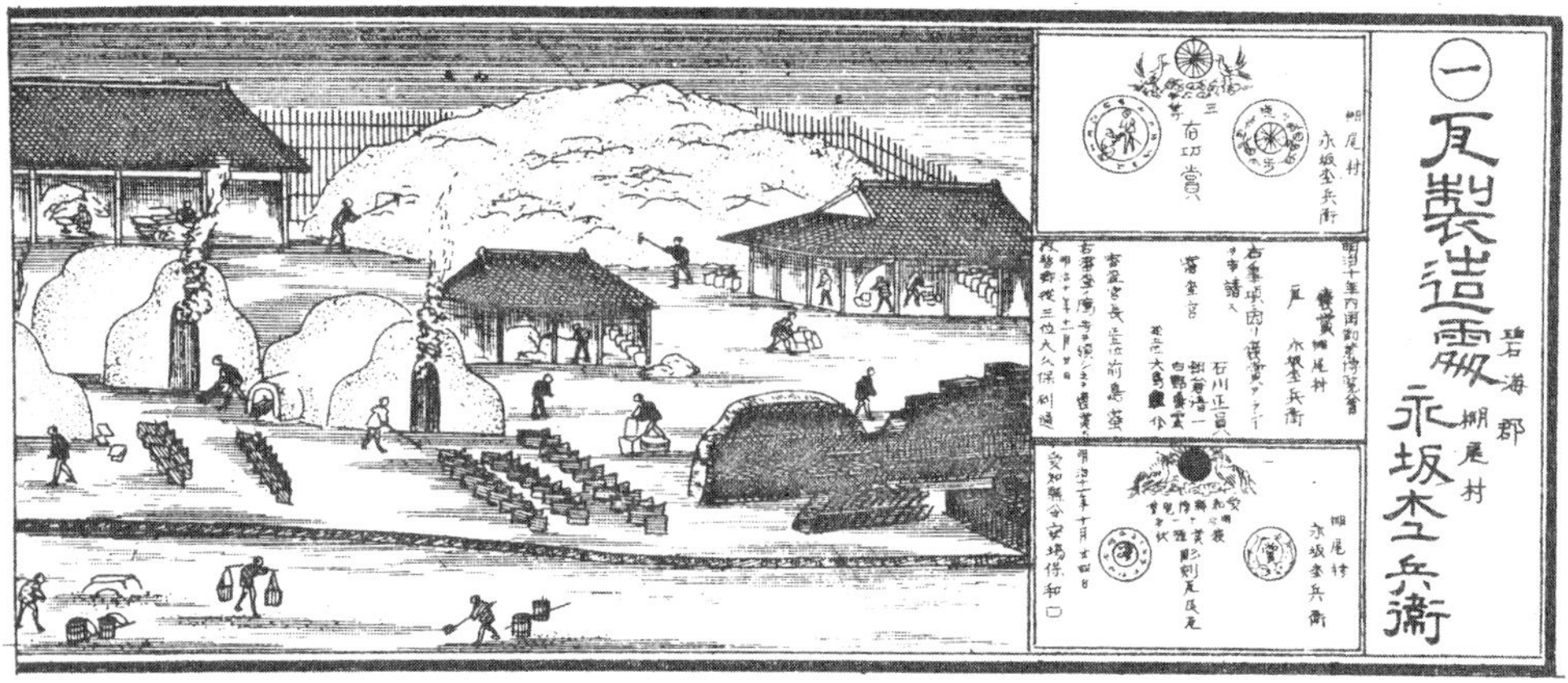

瓦製造処　永坂杢兵衛

【碧海郡棚尾村】

【絵解き】

碧海郡棚尾村（現碧南市弥生町）で瓦製造業を営んだ永坂杢兵衛瓦製造処を描く。場所は大浜港（現大浜漁港）から堀川を東に遡った所にあった。そのため、瓦を積み出して輸送するのに、この水運を利用することができた。近くに「大浜塩」を産出する塩田があり、図中の手前部分に描かれている。中央に窯が三基あり、その奥に瓦製造場が、その左手に本宅が立ち並ぶ。

左面中央に「藤澤山清浄光寺再築課造瓦所」の標柱が立っている。これは当時、清浄光寺（しょうじょうこうじ）（時宗総本山遊行寺、現神奈川県藤沢市）より受注した瓦を製造していたことを示す。

図の右欄には、1877年に東京上野公園で開催された第一回内国勧業博覧会で、三等有功賞を受賞したことなどを記す。

【今昔を訪ねて】

永坂杢兵衛家では、二代目杢兵衛が京都で7年間造瓦法を修業し、郷里に戻って1788年（天明8）に瓦製造を始めた。そして、三代目杢兵衛の時に業務を拡大し、江戸へも販路を広げた。

図が描かれた時期は五代目杢兵衛（1847〜1928）が当主の時である。1876年に永坂杢兵衛が愛知県に提出した文書によると、23人の職人を抱え、年間約12万枚製造したとある。

瓦の輸送は、船舶を中心としつつ、鉄道の発達に伴い鉄道でもおこなわれた。

販売先は愛知県・三重県・神奈川

県・東京府が主で、1897年が7万2000枚、翌年は6万4000枚である。永坂杢兵衛家寄贈史料（碧南市蔵）に残された鬼板帋形（かみがた）（碧南市指定文化財）から受注先実績をみると、名古屋の伊藤次郎左衛門邸土蔵、半田の旧中埜半六邸のほか、神奈川の良泉寺本堂、先に触れた清浄光寺の本堂、千葉県佐倉市の旧堀田邸、東京浅草の日輪寺（堀田家菩提寺）御居間書院・御台所など、個人の邸宅や社寺などに、鬼瓦を数多く納めていたことがわかる。

やがて時は移り、永坂杢兵衛家は七代目利貞の時に第二次大戦のため瓦を製造できなくなり、1944年に休業、戦後にも再び瓦を製造することはなかった。

現在、碧南市民図書館中部分館（碧南市源氏神明町）の敷地内に、四代目杢兵衛が作った海徳寺大棟鬼瓦（経巻吹流型）が置かれている。これは1848年（嘉永元）のもので、伊勢湾台風の災害復旧の際に取り替えられたものである。永坂杢兵衛の仕事の一端を間近にみることができる。

150年余りにわたって、三州瓦を大規模に製造・販売した永坂杢兵衛の瓦は、すでに降ろされたものもあるが、今なお個人の邸宅や社寺で使われている。（豆田誠路）

海徳寺大棟鬼瓦
碧南市民図書館中部分館敷地内（南面）

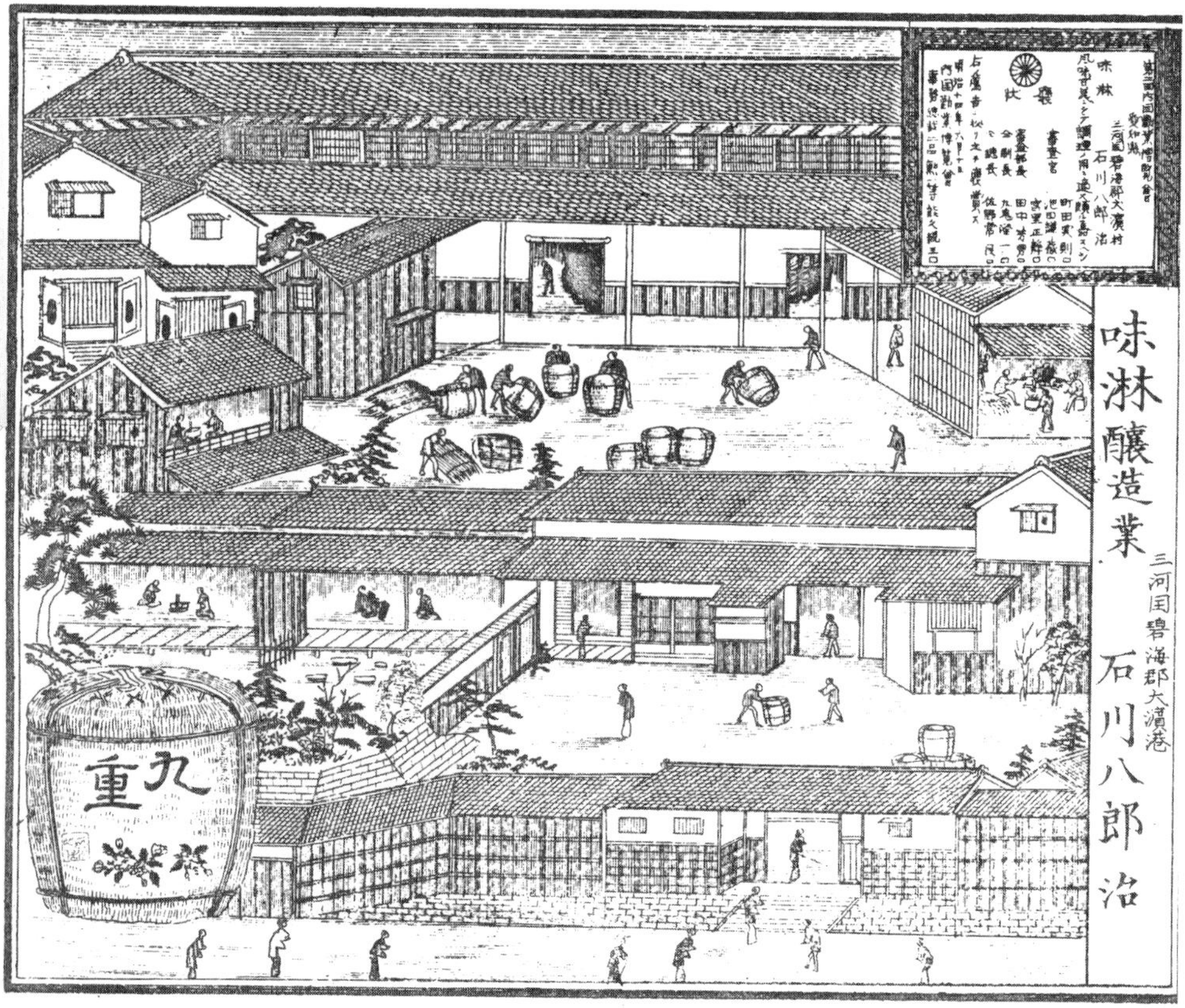

味淋醸造業　石川八郎治

【三河国碧海郡大濱港】

【絵解き】

碧海郡大浜村（現碧南市浜寺町二丁目）でみりん醸造業を営む九重(ここのえ)味淋の本宅及び工場を描く。

東西の通りに面して北側に九重味淋があり、すぐ西側には衣ヶ浦(ころもがうら)の海が広がっていた。そのため、製造されたみりん等は廻船によって江戸（東京）へ回漕することができた。

図の右上隅にあるのは、1881年に東京上野公園で開催された第二回内国勧業博覧会の褒状で、「味淋風味甘美(かんび)ニシテ調理ノ用ニ適ス、頗(すこぶ)ル嘉(よみ)スヘシ」という理由で褒賞されている。

【今昔を訪ねて】

「みりん」をこの地で始めたのは、廻船問屋を営んでいた石川八郎右衛門信敦で、1772年（安永元）の

九重味淋全景（『愛知実業宝鑑』）1910 年

看板（九重味淋株式会社蔵）

九重味淋大蔵（登録有形文化財）

ことととされる。

江戸時代中頃、「みりん」は、「甘いお酒」として人々に受け入れられていたようである。

江戸時代の図入り百科事典である『和漢三才図会』（1712年〔正徳2〕成立）では「美淋酎」という項目で「みりん」を紹介している。「美淋酎ハ近時多ク之造ル、其味甚タ甘メ而下戸之人及婦女喜テ之飲ム」などと記される。やがて料理のコクやうま味を引き出す甘い調味料として使われるようになった。

九重味淋では特に「九重櫻」が、大正から昭和にかけての全国酒類品評会で数々の賞を受賞し、1938年には最高の「名誉大賞」を授与されている。

なお、1787年（天明7）に鳴海から買い取り移築された酒造蔵（1706年〔宝永3〕の建築）が現存する。この蔵は現在「大蔵」と呼ばれ、もろみを搾ったみりんを熟成する場所として重要な建物となっている（国登録有形文化財）。その外観は、「三河みりん」の醸造元が集積する西三河地域の歴史的景観に寄与している。

（豆田誠路）

衣浦造船所

【碧海郡大濱港】

【絵解き】

1888年（会社設立年）から1905年頃まで（上の宮）熊野神社（現碧南市大浜上町一丁目）の南にあった衣浦造船所を描く。経営者は岡本利助と養子の與一郎。西に広がる衣ヶ浦から東に海水が入り込み、ドックとなっている。「衣浦造船所」と掲げられた冠木門の正門をくぐると、右手に三層の建物がみえる。また左手には大型の西洋型船が入渠し

周辺地図 1889 年（碧南市蔵）

衣浦造船所を写すスライド（ガラス種板）２点（碧南市蔵）

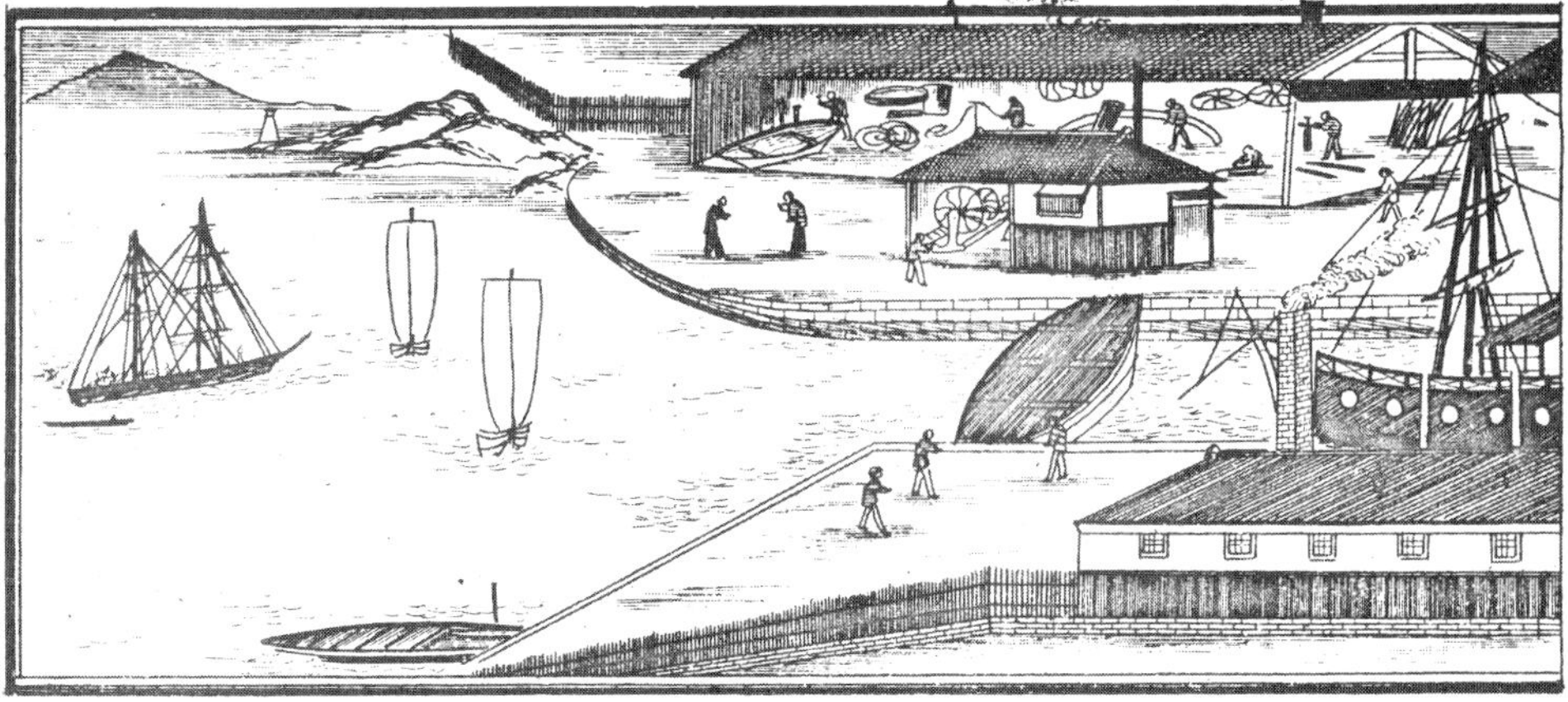

ている。その奥（北）では職工が働いている様子がみえる。

【今昔を訪ねて】

上の図のほか、明治20～30年頃撮影したとみられる幻灯用スライド（碧南市蔵）2点からも、衣浦造船所の様子をうかがうことができる。

衣浦造船所の営業種目は、1900年8月以降とみられる衣浦造船所の営業用チラシ（左下写真参照）によると、次のとおりである。

> 陸用汽鑵汽機　諸種原動力
> 排水機　製糸　製粉　製材
> 織布　精米　其他総テ職工ノ製造及据付船舶並船用機鑵製造（帆船汽船）修理並ニ船梁ノ貸与

汽鑵（ボイラー）や汽機（蒸気機関）を造るほか、西洋形船の修理等をおこなっていた。例えば、1896年に三重県大湊で進水した衣浦丸（木造汽船、15総トン）もここで修繕されている。この船は亀崎－松江間、亀崎－新川間の定期船であった。

また、衣浦造船所に勤務した『職工名簿』（1905年、碧南市蔵）では、大工41人、鍛冶工23人、鍛冶工見習13人、木挽7人など、木工・鉄工関係の職工が確認できる。彼らの手により、衣ヶ浦を行き交う帆船や汽船が修理されたのである。

（豆田誠路）

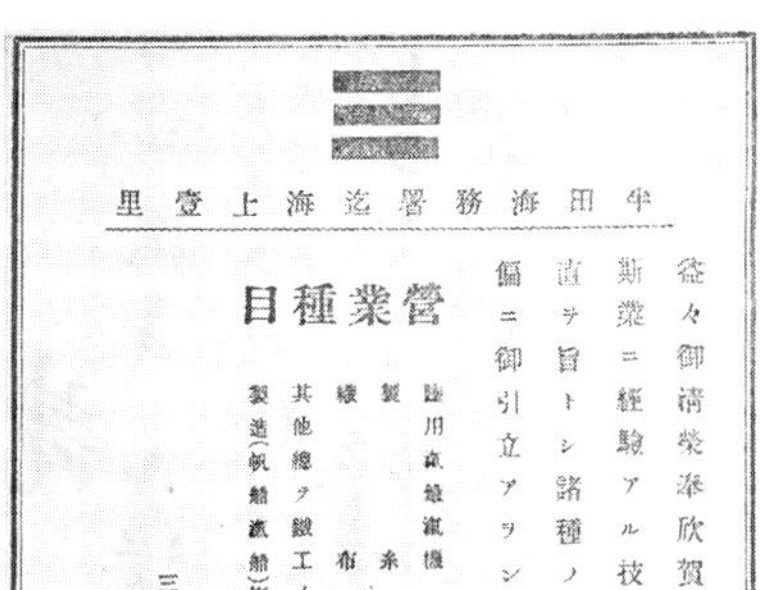

半田海務署迄海上壹里

益々御清榮奉欣賀候弊所諸機械ヲ増設シ斯業ニ經驗アル技師及職工ニテ入念且廉直ヲ旨トシ諸種ノ職工製作可仕候間何卒偏ニ御引立アラン事ヲ奉懇願候敬白

營業種目

陸用汽鑵汽機　諸種原動力　排水機
製糸　製粉　製材
織布　精米
其他總テ職工ノ製造及据付船舶並船用機鑵
製造（帆船汽船）修理並ニ船梁ノ貸與

三河國大濱
衣浦造船所
電略ドック

衣浦造船所営業用チラシ（碧南市蔵）

米穀 肥料問屋 岡本八右エ門

【碧海郡北大濱村】

【絵解き】

碧海郡北大浜村（のち新川町）で米穀・肥料・木綿問屋を営んだ六代目岡本八右衛門（1847〜1916）の蔵屋敷を描く。八右衛門は大船3隻を満州・台湾・北海道に就航させて貿易も営んでいた。また、当時百万長者として尊敬され、碧海の豪商として安城に61町歩の農場を、北海道に1000余町歩の開墾地を経営する大地主であった。

先代の新川郵便局の西の交差点を渡り、長い坂道を西へ下ると衣ヶ浦に達するが、その海沿いに建てられていた蔵屋敷の建物群が描かれる。

【今昔を訪ねて】

岡本八右衛門は襲名で、通称⌐八（かねはち）であった。六代目の本名は八治郎という。

八右衛門は、1883年に北大浜村が大浜村から分村する際に、私財金300円（米240俵相当）と金2000円個人保証して分村運動を側面から援助した。資金提供した。分村成功後、北大浜村は1892年（明治25）に町制を施行、新川町と改称された。

その後は、町政の推進や地場産業の育成に牽引車の役割を担った。

1886年に大浜村に英学校ができると、八右衛門は翌年に北大浜村にも英語修成学校を開設した。また分村により村営の蓬莱座が大浜村のものになると、八右衛門は鶴ヶ崎の有力者を勧誘して、当時県下最大の大劇場「新盛座」を組合組織で建設した。これは間口8間（15m）、奥行17間（31m）の面積で、木造3階

建、2階の3面と3階正面に桟敷席を設け、廻り舞台に上手・下手の花道あり、という壮大なものであった。のち1896年に名古屋に御園座が開場するまで、当時県下最大級の劇場であった。

また小学校の建設には、自己の所有地を破格の安値で提供して教育行政を積極的に支援し、文化福祉方面にも協力を惜しまなかった。

一方、八の経営のほうは、1892年に和泉五ヶ野原（現安城市和泉町）に岡本農場を完成させ、今村に第二農場の開墾に着手した。翌年には亀崎銀行の創立に参加し、銀行の出張所を鶴ヶ崎に開設させた。1894年には北海道由仁村に大農場の開拓を企て、番頭の加藤平五郎に出張させている。

また、日清戦争では海運業者に多大な利潤がもたらされ、八右衛門の北洋丸（195トン）は北海道へ回航、小樽港へ二十数回出入港している。豪商の名を世間に喧伝し、その財力が最も充実し、大型事業が集中的に展開した時期を迎えた。

その後鉄道輸送に脚光があたると、八右衛門は参美鉄道（新川－多治見）、信参鉄道（新川－長野県辰野）を計画した（実現せず）。

しかし、日露戦争中の1905年に満州通いの所有船が海難に遭遇した。以後急速に経営が行き詰って倒産に追い込まれ、悲運のどん底のうちに1916年に死去した。

1883年に分村し、1892年に町制施行した新川町は、明治末年には碧海郡で最多の人口を擁する町に成長した。その成長と共にあり、躍進新川を象徴する存在が、岡本八右衛門であった。（豆田誠路）

清酒醸造処　両半　佐藤半一郎

【碧海郡北大濱村松江】

【絵解き】

1880年創業の清酒醸造所「両半」の屋敷、通りと秋葉山常夜灯を描く。場所は現在の碧南市松江町4・6丁目地内で、新川病院北交差点から西を望む。

通りは東西の道を描く。通りを挟み南北にわたり、醸造所と本宅と思しき屋敷が立ち並ぶ。多くの人が行き交う通りから奥（西）へ約300m先に当時松江渡船場があり、亀崎へ渡ることができた。秋葉山常夜灯の傍らにある道標にも「松江渡舟場道」とある。反対に手前（東）を進むと碧南辻という三叉路から、鷲塚、矢作川を経由して西尾方面に行くことができた。

また、道標の右には南北の道があった。現在の県道名古屋碧南線にあたり、大浜と高浜・刈谷を結ぶ。ここは交通の要地であった。

「両半」の名の由来は、この南北の道路の開通によって、佐藤半一郎の屋敷が東西に分断されたことによるという。酒のラベルは「両の松」で、両半と集落名の松江の合成とみられる。

また、図中に描かれる秋葉山常夜灯は、1824年（文政7）建立のものである（左ページ写真）。

【今昔を訪ねて】

「両半」がある松江は、1674年（延宝2）に碧海郡大浜村の枝郷（32軒）として開かれた。また同年に幕府領の支配のため、三河代官の鳥山牛之助が代官所を置いている。1676年（延宝4）には、近江国栗太郡（くりたぐん）辻村（現滋賀県栗東市（りっとうし））から

国松十兵衛・七郎兵衛親子が来住して鋳物業を始めるなど、松江は大浜村の枝郷のなかで古くから繁栄した。松江の秋葉神社の棟札によると、1778年（安永7）正月には、戸数39軒のうち、酒造屋2軒（松田長三郎、市古弥兵衛）、材木屋1軒、問屋2軒、大船7艘、店3軒とある。また酒造家片山五兵衛の分家片山桂助が銘酒「玉菊」を醸造し、明治まで続いたという。このほか1819年（文政2）には三沢屋という屋号でみりんをつくる者が出た。

こうした松江における清酒・みりん醸造の流れのなかで、「両半」が明治・大正期の新川町の清酒醸造で、一時代を築いたのである。

現在では清酒に代わって白醤油製造が碧南市新川地区で盛んになっている。常夜灯が移りゆく産業の変遷を静かに見守っている。（豆田誠路）

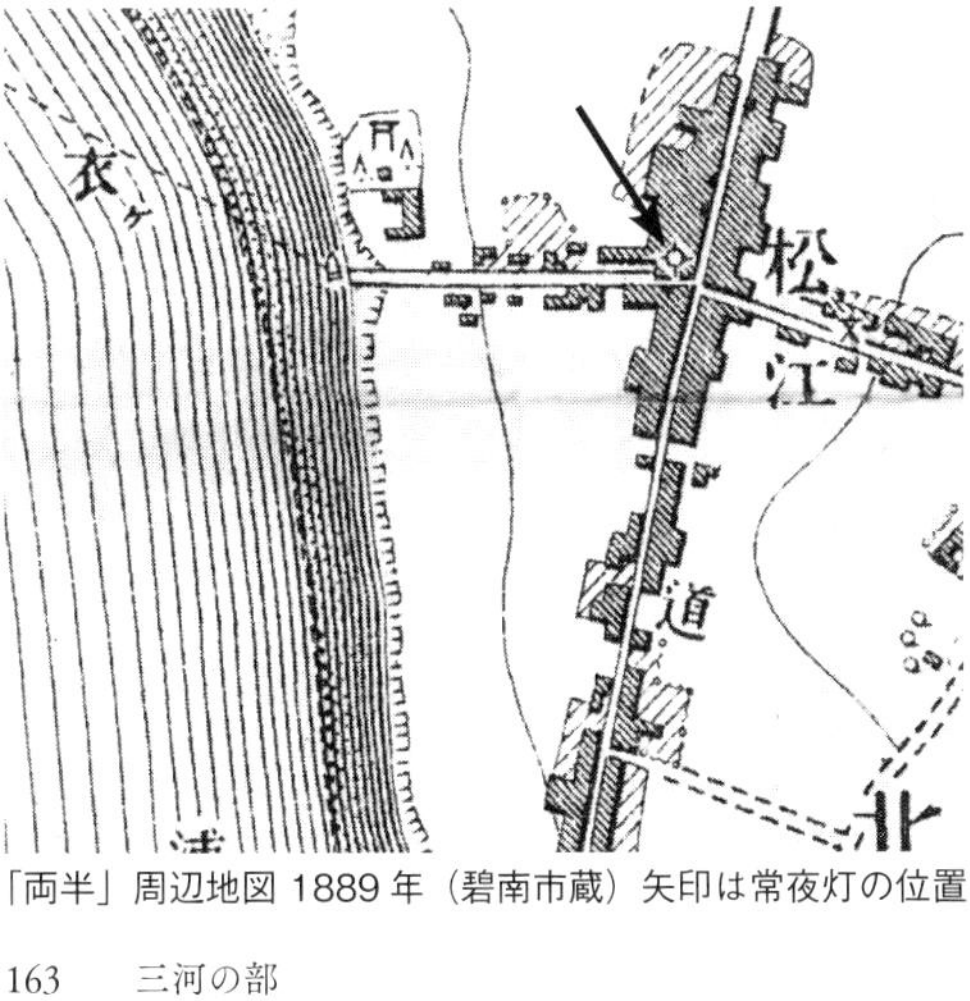

「両半」周辺地図 1889 年（碧南市蔵）矢印は常夜灯の位置

秋葉山常夜灯

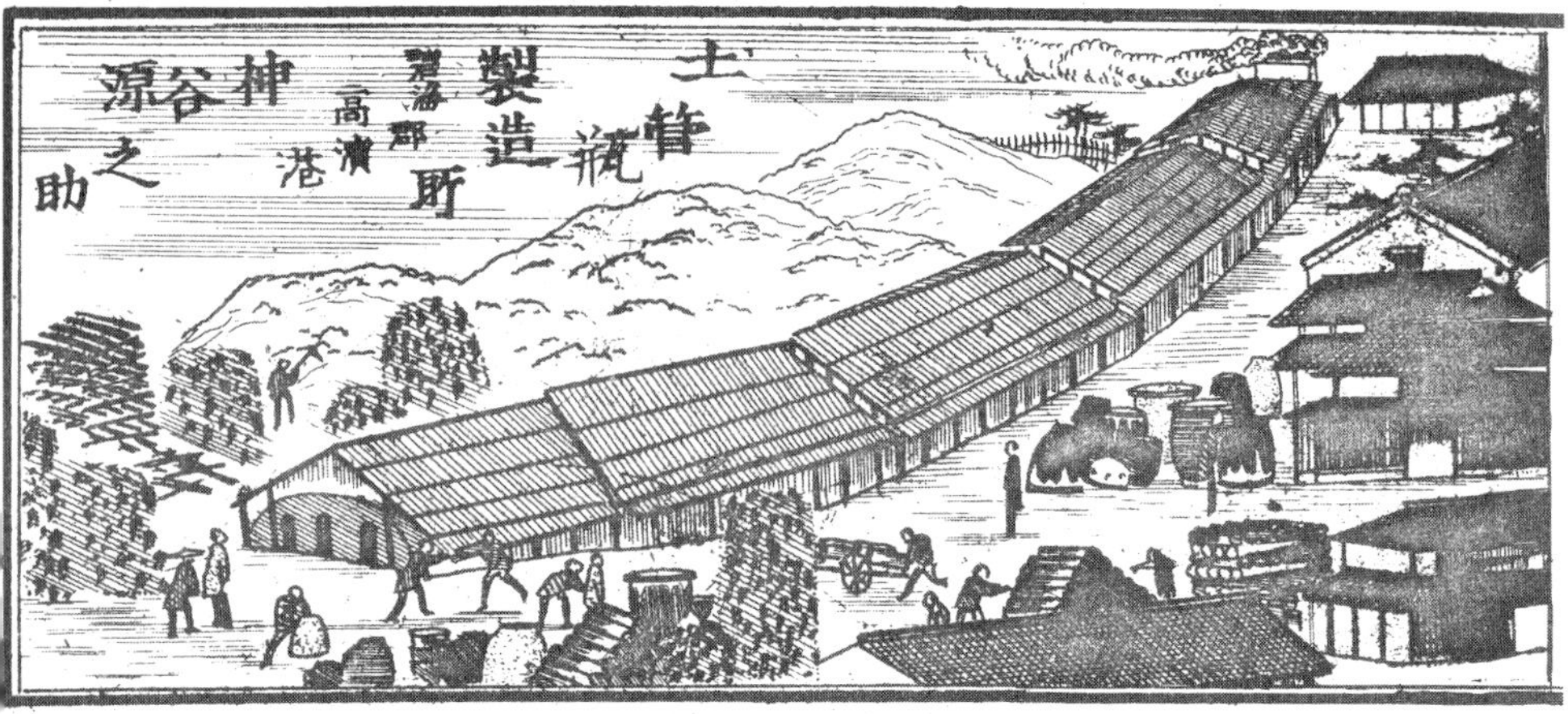

土管 瓶製造所 神谷源之助

【碧海郡高濱港】

【絵解き】

高浜で土管・瓶などを製造する神谷源之助窯に設けられた登り窯を描く。これは字段留（あざだんどめ）の丘陵（現高浜市青木町8丁目）を利用して築かれたもので、ここが碧海郡における土管工場の最初であったので、後に「三河土管元祖」といわれた。

神谷源之助（1848〜）は1759年（宝暦9）発窯といわれる、高浜でも古くからの瓦屋の家の二男に生まれた。父の喜三郎（1821〜）は二つ窯の窯持ちで、東京へ出荷していた。

明治前期、常滑では真焼土管を製造する陶弘社が創業し、伊藤清吉をはじめ常滑の同業者が団結して一手販売の組織を作っていた。しかし、1885年に内輪で紛議が生じ、伊藤清吉と伊藤仙助以外は陶弘社から脱退してしまった。

そこで、神谷源之助と伊藤清吉が計って高浜で土管を生産することにしたのである。まず神谷源之助窯に登り窯1基を着工して翌年5月に完成させ、また登り窯を2基に増設し、最終的に1888年に登り窯を5基に増設させた。上の図にはその頃の様子が描かれている。

【今昔を訪ねて】

その後1896年10月、同業の有志19人により「三河土管元祖」記念碑が建立された。碑は土管坂東側の神谷源之助の別荘の下方に設けられ、神谷源之助と陶弘社前社長伊藤清吉を顕彰する。

土管は登り窯からやがて平地窯に替わり、製法も機械化され、焼成も土器質から陶器質となり、土管から陶管と名称を替えた。

神谷源之助も時代の変化と共に土管以外の製造もするようになった。1902年7月に職工20人による煉瓦工場を創業した。また1910年の広告には「煉瓦石屋根瓦土管製造業並土木請負業　其他諸材料販売」とある。同年、後継者の神谷徹は煉瓦製造業者として、愛三土管煉瓦同業組合の設立にも関わっている。

しかし、1913年の記録に、職工男8人・女3人、煉瓦製造10万枚、工場主神谷源之助、とあるのを最後に、翌年以降の記録にはみえなくなった。事業がうまくいかず、別荘も売却したという。

その後の高浜での土管製造は、1955年頃までは順調に拡大したが、土管に代わる新たな製品（ヒューム管など）の台頭により、1965年頃から土管工場が減少するようになり、2004年を最後になくなった。

神谷源之助別荘にあった「三河土管元祖」記念碑は、現在高浜市やきものの里かわら美術館の隣りにある森前公園内に移設され、一時代を築いた三河土管の往時を偲ばせる。

（豆田誠路）

神谷源之助別荘と「三河土管元祖」記念碑（『愛知実業宝鑑』）

「通称 土管坂」碑（高浜市碧海町三丁目）から北の土管坂を望む

「三河土管元祖」記念碑
（高浜市・森前公園内）

砂糖類 紙 金物 畳表品々 茶商 活版印刷業 加藤新右衛門

【三河國碧海郡刈谷村】

【絵解き】

碧海郡刈谷村（現刈谷市銀座）で砂糖類・紙や金物等を商った有力商人・加藤新右衛門の本店を描く。商号は表屋。描かれた当時には、知立村にも支店があった。その後、1925年11月に資本金2万円で株式会社化した（刈谷中町、砂糖卸小売業）。

その歴史は江戸時代後期に遡り、文化・文政期に新しく台頭した刈谷藩の有力商人の一人であった。

【今昔を訪ねて】

1809年（文化6）創業と伝える表屋、加藤新右衛門は、元禄以来の有力商人太田平右衛門と共に、大坂・兵庫方面より砂糖を仕入れて卸売りを始め、やがて藩の御用商人を務めた。

1832年（天保3）から1836年にかけては、刈谷村の年番庄屋を太田市右衛門または正木庄三郎と共に務めている。また1836年には刈谷藩が翌年の不作に備え、身分相応の者に囲米・囲麦を頼んだが、新右衛門には50俵を頼まれている。

この頃の当主は茂陵また秀親という。俳人中島秋挙の門人で俳句をよくし、59歳で亡くなった。市原稲荷神社（刈谷市司町八丁目）の西の鳥居前に「中島秋挙句碑」があるが、これは1839年（天保10）に茂陵らが建立したものである。

幕末に入り、1863年（文久3）から1865年（慶応元）まで再び刈谷村の年番庄屋を務め、また1873年にも副戸長介を拝命するなど、刈谷村の村役人をたびたび続けた。

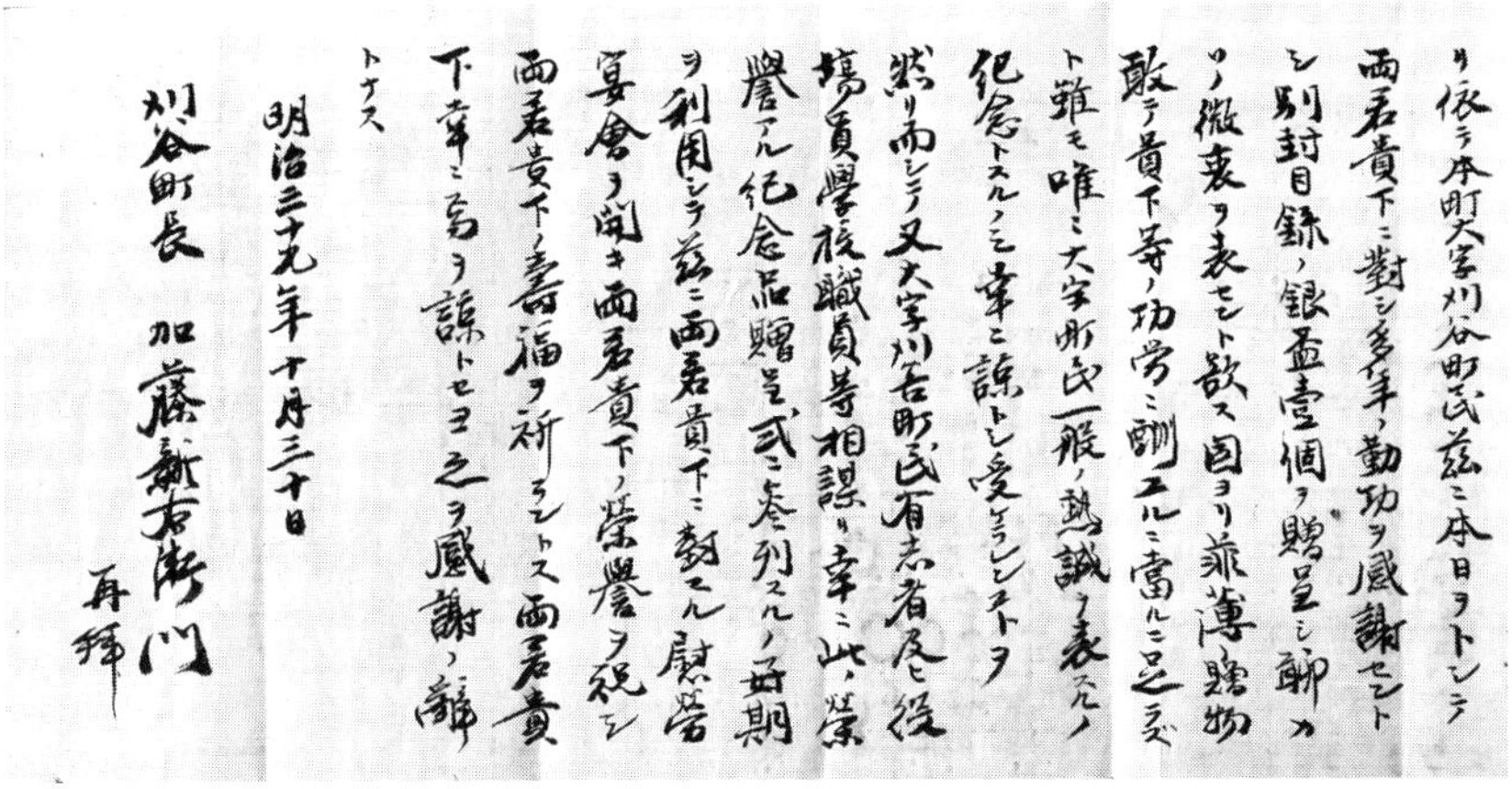
リ依テ本町大字刈谷町民茲ニ本日ヲトシテ
両君貴下ニ對シ多年ノ勤功ヲ感謝セント
シ別封目錄ノ銀盃壹個ヲ贈呈シ聊カ
ワノ微衷ヲ表セント欲ス固ヨリ菲薄贈物
敢テ貴下等ノ功労ニ酬エルニ當ルニ足ラズ
ト雖モ唯ニ大字町民一般ノ熱誠ヲ表スルノ
紀念トスルノミ幸ニ諒トシ受ケラレンコトヲ
然リ而シテ又大字刈谷町民有志者及ヒ役
場員學校職員等相謀リ幸ニ此ノ榮
譽アル紀念品贈呈式ニ参列スルノ好期
ヲ利用シテ茲ニ両君貴下ニ對スル慰労
宴會ヲ開キ両君貴下ノ榮譽ヲ祝シ
両君貴下ノ壽福ヲ祈ラントス両君貴
下幸ニ諒トセヨ之ヲ感謝ノ辭
トナス
明治三十九年十月三十日
刈谷町長　加藤新右衛門　再拝

感謝ノ辞（部分・刈谷市歴史博物館蔵）町村合併につき元刈谷村長と同収入役の退職に伴う感謝状。新町長加藤新右衛門の署名がある

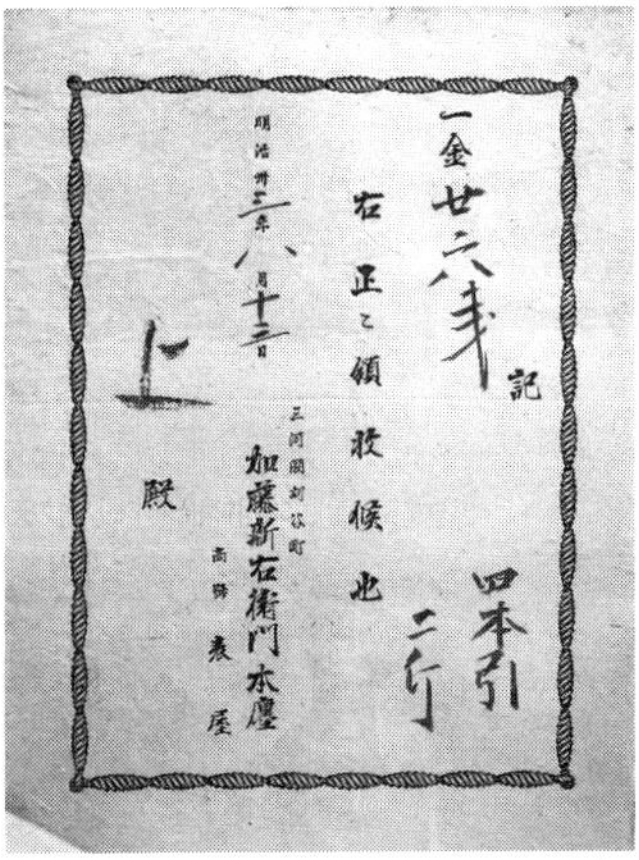
記
一金廿六銭
右正ニ領収候也
明治卅三年八月十三日
三河國刈谷町
加藤新右衛門
表屋
殿

記（金銭領収）（刈谷市歴史博物館蔵）

後に刈谷町初代町長となる加藤新右衛門は、1859年（安政6）に生まれた。公平無私の人で、1890年4月から2年7カ月県会議員を務め、のち郡会議長、明治用水総代となり、大いに地方開発に奔走した。また郡の商工会の始祖で、会長として施設経営に努めた。

このほか、1896年には、刈谷駅に停車する汽車の増加願の願主に名を連ねている。また1898年暮れには、碧海銀行の発起人総代となり、翌年設立されてからは取締役を務めている。

その後、1906年5月1日、刈谷町・元刈谷村・小山村・逢妻村・重原村が合併して改めて刈谷町が発足した。新右衛門はこの時の初代町長に就任し、同年8月から2年間町政を指揮した。

ちなみに、次に新右衛門を襲名したのは1885年生まれの幼名新一で、亀城小学校、東京高等商業学校卒業。その後、名古屋明治銀行東京支店長を経て、昭和銀行支配人を務めた。

なお、株式会社表屋商店は、1970年に株式会社表屋に組織変更され、現在も刈谷市八軒町で事務機器・事務用品等を販売されている。

（豆田誠路）

参考文献

川崎源太郎『尾陽商工便覧』龍泉堂、1888年（1986年復刻版、国書刊行会）
川崎源太郎『参陽商工便覧』龍泉堂、1888年（1975年復刻版、岡崎地方史研究会）

●尾張

愛知県史編さん委員会『愛知県史』通史編6 近代1、2017年
愛知県史編さん委員会『愛知県史』通史編7 近代2、2017年
愛知県史編さん委員会『愛知県史』資料編24 近代1 政治・行政1、2013年
愛知県史編さん委員会『愛知県史』資料編25 近代2 政治・行政2、2009年
愛知県史編さん委員会『愛知県史』資料編26 近代3 政治・行政3、2004年
愛知県史編さん委員会『愛知県史』資料編27 近代4 政治・行政41、2006年
愛知県史編さん委員会『愛知県史』資料編28 近代5 農林水産業、2000年
愛知県史編さん委員会『愛知県史』資料編29 近代6 工業1、2004年
愛知県史編さん委員会『愛知県史』資料編30 近代7 工業2、2008年
愛知県史編さん委員会『愛知県史』資料編31 近代8 流通・金融・交通、2013年
愛知県史編さん委員会『愛知県史』資料編32 近代9 社会・社会運動1、2002年
愛知県史編さん委員会『愛知県史』資料編33 近代10 社会・社会運動2、2017年
愛知県史編さん委員会『愛知県史』資料編34 近代11 教育、2004年
愛知県史編さん委員会『愛知県史』資料編35 近代12 文化、2012年
愛知県史編さん委員会『愛知県史』別編 民俗1 総説、2011年
愛知県史編さん委員会『愛知県史』別編 民俗2 尾張、2008年
愛知県史編さん委員会『愛知県史』別編 民俗3 三河、2005年
愛知東邦大学地域創造研究所『中部における福澤桃介らの事業とその時代』唯学書房、2012年
愛知東邦大学地域創造研究所『下出民義父子の事業と文化活動』唯学書房、2017年
青木公彦「戦前の名古屋都市計画公園史について」名古屋都市センター、2012年
青木公彦「名古屋の公園第1号設置から公園の都市計画決定まで」名古屋都市センター、2017年
安倍順一『東海の産業遺産を歩く』風媒社、2013年
伊藤亮三ほか「貸本屋『大惣』を語る」（『郷土文化』第8巻第1号所収）1953年
大国正美／楠本利夫『明治の商店　開港・神戸のにぎわい』神戸新聞総合出版センター、2017年
岡戸武平『中京の写真界99年』中部経済新聞社、1972年

木村直樹「見捨てられし浪越公園」(『C&D』№75所収) 1987年
「郷土文化」編集部「貸本屋『大惣』を語る」「郷土文化」第8巻第1号、1953年
小松史生子『東海の異才・奇人列伝』風媒社、2013年
新修名古屋市史編集委員会『新修名古屋市史』第五巻、2000年
新修名古屋市史編集委員会『新修名古屋市史』第六巻、2000年
杉野尚夫『名古屋地名ものがたり』風媒社、2017年
中部都市学会『中部の都市を探る　その軌跡と明日へのまなざし』風媒社、2015年
武豊町誌編さん委員会『武豊町誌』1984年
角山栄『茶の世界史―緑茶の文化と紅茶の社会』中央公論社、1980年
東邦学園大学地域ビジネス研究所『近代産業勃興期の中部経済』唯学書房、2004年
中西聡『近代日本の地方事業家―萬三商店小栗家と地域の工業化』日本経済評論社、2015年
中山正秋『増補改訂　ドニチエコきっぷでめぐる名古屋歴史散歩』風媒社、2014年
名古屋写真師会『名古屋写真師会小史』1990年
服部鉦太郎「浪越公園―海部俊樹さんのご先祖は写真館の経営者」『名古屋再発見―歴史写真集』中日新聞本社、1984年
林上『名古屋圏の都市地理学』風媒社、2016年
林董一『近世名古屋商人の研究』名古屋大学出版会、1994年
半田市誌編さん委員会『新修半田市誌』上・中・下、1968年〜
前田栄作/水野鉱造『増補版　尾張名所図会 絵解き散歩』風媒社、2013年
松岡敬二『三河国名所図絵 絵解き散歩』風媒社、2018年
水野孝一ほか『秘められた名古屋　訪ねてみたいこんな遺産』風媒社、2015年
溝口常俊監修『明治 大正 昭和　名古屋地図さんぽ』風媒社、2015年
溝口常俊編著『古地図で楽しむ尾張』風媒社、2017年
森靖雄「三菱汽船伊勢湾航路開設過程の研究」(『愛知県史研究』第16号所収) 2014年

◉三河

愛知県教育委員会文化財課『愛知県歴史の道調査報告書Ⅰ―東海道』1989年
愛知県史編さん委員会『愛知県史』通史編6 近代1、2017年
荒木國臣『三州地場産業発達史』赤磐出版、2006年
岡崎石製品協同組合連合会『石都岡崎　石と共に生きる』1986年
岡崎市美術博物館編『近代日本の挑戦者たち　博覧会に見る明治の三河』図録、2018年
岡崎市役所『岡崎市史』第三巻(復刻版)、1972年
小尾堅之助編『愛知県実業家人名録』愛知博文社、1894年

加藤良平『岡本八右エ門の時代―明治期の新川町』１９９５年
刈谷町誌編纂会編『刈谷町誌』１９３２年（復刻版、名著出版、１９７３年）
刈谷市史編さん編集委員会編『刈谷市史』第２巻 近世、１９９４年
刈谷市史編さん編集委員会編『刈谷市史』第３巻 近代、１９９３年
北野進『臥雲辰致とガラ紡機』アグネ技術センター、２０１６年
久米康裕編『三河知名人士録』尾三郷土史料調査会、１９３９年
九重社史編纂委員会編『三河みりんのふる里 九重味淋２２０年史』石川八郎右衛門、１９９７年
新編岡崎市史編集委員会『新編岡崎市史』第３巻 近世、１９９２年
新編岡崎市史編集委員会『新編岡崎市史』第４巻 近代、１９９１年
新編岡崎市史編集委員会『新編岡崎市史』第20巻 総集編、１９９３年
杉本誠「吉田鍛冶逍遥記　牧野・一色氏を軸にして」『東海の野鍛冶』東海民具学会、１９８１年
辻嘉和『鍋屋　西尾藩御用　鍋屋辻利八・十三代記』１９９５年
豊橋市史編集委員会編『豊橋市史』第二巻、１９７５年
豊橋市史編集委員会編『豊橋市史』第三巻、１９８３年
豊橋市美術博物館編「豊橋の寺子屋展」図録、２０１８年
豊橋市美術博物館編「すりもの展［錦絵・引札・包装紙］印刷物にみる豊橋の近代」図録、２０１０年
内藤良弘『高浜の土管屋さん』２００８年
長坂理一郎『昔はなし』豊橋新聞社、１９５８年
西尾市史編纂委員会編『西尾市史』２古代・中世・近世上、１９７４年
西尾市史編纂委員会編『西尾市史』３近世下、１９７６年
西尾市史編纂委員会編『西尾市史』４近代、１９７８年
西尾市教育委員会『愛知県指定文化財　旧糟谷邸』２００９年
碧南市教育委員会文化財課『歴史系企画展　遥かなる衣ヶ浦のみなと―海運と産業の歴史』２０１２年
碧南市史編纂会編『碧南市史』第１巻、１９５８年
松岡鉦之助編『豊橋廓芸娼妓品評一覧』春風舎、１８９５年
村瀬正章『臥雲辰致』吉川弘文館、１９８９年
山田誠二編『郷土豊橋札木町四百年史』札木町内会、１９８９年

[編著者紹介]
森 靖雄（もり・やすお）
1935年、愛知県一宮市生まれ。愛知大学法経学部卒業、同大学院経済学研究科修了（経済学修士）、同法学研究科修了（法学修士）。愛知大学綜合郷土研究所講師、大阪府立商工経済研究所主任研究員、日本福祉大学経済学部教授、東邦学園大学（現愛知東邦大学）経営学部教授を経て退職。現在、愛知県史専門委員（近代・産業経済担当）、愛知東邦大学地域創造研究所顧問、日本流通学会参与。
主な編著書に、『徳川時代における市場成立の研究』（1964）、『菰野財産区有文書集上・下』（1963）、『中小企業が日本経済を救う』（2004）、『知多半島の今昔』（2006）、『知多半島の昭和』（2012）などがある。

[執筆者紹介]（50音順）
神尾愛子（かみお・あいこ）西尾市教育委員会文化振興課（学芸員）
堀江登志実（ほりえ・としみつ）岡崎市美術博物館学芸員
増山真一郎（ますやま・しんいちろう）豊橋市美術博物館学芸員
豆田誠路（まめた・せいじ）碧南市教育委員会文化財課（学芸員）
湯谷翔悟（ゆたに・しょうご）岡崎市美術博物館学芸員

装幀／三矢千穂

＊本書の図版は、それぞれ許可を得たうえで、以下の復刻版を使用している。
『尾陽商工便覧』（国書刊行会、1986年）
『参陽商工便覧』（岡崎地方史研究会、1977年）

尾張・三河 明治の商店 絵解き散歩（おわり・みかわ めいじ の しょうてん えと き さんぽ）

2020年1月31日　第1刷発行　（定価はカバーに表示してあります）

編著者　森 靖雄
発行者　山口 章

発行所　名古屋市中区大須1丁目16番29号
電話 052-218-7808　FAX052-218-7709
http://www.fubaisha.com/
風媒社

乱丁・落丁本はお取り替えいたします。　＊印刷・製本／シナノパブリッシングプレス
ISBN978-4-8331-0188-2

尾張名所図会 絵解き散歩 増補版

文＝前田栄作　写真＝水野鉱造

目の前に立ち現れる江戸——。江戸時代のガイドブック『尾張名所図会』を片手に、まちを歩いてみれば…。当時の人々の暮らし、通りのにぎわい、幽玄な自然美の面影を探してみよう！

一六〇〇円＋税

三河国名所図絵 絵解き散歩

松岡敬二 編著

江戸の昔、人々はどんな景観を好み、楽しんだのか。かつての「名所」はいま、どうなっているのか？　幕末の愛知県三河地方の名所・旧跡を紹介した地誌『三河国名所図絵』を紐解き、かつての面影を訪ねる。

一七〇〇円＋税

東海の異才・奇人列伝

小松史生子 編著

徳川宗春、唐人お吉、福来友吉、熊沢天皇、川上貞奴、熊谷守一、亀山巌、松浦武四郎、江戸川乱歩、小津安二郎、新美南吉…なまじっかな小説よりも奇抜で面白い異色人物伝。あらゆる人間の生の縮図がここに！

一五〇〇円＋税